LE BONHEUR
DU VÉGÉTARISME
PRINCIPES DE VIE & RECETTES

D1319275

DANIÈLE STARENKYJ
LE BONHEUR
DU VÉGÉTARISME
PRINCIPES DE VIE & RECETTES

ORION

Dessins par Stefan Starenkyj

16e réimpression, février 1994

ISBN 2-89124-002-2

Publications ORION inc.
C.P. 1280, Richmond, (Québec)
Canada, J0B 2H0

Dépôts légaux — 1er trimestre 1978
Bibliothèque nationale du Québec
Bibliothèque nationale du Canada

**Du même auteur
aux Publications ORION :**

*Le mal du sucre
Mon « petit » docteur
L'allergie au soleil
Le bébé et sa nutrition
L'enfant et sa nutrition
L'adolescent et sa nutrition
Les cinq dimensions de la sexualité féminine
La ménopause : Une autre approche...
Le naturel féminin
La vie en abondance
De belles histoires pour nous tous*

Avant-propos

Il était une fois, il y a fort longtemps, et oui, c'était fort loin aussi, quatre jeunes gens. Ils s'appelaient Daniel, Hanania, Mischaël et Azaria. Ils étaient de race royale, de famille noble, beaux de figure, doués de sagesse, d'intelligence et d'instruction. Leur pays, Juda, leur roi, Jojakim, leur ville bien-aimée, Jérusalem, étaient tombés aux mains d'un monarque ambitieux, Nebucadnetsar, roi de Babylone. Prisonniers, ils avaient été déportés au pays de Shinéar où le conquérant espérait leur enseigner les lettres et la langue des Chaldéens pour ensuite les prendre à son service afin qu'ils devinassent visions et songes. Pour faciliter leur assimilation et hâter leur intégration, leurs noms, donnés par leurs pieux parents adorateurs du Dieu «qui a fait les cieux et la terre», furent échangés contre des noms représentant des divinités païennes. Le roi se proposait ainsi de les amener graduellement à renoncer à leur foi en un Dieu vivant, à abandonner ses lois et ordonnances, et à accepter de se prosterner devant ses dieux d'or, d'argent et d'airain. Daniel, devenu Belchatsar, et ses trois compagnons, maintenant appelés Shadrac, Méshac et Abed-Nego, furent amenés dans la maison royale. Là, le roi leur fit les honneurs de sa table somptueuse chargée de mets gras, variés, étranges et de vin en abondance. Il «leur assigna pour chaque jour une portion des mets de sa table et du vin dont il buvait voulant les élever pendant trois années, au bout desquelles ils seraient au service du roi[1].» Et... voilà où l'histoire devient étrange, provocante, incompréhensible. «Daniel résolut de ne pas se souiller par les mets du roi et par le vin dont le roi buvait, et il pria le chef des eunuques de ne pas l'obliger à se souiller[2].» Se souiller? Pourquoi? Comment? Daniel et ses trois amis avaient été élevés selon les principes d'une stricte tempérance. Ils savaient que l'opulence représente pour l'homme un danger plus sournois que la disette. Leur Dieu, ce Dieu qui disait qu'il portait son peuple «comme un homme porte son fils[3]», lui avait révélé des lois et des ordonnances destinées à maintenir chez ceux qui les pratiqueraient une vigueur physique, intellectuelle et morale optimale. Désirant pour ce peuple les plus hautes destinées, Dieu l'avait mis en garde contre l'usage des viandes malsaines et des boissons fermentées. Respectueux de leur corps et ayant appris qu'il existe une relation étroite entre un appétit déraisonnable ou perverti et une sensibilité émoussée, un cerveau endormi et une nature grossière, Daniel et ses compagnons décidèrent de rester fidèles aux ordonnances de leur Dieu. Le chef des eunuques stupéfait — ils étaient si différent ces Hébreux, si fermes, cela ne pouvait être un coup de tête — dit à Daniel: «Je crains mon Seigneur, le roi, qui a fixé ce que vous devez manger et boire; car pourquoi verrait-il votre visage plus abattu que celui des jeunes gens de votre âge? Vous exposeriez ma tête auprès du roi[4].» Pauvre intendant! de combien de gens se faisait-il l'écho, alors qu'il pensait qu'un régime sobre affaiblirait ces jeunes, les rendrait anémiques et sans vigueur, tandis que la nourriture riche et grasse de la table du roi leur conserverait la beauté et augmenterait leur force? Daniel devant le trouble de l'eunuque, désira gagner sa faveur. Il proposa donc une épreuve de dix jours pendant lesquels lui et ses compagnons ne recevraient que des végétaux[5] et de l'eau. L'eunuque jugerait lui-même les résultats de ce régime végétarien. À sa surprise «au bout de dix jours, ils avaient meilleurs visages et plus d'embonpoint que» tous les jeunes gens qui mangeaient les mets du roi[6].» L'épreuve fut concluante. Daniel et ses compagnons continuèrent sans embarras leur régime de pain, de céréales complètes, de légumineuses, de fruits, de légumes et de noix pendant les trois années de leur formation. Au terme de ce stage, «le roi s'entretint avec eux; et, parmi tous ces jeunes gens, il ne s'en trouva aucun comme Daniel, Hanania, Mischaël et Azaria. Sur tous les objets qui réclamaient de la sagesse et de l'intelligence, et sur lesquels le roi les interrogeait, il les trouvait dix fois supérieurs à tous les magiciens et les astrologues qui étaient dans tout son royaume[7].»

Ainsi s'achève un récit qui aurait pu devenir tragique. Le témoignage est ancien mais toujours actuel pour quiconque désire vérifier les qualités d'un régime sobre, dépourvu d'excitants et répondant aux besoins réels de l'être humain. Et voici maintenant la morale de l'histoire:

«On trouve ici une leçon pour tous mais spécialement pour les jeunes. Une stricte conformité aux exigences de Dieu est profitable à la santé du corps et de l'esprit. Si l'on veut atteindre au plus haut niveau des connaissances morales et intellectuelles, il est nécessaire de rechercher auprès de Dieu sagesse et force, et de pratiquer une tempérance stricte dans toutes les habitudes de la vie. Dans l'histoire de Daniel et de ses compagnons, nous avons un exemple de la victoire des principes sur la tentation de satisfaire ses appétits[8].»

---

1. Daniel 1 (5).

2. Daniel 1 (8).

3. Deutéronome 1 (31).

4. Daniel 1 (10).

5. Ailleurs [2 Samuel 17(28)], ce même mot est traduit par «grain rôti». En fait, le mot hébreu «zeroim» signifie littéralement «ce qui pousse après avoir été semé». Daniel a donc demandé un régime à base de «ce qui pousse» et tout particulièrement à base de céréales et légumineuses.

6. Daniel 1 (15).

7. Daniel 1 (20).

8. E. G. White, *Conseils sur la nutrition et les aliments*, p. 36.

Introduction

*«Quand un homme aurait cent fils,
vivrait un grand nombre d'années, et
que les jours de ses années se mul-
tiplieraient, si son âme ne s'est point
rassasiée de bonheur (...) je dis qu'un
avorton est plus heureux que lui[1].»*

«Le bonheur du végétarisme» est entre vos mains. Je ne sais ce qui, dans ce titre a attiré puis retenu votre regard. Est-ce le mot bonheur, est-ce le mot végétarisme, ou peut-être l'association de ces deux termes que vous avez trouvée insolite. Vous l'avez feuilleté. Il vous a plu. Vous l'avez acheté et vous voilà prêt à découvrir et étudier ces principes de vie et recettes. Les ayant mis en pratique, je désire ardemment que ce titre devienne pour vous lumineux, chargé d'une signification profonde mais évidente, vous accompagnant tout au long de votre vie maintenant transformée ou affermie, selon le cas.

Le sage Salomon a affirmé: «Il n'y a de bonheur pour l'homme qu'à manger et à boire, et à faire jouir son âme du bien-être au milieu de son travail[2].» Bien des gens ont pensé trouver dans ces paroles un appel à la luxure, une acceptation de la gourmandise, une justification de l'intempérance. Faire bonne chair est devenu synonyme de savoir-vivre, de civilité, de raffinement. Le manger, le boire et les loisirs sont devenus les occupations primordiales de notre société. (Comme ils le furent de bien d'autres civilisations avant la nôtre.) Il n'y a qu'à faire un petit tour en ville pour être frappé par la quantité d'enseignes et d'affiches sollicitant notre estomac. Restaurants, épiceries, bistrots, bars abondent. Il faut regarder encore un peu plus près et on est presque étourdi de voir tant de bouches occupées à déguster boissons et aliments, à mâcher, à fumer, tant de bouches sous tant de regards tristes, abattus, fatigués, vides, fixes, égarés, méchants, niais, sensuels, froids, durs, impénétrables. Toutes ces activités gustatives donnent-elles le bonheur? Engendrent-elles le bien-être? Sont-elles productrices de paix, de force, de joie? Sur quoi débouche toute cette satisfaction des appétits? Quelle est la qualité des lendemains de la veille?

Où se trouve le bonheur? Laissez-moi vous répéter la parole de Salomon: «Il n'y a de bonheur pour l'homme qu'à manger et à boire et à jouir du bien-être...» Se trompe-t-il ou n'avons-nous pas la même notion du manger, du boire, du bien-être? Il peut être difficile dans une société où la loi est perçue comme une contrainte, où la foi est confondue avec la présomption ou la naïveté, où la morale est un code d'éthique que l'on voudrait révolu, de parler de loi, de foi et de morale. Et pourtant, quoique étouffées ces valeurs ne percent-elles pas le cœur de tout être humain qui accepte de faire silence pour sourire à une fleur, une étoile, une rafale de neige, un éclat de soleil, une corneille annonçant le printemps? Cette vague des saisons, ce balancement des nuits et des jours, l'enfant qui vient, le vieillard qui part, tout cela ne dit-il pas à l'homme qu'il y a plus grand, plus fort, plus digne, plus excellent que lui? Si la nature est soumise à des lois fixes, immuables et éternelles, pourquoi, comment l'homme y échapperait-il? Si la nature s'égaie et prospère sous ces lois, pourquoi seraient-elles oppression pour l'homme?

Enivré d'une fausse liberté, l'homme se laisse entraîner, dominer par des passions et des appétits qui nient la physiologie de son organisme. Il a cédé aux discours enflés de vanité de ceux qui lui promettaient la liberté, alors qu'ils sont eux-mêmes esclaves, «car chacun est esclave de ce qui a triomphé de lui[3]» ... Pour références voir les innombrables annonces publicitaires incitant à l'usage du tabac et de l'alcool. Manger, boire et jouir du bien-être, ne sont un bonheur et ne procurent le bonheur de l'homme total, que lorsque ces activités respectent et vivent les lois inscrites dans nos cellules. Un exemple banal: lorsque vous mangez trop vous vous sentez lourd, affaibli, irritable et incapable de formuler une pensée neuve. Lorsque vous mangez mal, votre vitalité et votre énergie déclinent et vous avez bientôt perdu le bien le plus précieux, la santé, sans laquelle il n'y a pas de bonheur.

L'homme a donc besoin de retrouver les lois inscrites par le Créateur sur chaque nerf, chaque fibre de son corps. Il a particulièrement besoin de retrouver les principes d'une vie en harmonie avec les besoins et la destinée de l'homme et cela premièrement dans ce domaine si intimement lié à la vie: l'alimentation.

Un auteur chrétien écrivait en 1905: «Pour savoir quels sont les meilleurs aliments, il faut étudier le régime donné primitivement à l'humanité. Celui qui a créé l'homme et connaît ses besoins avait indiqué à Adam comment il devait se nourrir: Voici, avait-il dit, je vous donne toute herbe portant de la semence... et tout arbre ayant en lui du fruit d'arbre et portant de la semence: ce sera votre nourriture[4]. Chassé du paradis pour gagner son pain en cultivant un sol maudit, l'homme reçut alors la permission de manger l'herbe des champs. *Les céréales, les fruits et les légumes* sont donc les aliments que Dieu nous offre. À l'état naturel ou apprêtés d'une manière très simple, ils constituent le régime le plus sain et le plus nourrissant. Ils donnent une force, une endurance et une vigueur physiques et intellectuelles qu'une nourriture plus compliquée et plus stimulante ne saurait jamais fournir[5].»

«Le bonheur du végétarisme» veut détailler ce régime, vous amener à l'aimer, vous apprendre à le mettre en pratique, vous permettre de l'adopter afin de bénéficier de tous les avantages qu'il procure. Les principes décrits ont leur racine dans le respect de l'écologie humaine, (elle aussi doit être sauvegardée et dépolluée) et tirent leur force de l'acceptation de la nature et de la Révélation comme guides sûrs.

Les recettes indiquées sont simples. Pour les confectionner, vous utiliserez une tasse, une cuillère à soupe (c. à s.) et une cuillère à thé (c. à thé) comme mesures de base. Voici un petit tableau qui vous permettra de convertir tasses et cuillères en millilitres.

1 c. à thé	=	5 ml
1 c. à s.	=	15 ml
¼ tasse	=	60 ml
½ tasse	=	125 ml
¾ tasse	=	200 ml
1 tasse	=	250 ml

Ces recettes respectent le plus possible l'intégrité de l'aliment afin de permettre une alimentation saine, abondante et savoureuse. Elles sont exemptes de substances frelatées, artificielles, raffinées, synthétiques ou chimiques. Elles se veulent naturelles, aptes à combler les besoins de l'organisme humain, en harmonie avec ses exigences et capables de le maintenir en santé. Or, c'est de la santé que découle une grande partie du bonheur.

---

1. Ecclésiaste 6 (6).

2. Ecclésiaste 3 (24).

3. 2 Pierre 2 (19).

4. Genèse 1 (29).

5. E. G. White, *Conseils sur la nutrition et les aliments*, p. 95.

1

L'option végétarienne

Le 21 avril 1977, la Maison Blanche fêtait la journée des aliments (Food Day), qui se veut une célébration de la simplicité d'une bonne nourriture. Le repas était totalement végétarien et le menu offrait une délicieuse soupe aux fèves noires, des petits pains de blé entier, un ragoût au brocoli et aux noix, du riz brun. Ce jour-là, le végétarisme avait l'approbation de la maison et du bureau du président des États-Unis, Jimmy Carter. Ce fait, sans signifier une conversion totale des habitudes alimentaires des Américains qui sont de grands mangeurs de viande, est cependant symbolique. Le végétarisme a quitté l'arrière-scène de la clandestinité pour acquérir une reconnaissance officielle. Il est maintenant une option du monde moderne, une option possible, voire souhaitable, selon de nombreuses autorités scientifiques. Pourquoi raillé et ouvertement déconseillé il y a seulement une dizaine d'années, est-il devenu en 1977 et depuis, un art de vivre recherché et encouragé? En dehors de toutes considérations morales ou religieuses, recherchons ensemble les raisons qui vous permettront d'opter raisonnablement pour le végétarisme.

L'élevage moderne, industriel et concentrationnaire, ne produit pas une viande saine.

L'élevage moderne est devenu industriel. Pour lui, l'animal n'est pas un être vivant: c'est une machine. Une machine à faire de la viande. Une machine à faire de l'argent. Ainsi les techniques de fabrication de viande se sont totalement éloignées de la nature pour devenir artificielles et chimiques. Ces techniques peuvent varier d'un pays à l'autre mais elles restent, à quelques détails près, fondamentalement les mêmes. Dans le cas des bovins, les veaux sont retirés de la mère après avoir tété le colostrum. Ils sont ensuite nourris au lait de remplacement, composé généralement de poudre de lait écrémé dans lequel les matières grasses d'origine animale ont été remplacées par du saindoux ou du suif. Après un temps variant de trois à sept mois, les veaux sont sevrés et élevés aux aliments concentrés en étable, sur litière de copeaux de bois, afin qu'ils ne perturbent pas un équilibre alimentaire savamment calculé en avalant intempestivement quelques bouchées de paille. Cet élevage intensif se fait de plus en plus en «milieu conditionné»: air pulsé, température, lumière et hygrométrie optimales pour assurer une meilleure conversion alimentaire.

Privés de soleil, d'air pur, d'exercice, maintenus dans un état de frustration totale, ces animaux en batterie sont totalement déséquilibrés. Leur sensibilité grandissante aux agressions microbiennes et aux maladies en général, en témoigne. Ils développent une agressivité que l'on contrôle facilement en les écornant, mais plus difficiles à maîtriser sont les problèmes que posent les rapports de soumission et de domination entre individus à l'intérieur d'un même hangar à stabulation et à affouragement libres. Il arrive que des individus dominés absorbent des rations alimentaires deux ou trois fois inférieures à celles des autres, sans compter que l'anxiété dans laquelle ils se trouvent en permanence les empêche de se reposer et même de ruminer convenablement. Ces animaux ainsi choqués par une série d'agressions de la part du milieu qui les entoure peuvent avoir un métabolisme complètement bouleversé. Ils ont aussi de nombreuses affections des voies respiratoires et la collibacillose, à elle seule responsable de 90% des morts chez les veaux.

Pour se prémunir contre des taux de mortalité dépassant le seuil admis qui ruineraient tout espoir de profit, les éleveurs n'hésitent pas à recourir à la pharmacopée fort diverse que leur proposent les nombreux laboratoires de produits vétérinaires qui se disputent le marché. Tous les laits reconstitués destinés aux veaux sont additionnés d'antibiotiques et de vitamines diverses. Des stéroïdes, des sulfamides et jusqu'à tout récemment des quantités importantes d'un œstrogène de synthèse (le diéthylstilbœstrol) sont administrés légalement à ces animaux en vue, principalement, d'accélérer notablement la prise de poids. Tous ces médicaments comportent de sérieux dangers pour la santé de l'homme car ils se retrouvent naturellement dans la viande.

La viande de boucherie contient aussi des pesticides. Malgré la multiplication des mesures tendant à limiter l'emploi des pesticides organochlorés, nul n'échappe à la contamination. Même les animaux nourris dans les meilleures conditions absorbent des quantités non négligeables de ces substances qui ont la propriété d'être fixées dans les tissus graisseux et de s'y accumuler.

L'homme qui mange la viande d'un animal de trois ans absorbera une quantité importante de pesticides, antibiotiques et hormones. Ce geste répété deux à trois fois par jour, sept jours par semaine, ne manquera pas d'avoir des conséquences certaines sur sa santé. Le diéthylstilbœstrol, d'après les manuels pharmaceutiques, est reconnu comme cancérogène. Il peut également causer des œdèmes, des éruptions de peau, des hémorragies utérines, la perte de la libido chez les hommes. Le bœuf est souvent soumis à des hormones mâles dérivées de la testostérone pour accélérer la prise de poids. On emploie aussi une hormone qui agit sur la glande thyroïde dont elle inhibe le fonctionnement. Absorbé par le consommateur sous forme de résidus dans la viande, ce produit est dangereux car il risque de perturber l'activité de la thyroïde chez l'homme.

Il faut également connaître les conditions dans lesquelles sont élevés les poulets de chair ordinaires. Entassés à raison de 20 kg de poids vif au mètre carré — on ne dénombre même plus les individus — ils passent leur courte vie enfermés, à la lumière artificielle (très faible, pour éviter toute surexcitation) en atmosphère entièrement contrôlée. Ainsi, ils profitent au maximum des aliments surchargés en protéines qu'on leur délivre dans des mangeoires automatiques. Il y a vingt ans, il fallait entre 11 et 12 semaines pour «faire» un poulet de 1,5 kg. Aujourd'hui en moins de 9 semaines (63 jours!), on obtient un poulet de plus de 2 kg. La performance est belle, mais le goût, semble-t-il, n'y a pas gagné. Ces poulets sont bourrés d'antibiotiques car cela améliore le rendement. Pour que ces poulets parviennent vivants à l'abattoir, il faut les droguer: leur système nerveux fragilisé à l'extrême, ne supporterait pas les émotions du voyage.

On ne peut le cacher, les animaux, sont de plus en plus malades et leurs maladies sont causées par des bactéries, des parasites, des virus, des germes. La tuberculose, la salmonellose, la brucellose, l'anthrax, la mastite, la trichinose, le cancer sont des maladies du bétail qui peuvent affecter directement l'homme et mettre en jeu son bien-être et sa santé*.

Ces faits parviennent de temps en temps au grand public qui en est indigné. À d'autres moments, ce même public est secoué de haut-le-cœur: la viande arrive à la boucherie et dans son assiette sous forme de charogne habilement maquillée. Lorsque ces cadavres ont dépassé le seuil acceptable de la fraîcheur, le boucher peut faire appel à plusieurs substances chimiques qui résolvent le problème de l'apparence avec brio. Dans tout ce trafic, le consommateur est cependant deux fois perdant: il paie un prix souvent exhorbitant pour un produit tout à fait impropre à la consommation d'une part, et d'autre part il ne peut sincèrement espérer en tirer force et vigueur. La maladie coûte cher.

Devant une telle situation ceux qui peuvent se le permettre, recherchent une viande engraissée à l'ancienne mode et ne s'approvisionnent que chez des fournisseurs qui ont pu obtenir leur confiance. Cela n'est cependant qu'une solution d'exception et comporte malgré tout de sérieux risques.

La viande peut être une cause de maladie.

Plusieurs rapports scientifiques récents ont prouvé ce que plusieurs éducateurs affirmaient depuis longtemps avec, hélas, parfois beaucoup d'acidité et d'empirisme: la viande, même si elle est parfaitement saine, peut entraîner des troubles souvent graves.

---

* Voir *Les hommes malades des bêtes* aux Publications ORION.

Le docteur Raymond Shamberger, un biochimiste de la Cleveland Clinic Foundation a identifié en 1975, un carcinogène puissant dans la viande: l'aldéhyde malonique qui se forme à partir des acides gras dans la chair de l'animal aussitôt que celui-ci est abattu. Le docteur Shamberger a testé plusieurs viandes du commerce et a trouvé de l'aldéhyde malonique dans un nombre très élevé d'entre elles. La viande qui présente le plus haut taux de cette substance, est le bœuf. Or cette substance a été appliquée, une seule fois, sur le dos rasé de souris. En dix minutes, le dos de ces animaux traités était devenu orange. Après trois semaines, 52% des souris avaient développé des tumeurs. Le docteur Shamberger est convaincu que cette substance qui voyage dans tout le tube digestif humain, puisqu'elle se retrouve dans les excréments, peut attaquer l'estomac, l'intestin grêle et le colon en les rendant susceptibles au cancer[1].

D'autres études statistiques démontrent que le cancer et plus particulièrement le cancer du colon, est le plus répandu dans les pays où la consommation de bœuf est la plus forte. Le docteur Berg a fait des recherches approfondies à ce sujet, et il a pu affirmer à la Deuxième conférence nationale sur le cancer du colon et du rectum tenue à Bal Harbour, Floride, en 1973, «qu'il est maintenant évident que la consommation de bœuf est un facteur-clé, déterminant le cancer du colon.» Le docteur Berg et ses associés concluent leur rapport en notant qu'ils n'ont trouvé aucune population qui, ayant une consommation élevée de bœuf, avait un taux faible du cancer du colon[2].

Le docteur M. Howell donne également des preuves très convaincantes du danger potentiel d'une consommation élevée de viande de bœuf. En étudiant quatre villes américaines où la consommation de viande est très élevée, elle a pu montrer que le taux de mort par cancer du colon était également élevé. D'après le docteur Margaret Howell, il n'y a aucun doute que le bœuf est un aliment dont la consommation entraîne le développement de tumeurs malignes du colon[3]. Le temps qui passe, loin d'infirmer ces études, ne fait que les confirmer.

En 1974, 99,000 Américains avaient contracté le cancer du colon. En 1975, la moitié d'entre eux étaient morts. Le cancer du colon est le deuxième meurtrier dans la triste moisson du cancer et il semble vouloir, depuis quelques années, prendre la première place. Son taux augmente constamment tout comme la consommation de viande de bœuf. De 25 kg par personne et par an en 1950, elle était de 38 kg par an et par personne en 1970[4].

Les façons d'apprêter la viande peuvent également être une cause de cancer. Des études ont démontré que dans un kilogramme de viande grillée sur charbons, il y avait autant de benzopyrène que dans 600 cigarettes. Des souris qui avaient ingéré du benzopyrène, un agent provoquant le cancer, développèrent des tumeurs dans l'estomac et la leucémie[5]. La graisse de la viande, lorsqu'elle est soumise à une température élevée, développe une substance cancérogène, le méthylcholanthrène. Il semble que cette substance, en petites doses, sensibilise les animaux de laboratoire à d'autres agents cancérogènes, les rendant ainsi plus susceptibles de contracter cette maladie[6].

On peut aussi dire qu'il a été prouvé que des déficiences en vitamines B et particulièrement en vitamine B_6, étaient causées par une consommation prolongée et excessive de protéines animales[7].

Des recherches faites au Vascular Research Laboratory à Brooklyn indiquent que l'habitude de consommer de la viande pourrait être une cause de l'athérosclérose et des maladies cardiaques. On sait fort bien que toute viande, aussi maigre soit-elle, contient un haut pourcentage de gras saturés chargés de cholestérol qui élève le taux de cholestérol sanguin et peut conduire à la maladie cardiaque[8].

Le docteur Schneider d'Allemagne, qui a eu le privilège de soigner de nombreux malades avec un régime végétarien, affirme: «La suralimentation avec le régime carné provoque une hausse de la tension artérielle. Le régime carné excite la sécrétion de la glande thyroïde; les hyperthyroïdiens (thyréotoxicose, maladie de Basedow) s'en trouvent nettement aggravés. L'abondance de viande et la suralimentation en général jouent un rôle déterminant dans la genèse de l'artériosclérose, de certaines maladies du sang (augmentation du volume sanguin, hyperviscosité sanguine, augmentation du nombre de globules rouges: polycythénie). Le régime carné favorise la thrombose, les embolies, la formation des calculs biliaires, l'hypertrophie prostatique, les fibromes utérins et certainement aussi les tumeurs cancéreuses. La viande provoque des dépôts d'urate et d'acide urique d'où goutte, rhumatisme goutteux, calculs rénaux uratiques. Elle serait aussi à la base de beaucoup de phénomènes allergiques, ceux-ci étant toujours améliorés par le régime végétarien[9].»

La viande ne peut être, si on y tient, un aliment acceptable qu'en quantité modérée, d'une qualité et d'une fraîcheur irréprochables. Voici quelques chiffres comme point de référence : En 1840, le Français mangeait 18 kg de viande par an alors qu'en 1980, il en consomme 110. Alors qu'il mangeait peu de viande, le Français pouvait consommer 219 kg de pain, 7,3 kg de légumineuses et 178 kg de pommes de terre[10] par an. Ces derniers aliments constituent les véritables sources d'énergie car ce sont des glucides ou hydrates de carbone d'absorption lente. Ils fournissent à un rythme lent mais continu le glucose nécessaire au fonctionnement de chacune de nos cellules et particulièrement de nos cellules cérébrales*.

L'élevage moderne est une source de pollution.

Notre environnement se dégrade de plus en plus. L'élevage intensif soulève de graves problèmes dont le plus sérieux est de savoir quoi faire avec les masses énormes de fumier et de purin qu'il entraîne. Au Québec seulement, 6500 fermiers élèvent 3,4 millions de porcs qui font *chaque jour* 34 millions de litres de purin. L'élevage se fait souvent en dehors ou loin des centres de culture. De ce fait, le fumier est rarement étendu sur les champs, ou seulement en petites quantités. Les piles de fumier s'élèvent à l'air libre, le pénétrant d'une odeur suffocante. Le fumier et le purin sont très souvent acheminés vers les cours d'eau. Ceux-ci sont contaminés et deviennent excessivement dangereux pour la santé humaine. Il existe certaines contrées où les parcs à animaux s'étirent sur des kilomètres. Là, les bovins tassés les uns sur les autres pataugent dans leurs propres excréments et sont engraissés aux hormones. Ces déchets animaux laissent échapper du gaz méthane qui a la capacité de dissoudre la couche d'ozone de l'atmosphère qui nous protège des rayons ultraviolets du soleil. Les savants

---

* Voir *Le mal du sucre* aux Publications ORION.

qui s'occupent de cette question craignent une augmentation marquée du cancer de la peau si une telle situation continue. Il ne faut pas oublier que la production d'une calorie de viande de bœuf exige dix calories venant des céréales. Les neuf calories perdues le sont particulièrement en gaz méthane qui s'échappe dans l'air.

Allons-nous continuer à nourrir les animaux aux dépens des hommes?

L'habitude de manger de la viande est remise en question par bien des économistes habiles à faire de simples calculs. À une époque où le spectre de la famine atteint l'Occident, quelques chiffres parlent avec conviction: «Sur un hectare de bonne terre consacrée à l'élevage, on entretiendra, au maximum, quatre grands bovins. De quoi tirer, au bout de 18 mois, quatre carcasses de 300 kg dont on obtiendra 200 kg de viande, soit pour 1 ha, 800 kg de viande en 18 mois, soit 480 kg de viande par hectare et par an. Sur le même hectare en un an, on aurait pu produire plus de 5 tonnes de lait, ce qui aurait été mieux. On aurait pu également y faire pousser 50 quintaux de blé soit, au taux d'extraction de 70%, 3500 kg de farine. 480 kg de viande contre 3500 kg de farine, les chiffres se passent de commentaires! Dans tous les cas où l'on renonce à l'élevage, la quantité de nutriments (glucides, lipides, protides) disponibles pour la table de l'homme est de loin la plus importante[11].»

Pour René Dumont, spécialiste mondial des problèmes de la sous-alimentation, cette simple constatation, au moment où le déficit mondial de protéines doit être évalué à plus de 3 millions de tonnes par an, équivaut à la condamnation d'un système incapable de faire face aux besoins de l'humanité.

On calculait il y a déjà plus de 50 ans, que le bétail américain consommait suffisamment de grains pour nourrir 500 millions de personnes[12]. Un bœuf mange 29 kg de grains secs pour chaque livre que pèse sa carcasse... En fait, il n'est pas difficile de comprendre que la machine à bœuf n'est vraiment pas rentable. Elle entraîne d'énormes pertes d'eau, de terre et d'énergie qui employées pour produire des protéines végétales permettraient de nourrir abondamment trois fois plus de monde. La conversion des protéines végétales en protéines animales entraîne des pertes que notre monde ne peut plus supporter. Lorsqu'un animal mange 100% de protéines, il nous en redonne 23% sous forme de lait, 12% sous forme de porc, 10% sous forme de bœuf. Lorsqu'un animal mange 100% de calories, il nous en redonne 15% sous forme de lait, 7% sous forme d'œufs, 4% sous forme de bœuf[13]...

Manger de la viande est un luxe alors que sur plus de 3 milliards d'êtres humains, 300 à 500 millions souffrent de sous-alimentation constante (1 homme sur 8), mais 1,6 milliard (1 homme sur 2) sont atteints de malnutrition.

Alors que les animaux grandissent, grossissent et produisent d'excellentes protéines avec de l'herbe verte et des céréales entières, pourquoi ne pourrions-nous pas faire la même chose, directement, sans perte, sans pollution? La réponse à cette question fait du végétarisme une solution logique, économique, honnête, saine et parfaitement adaptée à notre époque.

Les habitudes alimentaires occidentales reposent en grande partie sur deux préjugés qui, érigés en dogme à la fin du 19e siècle, n'ont pas résisté à l'investigation et à l'expérimentation scientifiques. Ces deux préjugés sont: 1) que les protéines animales sont supérieures aux protéines végétales; 2) qu'il peut y avoir communément des carences en protéines sous nos latitudes.

Si nous considérons le premier préjugé à savoir que les protéines animales sont supérieures aux protéines végétales, il ne résiste pas longtemps à la simple logique. Les protéines ne sont pas un produit animal mais elles sont élaborées par les plantes. C'est le règne végétal et non le règne animal qui est la véritable et la première source des protéines.

De nombreuses autorités scientifiques ont fait plusieurs déclarations qui affirment toutes que les protéines végétales ne doivent être nullement différenciées quant à leur qualité des protéines animales. Une autorité scientifique en matière de nutrition l'International Society for Research on Nutrition and Vital Substances a déclaré: «La théorie classique de la nutrition qui affirme que les protéines animales sont supérieures aux protéines végétales ne peut plus être acceptée. Nous savons aujourd'hui que la valeur d'une protéine dépend de la quantité de ses acides aminés et non pas de leur origine. Les protéines végétales contiennent tous les acides aminés essentiels[14].»

Les docteurs Stare et Hegsted de l'Université Harvard (E.U.) ont affirmé: «Le contenu en acides aminés essentiels des germes de blé, de maïs et d'avoine, se compare favorablement avec d'excellentes protéines telles que celles des œufs ou de la viande. Il est évident, d'après de nombreuses études, que les protéines de ces germes doivent être considérées comme étant essentiellement équivalentes aux protéines animales de première classe, à la fois lorsqu'elles sont utilisées seules ou lorsqu'elles sont combinées à d'autres protéines dans l'alimentation[15].»

Les docteurs Bressani et Béhar de l'Institut de nutrition de l'Amérique centrale et de Panama affirment très catégoriquement que du point de vue de la nutrition, il ne faut nullement distinguer les protéines végétales des protéines animales[16].

Plusieurs études ont cherché à déterminer la qualité des protéines végétales. Il y a généralement deux méthodes pour le faire. La première est de nourrir des animaux et de déterminer le taux de croissance avec un aliment donné et de le comparer avec le taux de croissance que permettent d'autres aliments. L'expérience a prouvé que bien des produits végétaux permettent une croissance aussi rapide et aussi harmonieuse que les produits animaux. Cette méthode a permis de mettre au point la pratique de la combinaison des protéines végétales. Traditionnellement les végétariens qui sont dans notre monde, il faut l'avouer, la majorité, ont su, au cours des siècles, élaborer des plats qui combinent automatiquement divers aliments se complémentant parfaitement sur le plan des protéines. On a pu ainsi découvrir que les céréales associées aux légumineuses, par exemple, offraient une quantité et une qualité de protéines irréprochables. À l'Hôpital Muganeroe au Rwanda, les enfants africains souffrant d'une maladie causée par une carence en protides, guérissent aussi rapidement lorsqu'on leur donne un mélange de maïs et de légumineuses (leur nourriture traditionnelle) que lorsqu'on leur donne du lait[17]. Il est donc bien connu et bien documenté que les combinaisons des protéines végétales suivantes offrent une qualité de protéines irréprochable: céréales et légumineuses; graines et légumineuses; noix et céréales; verdures et céréales.

Une autre méthode consiste à mesurer le taux de protéines retenu par le corps lorsqu'il reçoit un seul aliment. Elle s'appelle la méthode de la valeur biologique des protéines. Toute valeur de 70% et plus dénote une qualité excellente de protéines, adéquate pour permettre une croissance harmonieuse chez l'enfant. Une valeur de 60% est adéquate pour les adultes, excepté les femmes enceintes et les nourrices qui ont besoin d'une valeur de 70%.

Le docteur Albert Sanchez, professeur assistant de nutrition à la School of Health de l'Université Loma Linda en Californie et auparavant biochimiste à l'International Nutrition Research Foundation, s'est appliqué à évaluer la valeur biologique des protéines contenues dans divers aliments. Ses études prouvent que bien des végétaux ont une qualité de protéines tout à fait adéquate et souvent égale à celle de la viande considérée, à tort, comme supérieure. Il donne, par exemple, comme valeur biologique au sarrazin en grains 77, au soja 73, aux graines de tournesol 70, aux pommes de terre 73, aux champignons 80. Le bœuf, le veau et le poulet ont une valeur de 74. Ces chiffres nous démontrent encore une fois qu'une alimentation végétarienne est plausible et qu'elle ne présente pas de problèmes lorsqu'elle est bien conduite. De plus, comme il est courant de manger à un même repas divers aliments qui se complémentent, il est virtuellement impossible d'avoir des carences en protéines[18].

«*Voici l'hippopotame, à qui j'ai donné la vie comme à toi!*
Il mange de l'herbe comme le bœuf.
Le voici! Sa force est dans ses reins et sa vigueur dans les muscles de son ventre;
Il plie sa queue aussi ferme qu'un cèdre;
Les nerfs de ses cuisses sont entrelacés;
Ses os sont des tubes d'airain,
Ses membres sont comme des barres de fer[19].»

Ceci nous permet de répondre au deuxième préjugé courant en faveur de la consommation de la viande qui affirme qu'il faille consommer beaucoup de protéines et qu'une alimentation végétarienne n'en offre pas suffisamment.

Le professeur Voit, il y a environ cent ans, fixait à 118 g par jour la consommation minimale de protéines nécessaires pour garantir la santé et la capacité de travail de l'homme. Ces protéines, il va sans dire, devaient être de provenance animale.

Cette doctrine se maintient encore de nos jours, non seulement dans l'opinion publique, mais chez bien des professeurs de santé. Pourtant le contraire a été prouvé à maintes reprises, tant en laboratoire que dans la vie réelle d'individus et même de nations. Le docteur Hindhede, un Danois, sauva ses concitoyens de la famine, lors de la Première Guerre mondiale, parce qu'il ne croyait pas à cette doctrine. Il avait déjà constaté que les protéines végétales sont aussi valables que celles de provenance animale; que l'homme peut vivre avec un tiers des protéines préconisées par l'ancienne doctrine; que les fourrages donnés aux animaux contenaient des protéines de haute qualité qui étaient en grande partie perdues pour l'homme. Dans cette période de crise, les porcs et les hommes ne pouvaient cohabiter. Les quatre cinquièmes des porcs et le tiers des bovins furent donc abattus sur ordre gouvernemental et leur nourriture alla aux hommes: l'orge et les pommes de terre des porcs, le son des vaches que les Danois mirent dans leur pain de seigle entier. En fait, on calcule que 800,000 tonnes de céréales destinées à la production fourragère furent récupérées pour la consommation humaine. Le pays entier connut une alimentation «pauvre» en protéines et à la grande surprise de bien des gens, l'état de santé du peuple s'améliora considérablement. On dit que bien des médecins fermèrent leur cabinet. Le taux de mortalité pendant cette période où les hommes mangèrent la nourriture des animaux fut le plus bas enregistré dans toute l'histoire de l'Europe, soit de 10,4 par millier. Le peuple danois ne connut pas de trop grande disette alors que l'Allemagne où les réserves étaient environ deux fois plus grandes, connut la famine en 1917. De plus lorsque en 1918 une pandémie de grippe frappa l'Europe, le Danemark fut le seul pays européen à ne pas enregistrer une augmentation de son taux de mortalité.

Depuis, l'Organisation mondiale de la Santé a constaté que 35 g de protéines de provenance végétale par jour peuvent suffire à maintenir un homme en bonne santé. Aux États-Unis, deux groupes distincts de chercheurs de grande distinction dans le domaine de la nutrition, le docteur Hegsted[20] et ses associés de Harvard et le docteur Bricker[21] et ses associés de l'Université de l'Illinois, ont trouvé, chacun séparément, que 30 g de protéines sont suffisants pour maintenir un adulte en bonne santé. D'après leurs recherches, ces 30 g de protéines peuvent être d'origine végétale ou animale, sans que cela ne fasse de différence. Ces conclusions ont amené le docteur Hegsted à déclarer qu'il est virtuellement impossible que des adultes qui consomment une alimentation dans laquelle les céréales complètes et les légumes fournissent suffisamment de calories, développent une carence en protéines. Le docteur G. K. Abbott affirme qu'il n'y a aucun danger de déficience en protéines si ce n'est dans la pauvreté ou la famine ou encore dans une maladie qui empêche de manger ou d'assimiler les aliments au niveau des intestins[22]. Les carences en protéines ne se rencontrent que dans des alimentations restrictives, déséquilibrées à l'extrême à cause de la pauvreté, de la famine ou encore d'idées en matière d'alimentation fantaisistes. Jean Mayer déclare: «Le médecin pratiquant aux États-Unis, est rarement en face d'un cas de déficience en protéines. Au contraire, la grande majorité des Américains adultes vivent sur des régimes fournissant 2 à 5 fois plus de protéines que le minimum requis. Il y a très peu d'évidence qui permette de déclarer, comme le font certains auteurs, qu'en Amérique les carences en protéines sont communes même chez les enfants. Probablement les seuls groupes qui sont susceptibles d'être déficients en protéines, mais aussi en calories et en divers éléments vitaux, sont les jeunes femmes et les adolescentes qui se mettent à des diètes à la mode afin de perdre du poids sans beaucoup de justification et à une rapidité excessive[23].» On peut ajouter que les régimes dits végétariens, mais dont l'inspiration est philosophique et les visées spiritualistes comportent des dangers semblables. En excluant certaines catégories d'aliments essentiels, en particulier le pain, les céréales, les fruits ou l'eau, ils sont déséquilibrés et entraînent obligatoirement de dangereuses carences.

L'excès de protéines et plus particulièrement l'excès de protéines animales est nocif et inutile. Il augmente la fatigue, diminue l'endurance et la longévité. Le docteur Irving Fisher fit, il y a quelques années, des études comparatives entre des athlètes de l'Université Yale, aux États-Unis, et des végétariens du Battle Creek Sanatarium. Il donna aux deux groupes divers exercices d'endurance à faire. Les végétariens toujours dépassèrent avec beaucoup d'avance les non-végétariens. Dans un test, les hommes devaient garder leurs bras étendus devant eux aussi longtemps que possible. Seulement deux mangeurs de viande atteignirent 15 minutes alors que 22 des 32 végétariens purent le faire. Aucun mangeur de viande mais 15 végétariens atteignirent une heure, quatre deux heures, et un trois heures et vingt minutes. Un autre test consistait à faire des flexions des genoux. Seulement quelques mangeurs de viande en firent de 300 à 400 alors qu'un végétarien en fit 1800, un 2400 et un 5000. Plus tard, alors qu'il continuait ses recherches et ses tests, le docteur Fisher remarqua que lorsqu'il abaissait la ration en protéines de 20%, il augmentait l'endurance de ses hommes de 33%[24].

Le docteur R. Chittenden de l'Université Yale fit les mêmes remarques à savoir que l'endurance augmentait avec une réduction de la ration protidique. Il fit de nombreuses recherches avec des professeurs, des étudiants, des soldats et des athlètes et arriva à la conclusion que la force musculaire et l'endurance étaient à leur plus haut point avec une ration d'environ 30 g de protéines par jour. Son explication de ce phénomène est que le métabolisme des protéines augmente le contenu du sang en acide urique, en urée et purines et que ces éléments ont un effet paralysant sur les nerfs et les muscles. De plus, l'unique combustible des nerfs et le combustible privilégié des muscles est le glucose, amplement fourni par les céréales complètes qui sont toujours délaissées dans un régime à base de protéines.

De nombreux peuples sont, on le sait, sinon végétariens du moins petits consommateurs de viande. Tous ces peuples, s'ils connaissent une ration calorique suffisante, sont beaucoup plus sains, plus forts, plus jeunes que les peuples nord-américains. On peut citer, sans aller dans les détails, les Hunzas, les Yéménites, les Russes, les Bulgares, par exemple, dont l'alimentation consiste largement en céréales entières, légumes et produits laitiers. Ces peuples ont une robustesse et une longévité enviables. L'étude de certains groupes végétariens, au sein d'une population non végétarienne et vivant dans les mêmes conditions par ailleurs, révèle qu'ils jouissent, de ce seul fait d'une santé plus florissante. De telles études ont été faites sur les Adventistes du septième jour, des chrétiens qui croient entre autres à l'enseignement biblique du respect du corps, celui-ci étant appelé par l'apôtre Paul, «le temple du Saint-Esprit». Les Adventistes sont largement végétariens et ils s'abstiennent de tabac, d'alcool, de café, de thé et de colas. Ils préfèrent les céréales complètes aux céréales raffinées et utilisent avec beaucoup de modération le sucre sous toutes ses formes. Chez eux, le taux de mortalité pour toutes causes est de deux fois moins élevé que chez la population en général[25].

Le végétarisme est une option que notre société à l'heure actuelle, aurait intérêt à prendre. Des querelles sectaires empêchent cependant encore qu'elle se fasse avec facilité. On croit toujours fermement que la viande donne de la force, qu'elle donne du sang, qu'elle donne courage, virilité, combativité. Scientifiquement, ces convictions ne sont pas exactes. Pour ce qui est de la force, l'organisme ne peut transformer en glucose, en l'absence de glucides, que 56% à 58% des protéines contenues dans la viande alors qu'il transforme automatiquement en glucose la totalité des hydrates de carbone ou glucides contenus dans le pain et les céréales. Or le glucose est le combustible, le carburant, l'aliment énergétique de nos muscles. Les protéines ont pour rôle principal la construction et l'entretien des tissus et non la fabrication d'énergie. La conviction que la viande rouge et saignante donne du sang est aussi fausse. La viande ne guérit l'anémie que si celle-ci a son origine dans une alimentation trop pauvre en protéines, ce qui est rare. Il faut remarquer que la viande n'est pas particulièrement riche en fer (comparée à certains légumes ou à l'œuf) ni en vitamines antianémiques.

En 1970, Anders Haugen avait 84 ans. Il skiait encore et cultivait toute sa nourriture. Végétarien depuis 60 ans, il avait été quatre fois champion national de ski aux E.-U. et trois fois champion mondial. En 1984, Hulda Crooks à 88 ans grimpait pour la 22e fois le Mont Whitney, le plus haut sommet en Amérique du Nord. Végétarienne depuis 70 ans, elle a commencé un programme régulier d'exercice à l'âge de 66 ans. Elle aime dire que le vieillissement n'est pas une maladie mais un état de maturité.

Il faut l'avouer, la querelle entre végétariens et mangeurs de viande n'a pas grand-chose à voir avec la science de la nutrition. Un régime composé de végétaux auxquels sont adjoints des œufs et des laitages, si on le désire, couvre parfaitement tous les besoins de l'être humain. L'option végétarienne se présente avec insistance au moment où la crise mondiale des protéines se fait ressentir avec une acuité toujours plus grande. Il faut cesser de considérer la viande comme l'aliment désirable entre tous.

L'option végétarienne vous est offerte. Puissiez-vous la considérer avec sérieux et la saisir avec bonheur!

1. *Journal of the National Cancer Institute*, décembre 1974.

2. Ibidem, décembre 1973.

3. *Journal of Chronic Diseases*, Vol. 28, p. 67-80, 1975.

4. *New York Times*, le 9 février 1974.

5. W. Lijinsky et P. Shubik, «Benzo(a) pyrene and other polynuclear hydrocarbons in charcoal broiled meat», *Science* 145: 53, 55, 1964.

6. J. M. Neiman, «The sensitizing carcinogenic effort of small doses of carcinogen,» *Europ. J. Cancer.* 4: 537-543, 1968.

7. L. T. Miller et al., *Journal of Nutrition*, septembre 1967.

8. *A.M.A. News Release*, le 21 juin 1965.

9. Dr E. Schneider, *La santé par les aliments*, p. 192.

10. *Méd. et Nut.*, 1981, T. XVIII — N° 1 «Colloque de la Fondation Française pour la nutrition».

11. *Science et Vie*, N° 673, p. 78, octobre 1973.

12. J. H. Kellogg, M.D. in *«Good Health»*, p. 48, février 1935.

13. *Life and Health Supplement*, Vegetarianism, p. 19, 1973.

14. International Society for Research on Nutrition and Vital Substances, Resolution N° 80.

15. *Life and Health*, Mai 1949, p. 32.

16. R. Bressani et Béhar, «The use of plant protein foods in preventing malnutrition», proceedings of the Sixth International Congress of Nutrition, Edinburg, 9 au 15 août, 1963. Edinburg, E. et S. Livingstone, Ltd. 1964.

17. Albert S. Whiting, «Report on treatment of kwashirobor victims», Hôpital Muganeroe, Kibuye, Afrique, 1973.

18. A. Sanchez, J. A. Sharffenberg, U.D. Register, «Nutritive value of selected protein and protein combinations. I. The biological value of proteins singly and in meal patterns with varying fat compositions.» *Amer. J. Clin. Nutr.* 13: 243, 1963.

19. Job 40 (10-13).

20. D. M. Hegsted, A. G. Tsongas, D. B. Abbott et F. J. Stare, «Protein requirements of adults», *J. Lab. Clin. Med.* 31: 261, 1946.

21. M. Bricker, H. H. Mitchell, et G. M. Kinsman, The protein requirements of adult human subjects in terms of the protein contained in individual foods and food combinations. *J. Nutr.* 30: 269, 1945.

22. Dr G. K. Abbot, *High Blood Pressure*, p. 164.

23. Jean Mayer, «Amino Acid Requirement of Man», *Post Graduate Medecine*, 26: 252, août 1959.

24. I. Fisher, *Yale Med. J.* mars 1907.

25. Philipps R.L., Role of life-style and dietary habits in risk of cancer among Seventh-Day Adventists. *Cancer Research* 35: 3513-22, 1975. Phillips R.L., Lemon F.R., Beeson W.L., Kuzma J.W., Coronary heart disease mortality among Seventh-Day Adventists with differing dietary habits: a preliminary report. *Am. J. Clin. Nutr.*, 31: s-191-s-198, 1978.

2

Les principes
du végétarisme

Le végétarisme est un art de vivre souvent méconnu et la plupart du temps malmené et par ses opposants et par ses tenants. Il arrive qu'il mette mal à l'aise le professionnel de la santé, victime de ses préjugés ou de son ignorance, ou fort de ses observations effectuées sur ceux qui pratiquent un mode alimentaire d'où la viande est exclue sans autres considérations. On ne saurait nier les cas de kwashiorkor[1] enregistrés depuis quelque temps aux États-Unis chez des individus suivant des régimes dits végétariens, ni passer sous silence les nombreux «végétariens» sans force, ni vigueur.

D'autre part, on ne peut affirmer, ni même penser insinuer que toute personne consommant de la viande est nécessairement l'image même de la santé. Ce serait nier l'évidence la plus criante et passer sous oubli ou silence toutes les études démontrant le contraire. J'ai sous les yeux un article du *Washington Post* du 28 février 1974 donnant les résultats préliminaires d'une étude du Service de santé publique des États-Unis, démontrant que 95% de *tous* les enfants d'âge préscolaire et des femmes en âge de procréer étaient déficients en fer. Ceci après 30 ans de la mise en vigueur du programme d'enrichissement des céréales et du pain en fer, et dans une population ayant une consommation moyenne annuelle de viande d'environ 96 kg par personne. On peut aussi étudier avec profit le rapport «Nutrition Canada», et en tirer la conclusion que tout n'est pas pour le mieux ici et que pour arriver à un statut nutritionnel adéquat chez la population en général, il y a fort à faire au niveau de l'éducation et de la réforme alimentaire.

Il est donc évident qu'on ne peut discuter d'un mode alimentaire en dehors de l'énoncé clair de ses principes et tout jugement sur ce mode alimentaire doit se faire dans le cadre de la stricte application de ces principes. C'est ainsi que je veux au début de ce livre vous énoncer avec précision les principes fondamentaux d'un végétarisme équilibré et vous donner une définition de cet art de vivre.

Le dictionnaire Larousse définit le végétarisme ainsi: «Système d'alimentation supprimant les viandes ou même tous les produits d'origine animale (végétalisme)». Personnellement je trouve cette définition négative et vague. C'est d'ailleurs une telle définition du végétarisme qui entraîne toute une variété de systèmes alimentaires d'où la viande est exclue et produisant des résultats plus ou moins heureux.

Le végétarisme ce n'est pas d'abord ne pas manger de la viande mais avant tout *c'est manger des végétaux*. Le végétarisme n'est pas en réaction contre la viande, il est en action pour l'immense variété de tous les végétaux comestibles que la terre produit en abondance. On ne devient pas végétarien en ôtant la viande du milieu de son assiette et en se contentant de ce qui y reste, mais en introduisant suffisamment de végétaux au point qu'il n'y ait plus de place, ni de besoin pour cet aliment.

Cette définition donnée — le végétarisme est un système d'alimentation exploitant toute la variété des végétaux comestibles et de ce fait même, ne consommant pas de viande — je veux vous décrire les principes qui vous guideront dans le choix de vos aliments.

C'est en se penchant sur certaines pages de l'histoire humaine que l'on peut découvrir les principes que je donne comme étant à la base même d'un végétarisme équilibré, pourvoyeur de force, de vigueur et de bonheur. Ces pages sont bouleversantes, stupéfiantes, étonnantes mais aussi réconfortantes si on sait en tirer les leçons nécessaires et les mettre en pratique. C'est ainsi que:

Premièrement:

> *Le végétarisme se pratique à partir de céréales*
> *ENTIÈRES.*

Béribéri... ce mot vous dit-il quelque chose? Peut-être pas ou vaguement seulement. Il a été la terreur de milliers de personnes qui ont succombé à ses ravages: une très grande faiblesse, des désordres nerveux, la dépression du cœur, l'hypertrophie du foie, la perte de poids, la paralysie puis, après une agonie lente, la mort. La définition technique du béribéri est: maladie due à la carence en vitamine B_1. Cette définition sophistiquée nous éloigne de la réalité de son contexte, car le béribéri fut tout d'abord la maladie associée à la consommation du riz poli, du riz blanc et cela grâce aux efforts persistants du médecin de la Marine japonaise, Takati. Le Japon avait ouvert ses portes aux bienfaits de la civilisation occidentale depuis près de vingt ans et ce pays, auparavant insignifiant, déployait maintenant une force militaire et navale étonnante. Il était prêt à de grands exploits quand soudain une épidémie étrange se mit à frapper les marins en particulier, tuant une grande partie d'entre eux et laissant les autres fort diminués. La première réaction des autorités fut de vouloir trouver le microbe qui causait une telle maladie. Elles faisaient en cela écho aux travaux de Pasteur qui venaient tout juste d'être publiés. Nous sommes en 1878. Takati eut à rechercher le bacille responsable de cette étrange maladie qui répétait de façon impartiale les mêmes symptômes. Il ne le trouva pas. Alors il orienta ses efforts vers un autre domaine et il en vint à suspecter la ration alimentaire de ces hommes, ration qui avait subi l'influence occidentale et qui arborait fièrement un riz blanc, poli, raffiné comme plat de résistance. Takati résolut de tenter une expérience et choisit deux équipages de 300 hommes chacun qu'il envoya au large: l'un avec une ration semblable à celle des bâteaux anglais: plus variée, elle était composée de gruau d'avoine, de pain de son, de légumes, de poisson, de viande et de lait condensé; l'autre avec la ration habituelle de riz blanc. Takati eut ses intuitions confirmées. Un équipage, celui qui était nourri de riz blanc, ressemblait à un hôpital, l'autre était sain à l'exception de quatre hommes qui avouèrent avoir consommé du riz blanc.

L'expérience fut concluante. Sans plus tarder le riz blanc fut remplacé par le riz naturel, brun, entier, intact. Nous sommes en 1880. Le béribéri était vaincu. Un homme avait enseigné à une nation une vérité fondamentale en matière alimentaire: seule une céréale entière consommée telle que la nature la donne peut être considérée comme un aliment, et donc remplir ce rôle qui est de bâtir et d'entretenir un corps dans la meilleure forme possible.

En 1883, à Sumatra, le docteur de l'Armée hollandaise, Christian Eijkman, arriva aux mêmes conclusions à la suite d'expériences répétées: la maladie mystérieuse était directement causée par la consommation de riz blanc. Pour le prouver, il s'occupa à rendre malades des poules en les nourrissant de riz poli, puis à leur redonner la santé en remplaçant le riz blanc par du riz entier.

Les mêmes phénomènes se reproduisirent presque du jour au lendemain aux Philippines à partir de 1898, après la guerre hispano-américaine, gagnée par les États-Unis et qui leur acquit la possession des Philippines. Sous l'influence des dames américaines, il s'opéra la réforme du riz. De brun, de «grossier» qu'il était, il devint blanc, poli, talqué, raffiné. Mais les conséquences ne tardèrent pas à se faire sentir: le béribéri prit des proportions épidémiques. Une nation saine était maintenant en train d'être décimée. Ce n'est qu'en 1902 que les découvertes de Takati furent prises au sérieux, du moins pour un temps. Dans les prisons, en particulier, l'on substitua au riz blanc, le riz brun. Grâce à un programme éclairé de nutrition, le béribéri, sous ses formes extrêmes, était enfin vaincu.

Voilà ce que fut le prix du *raffinage* pour des milliers et des milliers d'hommes, de femmes et d'enfants: la maladie avec tout ce que ce mot contient de misères physiques et morales. Ce terme peut-il être vraiment, pour des hommes et des femmes éduqués, synonyme de progrès, de civilisation ou d'élégance tout simplement? Et pourtant le préjugé est tenace. Einstein disait: «Triste époque que celle où il est plus facile de briser un atome que de briser un préjugé.» On peut dire pour le moins, qu'il savait de quoi il parlait. Le riz poli n'est-il pas toujours le seul riz mondialement distribué, et sous nos latitudes, servi souvent comme étant la nourriture idéale du malade? Le béribéri n'existe plus ou presque sous sa forme aiguë, extrême, mais bien des médecins s'accordent pour voir dans de nombreux troubles nerveux et mentaux si communs à notre époque, des signes d'avitaminose B_1. Si le problème n'est plus aussi tragique qu'au siècle dernier, c'est que la majorité des peuples ont élargi leur régime. L'alimentation est plus variée, et naturellement certains aliments ajoutés à un aliment carencé peuvent en masquer les défauts jusqu'à un certain point. C'est là d'ailleurs que prennent leur principal argument les tenants du raffinage: notre alimentation étant variée, chaque aliment n'a pas besoin d'être complet; l'homme moderne peut se permettre le luxe du raffinage, disent-ils. Regardez autour de vous, regardez-vous, pouvez-vous vraiment vous passer de *tous* les éléments que contient *chacun* de vos aliments? Quelle est la qualité de votre vie? Honnêtement, répondez. La vitamine B_1 est la vitamine de la bonne humeur et d'après le docteur Schneider[2] les premiers symtômes de sa carence sont: la faiblesse générale, l'inappétence, l'asthénie, la fatigue, la tendance à la dépression. D'après ce même médecin, la ration quotidienne en 1900, en Occident, de vitamine B_1 ou thiamine était de 3,5 à 5 mg. Aujourd'hui elle n'est plus que de 0,6 à 1,3 mg. En d'autres termes, la consommation quotidienne maximale actuelle pour Monsieur Tout le Monde n'est même pas la moitié du minimum de 1900. Tirez vos propres conclusions.

Ainsi donc, la première loi du végétarisme est la consommation des céréales et de tous les aliments sous leur forme entière, comme ils se trouvent dans la nature. Cela exclut d'une alimentation végétarienne *tout aliment raffiné*. Par raffinage on entend non l'action de purifier qui consiste à enlever les impuretés de certains aliments, selon la définition du dictionnaire, mais bien l'action d'altérer un aliment en le fractionnant, en le concentrant, en l'appauvrissant, le laissant ainsi très inférieur à ce qu'il pourrait être. Toute tentative de fractionnement des aliments entraîne toujours, tôt ou tard, de fâcheuses conséquences. Ne serait-il pas beaucoup plus sage d'accepter les choses comme Dieu les a créées?

Deuxièmement:

> *Le végétarisme fait un usage quotidien d'aliments frais et en partie crus.*

Nous quittons la terre pour la mer, et nous sommes en 1498 avec Vasco de Gama, mettant les voiles sur le Cap de Bonne Espérance. Il est en train de perdre les deux-tiers de son équipage. Ces hommes que les vents, les masses d'eau, l'inconnu n'effraient pas, succombent à la maladie. Les symptômes d'équipage en équipage sont toujours les mêmes: saignement des gencives, inflammation des mâchoires, perte des dents devenues branlantes, puis plus tard, hémorragies internes, enflures hydropiques des jambes et... la mort. Ces hommes apprirent cependant à enrayer la terrible maladie, le scorbut. Quelques oranges, quelques citrons et les symtômes disparaissaient rapidement. Ils prirent l'habitude d'ajouter ces aliments à leur ration alimentaire quotidienne. Les équipages furent presque tous, totalement protégés contre le scorbut. On enregistra cependant quelques exceptions. Certains équipages recevant le jus des agrumes n'étaient pas protégés. Une enquête permit de découvrir que leurs cuisiniers zélés dans l'espoir «d'améliorer» le jus, le faisaient bouillir. Il perdait alors sa vertu protectrice...

Le scorbut pouvait être enrayé pour toujours et pourtant le 11 avril 1915, cinq siècles plus tard, l'équipage du cargo allemand, le «Kronprinz Wilhelm», après neuf mois de navigation fructueuse sur les mers, jetait l'ancre à Newport News, aux États-Unis, vaincu par la maladie. Alfred W. McCann, alors ministre de la santé, diagnostiqua l'épidémie comme en étant une de scorbut. En 1915, un bateau risquait de sombrer avec des cales remplies de farine blanche, de sucre, de fromage, de lait condensé, de légumes en conserve, de jambon et de vin. Des hommes alimentés n'étaient pas nourris. Au bout de dix jours d'une alimentation composée de jus d'orange, de jus de son, de jus de pommes de terre bouillies, de jaunes d'œufs frais, de pommes et de soupes de légumes frais, accompagnée de pain de blé entier à l'exclusion de toute autre nourriture, une grande partie de l'équipage était guérie. Bientôt, chaque homme était debout et sain.

Une fois de plus, l'histoire démontrait de façon criante les conséquences d'une alimentation dénaturée et la nécessité de consommer des aliments entiers, frais et en partie crus. Une fois de plus on se demande, l'homme apprend-il par ses erreurs? Le dictionnaire définit ainsi le scorbut: «avitaminose C, maladie caractérisée par des hémorragies, la chute des dents, l'altération des articulations. Le scorbut atteint les personnes se nourrissant uniquement de conserves: (la vitamine C est détruite par la chaleur) marins, explorateurs, enfants nourris de lait stérilisé.»

Je vous invite une fois de plus à reconsidérer le schéma alimentaire de notre société. Ne ressemble-t-il pas à la ration de l'équipage du «Kronprinz Wilhelm»? Notre société souffre en général de symptômes légers mais constants d'une avitaminose C: faiblesse, perte d'appétit, lourdeur dans les jambes, manque de résistance aux infections, anémie, croissance entravée, petites ou grandes hémorragies, ramollissement et inflammation des gencives, fatigue constante, épuisement physique et intellectuel[3].

La science a fait d'énormes découvertes, particulièrement dans le domaine de la nutrition. Elle sait que la plupart des aliments ont leur valeur optimale lorsqu'ils sont fraîchement cueillis et crus. Qu'ils soient défraîchis ou trop cuits et les voilà transformés, diminués. La science vous parlera alors longuement de la perte en vitamines, en enzymes, etc. Plus elle étudie, plus elle découvre d'éléments nouveaux et sa conclusion est toujours la même: il n'y a de sécurité qu'en suivant de près la nature.

Ainsi le végétarisme a pour deuxième loi, qui est une variante de la première, la consommation quotidienne d'aliments le plus près de leur état naturel, c'est-à-dire, frais et crus.

Troisièmement:

Le végétarisme a pour mot clé, la variété.

Le végétarisme n'est pas un régime alimentaire restrictif, pauvre, monotone. Il accepte l'abondance de la nature et cherche à y goûter le plus possible. L'histoire, une fois de plus nous dévoile les terribles conséquences d'une alimentation basée sur l'usage excessif d'un aliment aux dépens des autres. Nous voilà en Italie, en 1740. Une étrange maladie frappe des populations entières. Les premiers symptômes en sont des lésions cutanées; la peau devient sèche, d'où le nom donné à la maladie, «pella agra», pellagre, peau sèche. Puis la maladie suit son cours: troubles digestifs, inflammation des membres, de la bouche, troubles nerveux menant à la paralysie puis à la folie. Les médecins italiens découvrirent assez rapidement que cette maladie ne frappait que les Italiens les plus pauvres, incapables de se nourrir d'autre chose que de maïs, sous diverses formes. Si l'on ajoutait, même en petites quantités du lait ou de la verdure à leurs repas de polenta (semoule de maïs), il s'en suivait bientôt force et vigueur. Alors que certaines autorités voulaient incriminer le maïs, ces médecins démontrèrent que le maïs en lui-même n'était pas nocif, mais que consommé de façon exclusive il entraînait la maladie. Les mêmes observations se firent dans le sud des États-Unis, au sein de la population noire qui devait subsister pendant de longs hivers sur un régime restreint de porc, de mélasse et de semoule de maïs. En 1937, le docteur Conrad Elvehjem découvrit la cause du problème. Le maïs était pauvre en *niacine* (vitamine B_3). Or, la vitamine B_3 peut être fabriquée dans le corps à partir du tryptophane, un acide aminé qui se trouve dans la verdure vert foncé ou dans le lait. Une fois de plus une grande maladie était vaincue, nous donnant une leçon importante: Il n'y a pas d'aliment, quel qu'il soit, qui, à lui seul, peut soutenir la vie indéfiniment. L'homme doit avoir une alimentation variée et chaque région du globe offre une bonne variété d'aliments permettant un choix adéquat. L'homme n'est pas fait pour vivre que de riz ou que de viande. Même le lait maternel, parfait pour le bébé et répondant à tous ses besoins de façon adéquate pendant plusieurs mois, doit à un moment donné être complété avec des aliments solides puis remplacé par une alimentation variée.

Le végétarisme n'est donc pas un système alimentaire restreint, plein de tabous et excluant divers aliments selon l'imagination de maîtres à penser. Le végétarisme, lorsqu'il est équilibré, se réjouit de la variété et devient par le fait même une alimentation pleine d'agrément, de surprises et de découvertes.

Finalement, le végétarisme recherche avec soin la plus grande qualité de ses produits. Il désire, en particulier des fruits, des légumes, des céréales et des noix provenant de culture biologique. Il est convaincu qu'il y a une différence très nette entre des produits cultivés dans un sol riche et équilibré, suivant la vieille règle de l'agriculture traditionnelle voulant que tout ce qui a été ôté du sol y retourne sous forme compostée, et des produits provenant d'une culture forcée sur des sols déséquilibrés à grand renfort de certains engrais concentrés à l'exclusion d'autres, et de divers pesticides, insecticides, fongicides et herbicides. Seul un aliment cultivé biologiquement, organiquement disent les Américains, est susceptible de posséder en quantité optimale tous les éléments nécessaires au maintien de la santé du corps et de l'esprit. De plus, il sera exempt de résidus toxiques.

Une éducatrice dans le domaine de la vie et de la santé écrivait en 1911: «Si les gens avaient une juste notion de la valeur des produits du sol, qui apparaissent en leur saison, ils s'appliqueraient davantage à cultiver la terre. Chacun devrait être informé de la valeur des fruits et des légumes tirés directement du verger ou du jardin[4].» Oui, en dernier lieu, les principes bien compris d'un végétarisme équilibré nous lient à l'agriculture et ils impliquent fortement un retour à la terre, à une vie simple, belle, dure et respectant la vie.

---

1. Kwashiorkor: malnutrition aiguë se retrouvant particulièrement en Afrique tropicale chez les enfants, causée par un déficit en calories qui conduit à une carence en protéines. Elle se manifeste par un retard de croissance et des altérations des cheveux, de la peau et des organes internes (nom natif du Ghana).

2. Dr E. Schneider, *La santé par les aliments*, p. 34.

3. Ibidem, p. 50.

4. Ellen G. White, *Conseils sur la nutrition et les aliments*, p. 369.

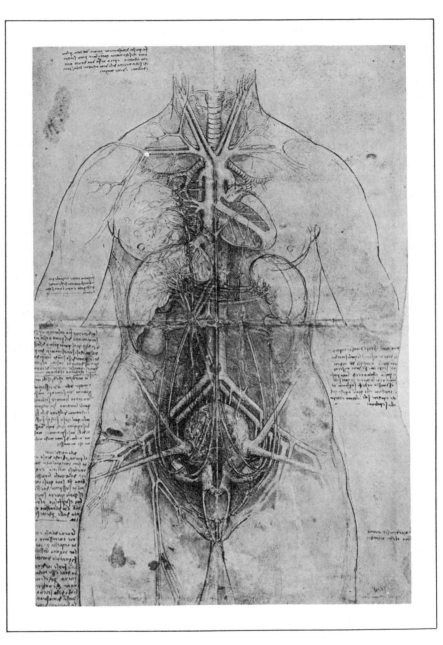

Une étude de l'anatomie
humaine en 1508 par un
célèbre végétarien:
Léonard de Vinci
Bibliothèque Royale, Windsor

3

Où vont,
Que font nos
aliments ?

Êtes-vous allé dans ces pays, proches ou lointains, où vivre est encore un art auquel chacun s'applique avec fierté? L'heure du repas y est sacrée et pour la rendre presque mystique, tout s'arrête. L'usine ferme, ainsi que le magasin du coin, le bureau de poste et l'école. Après un court brouhaha, les rues sont silencieuses, désertes. Une paix chargée de lumière et de soleil s'appesantit sur les foyers où tout le monde rafraîchi, lavé, peigné, s'assied. La prière est prononcée puis le père de famille sert la mère et les enfants. Les assiettes passent de main en main et chacun a les yeux qui pétillent. Les narines hument, le front est déridé, le sourire est sur les lèvres, l'eau est à la bouche; physiologiquement, psychologiquement chacun est prêt à jouir pleinement des aliments.

Madame de Sévigné très finement disait: un repas bien caqueté (préparé) est à moitié digéré. L'apparence de la table, la présentation des plats, la disposition de la salle à manger et une atmosphère agréable et paisible sont des facteurs importants dans le processus de la digestion. Une nappe propre, de la couleur dans les plats (quelques branches de persil frais, des olives noires, des radis roses), une vue sur l'extérieur ne sont pas si difficiles à obtenir même dans les logis les plus humbles et les plus dépourvus. Il s'agit peut-être tout simplement d'y penser. La beauté, l'ordre, la propreté ne sont pas du luxe. Ils ne relèvent pas de la bourgeoisie ou du snobisme. Ils sont indispensables à la vie. Et, de grâce, faites silence! La radio, la télévision, le journal peuvent attendre. Que vous apprendront-ils d'heureux, de positif, de nouveau? Laissez-vous prendre par le charme de ce cliquetis d'assiettes et de fourchettes, de couvercles levés et reposés. Pénétrez la signification de tous ces sons, de ces odeurs. Chaque aliment a sa personnalité couleur, odeur, saveur et texture. À vous de la découvrir, d'en jouir. Vous sortirez de ces repas nourris, pleinement détendus.

Ainsi donc, vous êtes prêt pour votre première bouchée. Mastiquez-la. Enrobez-la de salive. Goûtez-la. La nature a pourvu votre bouche de dents, de puissants muscles, d'une langue et de glandes salivaires. La mastication est d'une importance primordiale. Elle attaque la gaine cellulosique des végétaux et permet la libération des principes nutritifs. Par exemple, l'assimilation de la provitamine A contenue dans les carottes crues râpées est presque entièrement liée à la mastication. Elle permet de déchirer, broyer, malaxer les aliments, les préparant ainsi à l'action des sucs digestifs.

Trois glandes sécrètent des salives aux propriétés physiques et chimiques complémentaires. Cette salive mixte dilue les aliments et permet la gustation. Elle les amollit, les enrobe et prépare ainsi la déglutition. Elle contient aussi une enzyme, la ptyaline. Celle-ci amorce la digestion des glucides ou hydrates de carbone (pain, céréales, pommes de terre, etc.). Le bébé jusqu'à neuf ou dix mois semble ne pas avoir suffisamment de ptyaline dans sa salive. C'est pourquoi il n'est pas recommandé de lui donner des céréales avant cet âge ou encore avant qu'il n'ait deux ou trois dents. Jusqu'à ce moment-là, les fruits sont les meilleurs compléments du lait maternel ou encore le pain bien sec, car ses glucides sont maintenant sous forme de dextrines, de sucres simples.

La mastication est l'exercice naturel des dents. Bien des dentistes y voient une mesure préventive de la carie et de la paradentose (déchaussement des dents). Certaines personnes y voient un moyen de développer la puissance de la volonté et la persévérance. Rappelez-vous que les aliments apportent une satisfaction gustative non pas en raison des quantités avalées rapidement, mais en raison du temps qu'ils restent dans la bouche. Un médecin, le docteur Pascault écrivait: «Pour qu'on puisse goûter parfaitement la saveur d'un aliment, celui-ci doit être réduit en bouillie, ce n'est qu'à cette condition qu'il excite les papilles nerveuses de la langue qui président au goût. Mastiquer un aliment, en exprimer tous les sucs, en apprécier la saveur, c'est donc préparer efficacement la digestion par l'estomac et secondairement de tout le tube digestif.» Combien de fois faut-il mastiquer chaque bouchée? Les connaisseurs disent trente fois. Essayez et attendez les résultats. Une telle mastication permettra une meilleure assimilation et amènera une réduction de la quantité nécessaire pour s'alimenter. (En se penchant sur l'étude de notre denture, de nombreux savants ont affirmé que l'homme est végétarien. Nos dents sont conçues comme celles d'un herbivore, pour une action réelle de la mastication et non pour déchirer. En effet, l'animal carnivore ne mâche pas. Il déchire et avale «tout rond». Notre bouche est relativement petite et ne permet pas la présence de gros morceaux qui avalés ainsi pourraient provoquer des étouffements et la mort en bloquant la trachée artère. Ce problème n'est d'ailleurs pas rare.)

Ainsi broyés, les aliments sont semi-liquides et c'est involontairement ou presque qu'on les avale. L'estomac va alors commencer la digestion proprement dite. Votre travail conscient est terminé.

L'estomac ayant reçu des aliments bien triturés commencera avec facilité son travail. Il sera d'environ une demi-heure pour les glucides (ceux-ci ont été prédigérés dans la bouche), de deux heures pour les protides, de trois à quatre heures pour les corps gras et plus encore pour certains mélanges trop riches. L'estomac a une action mécanique intense de malaxage et de brassage des aliments grâce à des fibres musculaires puissantes et il produit en abondance un liquide incolore et fortement acide, le suc gastrique. (Ce suc contient notamment de l'acide chlorhydrique dont le rôle est de détruire les microbes et de déclencher des mécanismes, entre autres, la sécrétion pancréatique. Le suc gastrique humain, comparativement au suc gastrique de l'animal carnivore, a peu d'acide chlorhydrique, ce dernier permettant la dégradation des protéines au niveau de l'estomac. La viande, chez l'homme, ne serait alors qu'imparfaitement digérée ou entraînerait un état d'hyperacidité, préjudiciable à la santé de la muqueuse stomacale.) L'estomac digèrera puis évacuera plus rapidement les aliments s'ils ont été initialement bien mastiqués. L'estomac n'a pas de dents. Il faudrait se le rappeler. Avaler sans mâcher retarde et entrave la digestion, ce qui entraîne tout un cortège de malaises désagréables. Lorsque l'estomac a terminé son travail, le pylore, une valve située à l'entrée du duodénum, s'ouvre pour laisser passer le résultat de la digestion stomacale, le chyme gastrique.

Plusieurs processus très complexes vont alors être déclenchés dans lesquels le duodénum, la bile du foie, le suc pancréatique et l'intestin ont un rôle à jouer. Les éléments nutritifs sont absorbés par les villosités de l'intestin et envoyés dans le courant sanguin. (Il est bon de signaler que l'intestin grêle humain est très long et comporte de nombreuses poches et villosités alors que l'intestin de l'animal carnivore est court et en forme de tuyau de poêle. La viande ainsi est expulsée rapidement et n'a pas le temps de se corrompre.) Lorsque l'assimilation est faite une autre valve s'ouvre et les résidus passent dans le gros intestin. Ces résidus ont alors la consistance d'une masse fluide composée presque exclusivement de cellulose. L'eau de cette masse est partiellement absorbée laissant une matière plus consistante mais normalement molle. C'est la présence de cette masse qui permet les contractions du gros intestin. Il est donc essentiel que les résidus de la digestion aient suffisamment de cellulose pour mettre en train ces mouvements, sinon il y aura constipation. C'est aussi au niveau du gros intestin que la décomposition bactérienne commence. Dans un intestin sain et bien «drainé» elle permettra l'attaque de la cellulose et la libération d'éléments nutritifs ainsi que la fabrication de certaines vitamines (notamment la vitamine K et de nombreuses vitamines B, dont la vitamine B_{12}). Un intestin relâché et paresseux subira une trop grande putréfaction amenant la production de gaz et l'absorption de substances toxiques dans le système.

Deux grands savants ont démontré l'importance d'un gros intestin ou côlon parfaitement sain. Sir Arburthnot Lane, un chirurgien anglais du début du 20e siècle s'est spécialisé dans l'ablation du gros intestin. Cette pratique chirurgicale, déclarait-il, lui permettait de vaincre en peu de jours les symptômes de l'arthrite, de la vésicule biliaire ainsi que les difficultés de la thyroïde. «Le côlon est la cause de tous les troubles» déclarait-il avec conviction, et il ajoutait qu'il n'avait jamais rencontré un cancer du sein ou de l'utérus chez une personne qui n'avait pas aussi dans son côlon des matières en état de putréfaction. À la même époque, Arthur Keith, un biologiste, étudiait avec persévérance les singes de la jungle dont le côlon offre quelque ressemblance avec celui de l'homme. Il fut étonné de constater que chez le singe, le côlon contenait des bactéries fermentantes naturelles alors que les hommes étudiés avaient des côlons chargés de bactéries putréfiantes*. Le docteur Are Waerland affirma à la suite de ces travaux que la cause de cet état chez l'homme était la consommation de viande, aliment ne contenant pas de cellulose mais ayant lui-même des bactéries putréfiantes qui se multiplient très rapidement en déplaçant les bactéries saines et en entravant leur travail. Ces bactéries engendrent des poisons violents dont l'action est d'autant plus dangereuse qu'il y a constipation donc stagnation de ces matières en décomposition. Or, en l'absence de cellulose il y a presque obligatoirement constipation. Waerland mit alors sur pied un système de santé axé sur un végétarisme intégral. Sans chirurgie, il put amener des milliers de personnes à vaincre de nombreuses et diverses maladies. Pour Waerland et pour de nombreux autres savants, il n'y a pas de doute que l'homme n'est pas fait pour manger de la viande et que cette pratique est potentiellement dangereuse; cela d'autant plus qu'elle est consommée en grandes quantités, à l'exclusion de presque tous les végétaux.

Avant de conclure ce chapitre, je veux vous transmettre quelques conseils qui, bien appliqués, vous permettront de tirer le maximum de profit de vos repas.

Évitez à tout prix la suralimentation.

La qualité irréprochable d'un aliment ne justifie pas qu'on en fasse un excès. Toute surcharge alimentaire exerce une influence déprimante sur les facultés mentales, car la capacité nerveuse du cerveau est mobilisée pour assister l'estomac dans son travail. La suralimentation même dans la nourriture simple et saine, engourdit les nerfs sensitifs du cerveau et affaiblit la vitalité. La somnolence, la fatigue, la langueur, que beaucoup ressentent après les repas, sont directement causées par l'excès de nourriture ingérée. Elles sont, hélas, souvent combattues par les drogues thé, café, alcool et tabac. La suralimentation devient ainsi une cause d'épuisement nerveux qui devient une

---

* Pour une description détaillée , voir *Mon «petit» docteur*, Orion, 1985.

cause de l'usage des excitants. On peut affirmer que l'intempérance dans le manger et le boire cause de nombeux dérèglements et qu'elle est beaucoup plus nocive que l'intempérance dans le travail.

Les organes digestifs ne devraient jamais être chargés d'une nourriture qui les soumettra à une rude épreuve en vue de son assimilation. Tout excédent de nourriture introduit dans l'estomac que l'organisme ne peut assimiler, entrave son mécanisme. Il ne peut être converti ni en muscle ni en sang. Sa présence encrasse le foie et crée un état morbide dans l'organisme. L'estomac se surmène alors dans ses efforts pour disposer de cet excédent et il en résulte une sensation de langueur que l'on confond avec la faim. Sans raisonner, sans rechercher la cause réelle de cet état, on impose à l'estomac une nouvelle surcharge d'aliments alors qu'il demande tout simplement le repos. Le mécanisme déjà affaibli doit se remettre en mouvement. La suralimentation devient à ce moment la cause de maladies souvent très graves. Vous l'avez peut-être déjà dit ou entendu, «c'est avec ses dents que l'on creuse sa tombe». Croyez-le, c'est vrai, chaque fois qu'il y a suralimentation et excès de table.

Mangez sec. Évitez de boire en mangeant.

Boire en mangeant est une habitude courante et bien enracinée chez la plupart des gens. L'eau froide, les boissons gazeuses glacées ou les boissons chaudes exercent une action nocive sur la digestion en la retardant. Ces liquides diminuent la sécrétion des glandes salivaires et empêchent une mastication efficace. De plus, leur température trop froide ou trop chaude doit être tempérée avant que l'estomac puisse commencer son travail. Il faut également que tout ce liquide soit absorbé. Boire en mangeant rend la digestion laborieuse. La nourriture n'a pas besoin qu'on l'aide à descendre. Mangez lentement afin que la salive puisse bien imprégner les aliments. Vous en tirerez ainsi toute la saveur et toute la valeur.

Faites attention à certaines combinaisons alimentaires.

Il ne s'agit pas ici d'ériger en système stricte et absolu la séparation de certains aliments[1] mais tout simplement d'user de bon sens à l'égard de certains mélanges. Il n'est pas sage de manger une trop grande variété d'aliments à un même repas. Trois ou quatre plats sont plus que suffisants. La variété doit plutôt s'exercer d'un repas à un autre afin d'éviter la monotonie. Une grande variété d'aliments au même repas incite à manger trop et expose à l'indigestion. Pour certains estomacs le mélange des fruits acides et des légumes-racines peut provoquer un embarras gastrique et rendre difficile tout effort cérébral. Il vaut mieux prendre les fruits à un repas et les légumes à un autre. Le mélange du sucre et du lait est particulièrement nocif. Pris ensemble, ils provoquent de la fermentation dans l'estomac. Un auteur qui, au début du siècle, préconisait le végétarisme écrivait néanmoins: «Si nous étions certains que les animaux sont en santé, je recommanderais plutôt de manger de la viande que de consommer de grandes quantités de lait et de sucre. Ce serait moins nuisible. Le sucre encombre l'organisme et empêche le bon fonctionnement des organes vitaux.» N'oubliez pas que les repas plantureux et les mélanges compliqués détruisent la santé.

Soyez régulier dans l'horaire et le nombre de vos repas.

L'estomac est un organe qui a besoin de repos, tout comme le reste de notre corps. Après avoir digéré le contenu d'un repas, il ne doit pas se livrer à un nouvel effort avant qu'il ait pu se reposer et produire suffisamment de suc gastrique pour le repas suivant. Il devrait au moins s'écouler cinq heures entre chaque repas. C'est pourquoi, pour la majorité des gens deux repas bien composés et bien mastiqués valent mieux que trois. Si tous s'efforçaient de manger à des moments réguliers, sans prendre aucune nourriture entre les repas, ils se trouveraient préparés aux heures des repas et éprouveraient à manger un plaisir qui les récompenserait de leur effort.

L'exercice modéré et l'air pur sont de puissants auxiliaires de la digestion.

Un centenaire déclarait sagement à un journaliste qui lui demandait le secret de sa longévité, qu'il consistait tout simplement dans le fait de «bien mâcher et de bien marcher». Oui, après les repas, une courte marche, suivant un rythme modéré, la tête haute et les épaules en arrière, est le meilleur des desserts. L'attention se détourne de soi pour se reporter sur le paysage. Moins on pense à son estomac, mieux cela vaut. L'air pur et frais favorise la circulation du sang à travers tout l'organisme. Il rafraîchit le corps, l'assainit, le fortifie et en même temps, exerce une influence très nette sur l'esprit qui a plus de sang-froid et de sérénité. Il excite l'appétit, améliore considérablement la digestion et entraîne un sommeil doux et profond.

«Heureux toi, pays dont le roi est de race illustre, et dont les princes mangent au temps convenable, pour soutenir leurs forces et non pour se livrer à la boisson[2].»

---

1. Certaines écoles de pensée exigent la séparation systématique des protéines (viande, œufs, fromage, noix, graines) et des hydrates de carbone (pain, céréales, pommes de terre). Or se sont les hydrates de carbone qui, présents à un repas comportant des protéines, permettent leur assimilation adéquate. Ce sont aussi les hydrates de carbone qui permettent le métabolisme normal des graisses. En l'absence d'hydrates de carbone, le corps doit transformer les protéines et les graisses en glucose, élément vital pour la cellule. Ces derniers sont alors inutilisables en tant que protéines et graisses par l'organisme qui très rapidement manifestera des signes de déficiences: fonte musculaire, nervosité, frilosité, insomnie, boulimie, hypoglycémie avec troubles mentaux. La conversion des protéines et des graisses en glucose est laborieuse, inadéquate et entraîne la formation de corps toxiques intermédiaires.

2. Ecclésiaste, 10 (17).

4

L'organisation
des repas végétariens

Voilà, c'est fait. Vous avez opté pour le végétarisme. Mais c'est maintenant que se pose pour vous le plus grand problème. Comment passe-t-on d'une alimentation carnée, raffinée, riche en sucre à une alimentation végétarienne équilibrée? Je voudrais d'abord vous dire: progressivement, par addition ou par substitution mais non par soustraction brusque et radicale. Le premier but du végétarisme, aussi contradictoire que cela paraisse, n'est pas l'élimination de la viande mais bien l'utilisation des végétaux. Ainsi donc commencez à les introduire dans votre régime actuel. Lisez et relisez ce livre. Pénétrez-vous de son esprit et de ses recettes. Choisissez une ou deux catégories d'aliments qui vous plaisent particulièrement et commencez à les consommer régulièrement. Si le pain brun trouve en vous un écho favorable, substituez-le au pain blanc. Une fois que vous aurez pris l'habitude de manger ce pain complet, éliminez complètement le pain blanc, puis n'y revenez plus. Vos changements doivent être progressifs mais définitifs. Il n'y a rien de plus déprimant et illogique que les retours en arrière. Si vous avez bien compris la nécessité d'une alimentation saine, vous ne pourrez plus trouver de justification aux produits raffinés, à ces inventions de l'industrie alimentaire moderne. Ainsi vous mangez maintenant du pain brun. Peut-être avez-vous changé vos boissons et pris goût aux tisanes, cafés de céréales ou à l'eau. Une fois un changement bien établi, faites-en un deuxième, puis un troisième. Même si votre conversion devait durer un an, si elle est sérieuse et ferme, tout va bien. Ce qui compte c'est de tendre vers le but fixé, sans faire de recul. Tout progrès, aussi petit soit-il, est bénéfique.

Avant d'arriver à l'abandon de la viande il faut, à mon avis, franchir quatre étapes qui sont les suivantes:

1) substituer aux céréales raffinées des céréales complètes et donner à ces dernières une place de choix dans le régime. De façon immédiate et sans que cela cause de grands bouleversements dans vos habitudes alimentaires présentes, il est facile de remplacer le bol de céréales froides par un bol de gruau chaud, le pain blanc par le pain intégral et mettre dans la soupe du riz ou de l'orge complets plutôt que du riz blanc et de l'orge perlé. Vous pouvez réserver l'introduction des céréales moins familières pour plus tard.

2) substituer aux boissons excitantes des boissons saines.

3) substituer aux desserts sucrés, des fruits frais, des noix, des fruits secs. Il n'y a rien de plus nuisible et malsain que de terminer un repas déjà abondant par une confection sucrée. Méditez ceci: «Parce que c'est la mode, et en accord avec un appétit morbide des gâteaux, tartes, puddings plantureux et quantité de choses nuisibles, sont entassés dans l'estomac. La table doit être surchargée de plats, sinon l'appétit dépravé ne peut être satisfait. Le matin, ces esclaves de l'appétit ont souvent une mauvaise haleine et la langue chargée. Ils ne sont pas en santé et s'étonnent de souffrir de douleurs, de migraines et de toutes sortes de maux[1].» Plus tard, vous abandonnerez tout simplement cette habitude de terminer un repas par un dessert.

4) introduire en tête de chaque repas des crudités sous forme de salades ou de fruits frais. Les légumes et les fruits crus par leur richesse en fibres et en vitamines, sont des aliments indispensables si l'on veut retirer tous les bienfaits d'une alimentation saine. En 1950, le docteur U.D. Register démontrait que lorsque l'on augmentait le contenu en vitamine C, en acide folique et en fibres des repas on encourageait et augmentait la synthèse bactérienne de la vitamine B_{12}. Plus

récemment en 1984, L. Halberg et L. Rossander ont démontré que plus un repas est riche en vitamine C plus son contenu en fer, zinc et calcium sera assimilé[2]. La vitamine C et l'acide folique sont des vitamines fragiles, facilement perdues dans la cuisson.

De plus, l'expérience a démontré que l'habitude de consommer des crudités en tête des repas permet d'éviter la suralimentation et neutralise les sentiments de fatigue et de somnolence si souvent ressentis après un repas composé d'aliments très cuits, épicés et sucrés.

Lorsque ces quatre nouvelles habitudes seront bien implantées chez vous, lorsque votre corps et votre esprit y seront bien habitués, vous pourrez alors et seulement à ce moment, faire le pas définitif vers le végétarisme. Là encore, que l'abandon de la viande soit progressif et librement consenti. Vous avez opté pour le végétarisme raisonnablement et non émotivement. Vous avez en main les règles qui vous permettent d'élaborer un régime sain et *équilibré*. N'oubliez pas que le végétarisme n'est pas une mode ou une religion, mais tout simplement un régime parfaitement adapté aux besoins de l'homme. Vous ne devenez pas végétarien pour vous distinguer, pour être en opposition avec votre prochain ou encore pour devenir un être supérieur, mais tout simplement pour respecter votre corps et pour obtenir grâce à une alimentation judicieuse, la santé, la force et la vigueur que vous désirez tant.

Il y a quelques années, le végétarisme était marginal et exceptionnel. Il posait alors souvent des problèmes d'ordre psychologique graves. Le végétarien était un original au régime de lapin, dédaigné, isolé et réduit à manger à part et à faire sa propre cuisine. À l'heure actuelle, il semble que le végétarisme est plutôt envié et de mode. Accepté et soutenu par les plus hautes autorités scientifiques, il n'a plus à être défendu. Il a énormément gagné en popularité et naturellement les régimes excessifs, dissociés et carencés ont vite pointé à l'horizon. C'est pourquoi, que votre démarche vers le végétarisme se fasse avec bon sens, même avec prudence, s'il le faut. Recherchez avant tout l'équilibre, le bien-être physique et psychologique et l'exactitude scientifique.

Pour acquérir l'habitude d'organiser vos repas végétariens, commencez par introduire un repas sans viande une fois par

semaine. Vous arriverez progressivement à faire un repas
végétarien par jour, puis deux, puis trois. Bientôt vous serez
végétarien sans même vous en apercevoir. Ce sera devenu
naturel pour vous.

Ainsi si nous considérons les trois repas de la journée,
voici comment ils peuvent se composer:

Le déjeuner

Il comprend à la base du pain intégral à volonté et des
fruits frais en abondance; des céréales complètes sous forme
de bouillie; et enfin des noix ou des graines sous forme de
beurre ou de crème à tartiner. Ces aliments peuvent être
mangés séparément ou incorporés en un plat de résistance tel
que le birscher-müesli, par exemple. Une boisson chaude (café
de céréale ou tisane) ou un verre de lait de soja peuvent accompagner ce premier repas de la journée.

Le dîner

Il commence par une généreuse salade verte ou des crudités
variées. Il est suivi de légumes-feuilles ou de légumes-racines
cuits soigneusement. Ces derniers accompagnent un plat dit
de résistance composé de céréales (riz brun, millet, orge, sarrazin, etc.). Les légumineuses (lentilles, pois chiches, haricots
secs, etc.) viennent compléter ce plat sur le plan des protéines.
Les noix et les graines moulues, tout en étant une excellente
source de protéines et de graisses, servent à la fabrication de
trempettes qui relèvent la plupart des plats ou de tartinades
qui permettent de garnir le pain qui doit être la base de toute
alimentation équilibrée. Un dessert n'est pas nécessaire, mais
s'il est désiré, quelques biscuits seront appréciés.

Le souper

Il doit être léger. Il peut se composer de fruits ou de
légumes. Les fruits sont faciles à digérer et évitent la surcharge
de l'estomac au moment où l'activité cesse. Pour jouir d'un
sommeil doux et réparateur, il faut que l'estomac soit lui aussi
au repos. Ainsi les fruits, sous forme de salade ou de compote,
les noix, en quantité très modérée (3 ou 4), et le pain accompagnés d'une boisson chaude composent un repas léger mais

réconfortant. Les légumes crus (radis, céleri, carotte, brocoli, chou-fleur) râpés et mis en sandwich entre des tranches de pain de seigle, par exemple, accompagnés de tofu, permettent également un repas sain et de digestion facile. Les soupes dans lesquelles entrent une variété de légumes, de céréales et de légumineuses, sont des repas en elles-mêmes et combien agréables après une dure journée! Pour beaucoup le repas du soir sera, à cause de contingences incontrôlables, le repas du midi. Ceux-ci prendront leur repas principal le soir. Qu'ils fassent cependant tout en leur pouvoir pour que ce repas se prenne tôt et qu'il soit suivi d'exercice modéré.

L'organisation des repas végétariens est *facile*. En fait ce qui caractérise le végétarisme, c'est sa simplicité qui n'exclut pas la variété, l'élégance et même, s'il le faut, une gastronomie de bon aloi. La plupart des préjugés vis-à-vis le végétarisme viennent du fait qu'il est insuffisamment connu. Je suis toujours très amusée de voir les réactions de nouveaux amis qui viennent à ma table. Leurs réflexions sont souvent les mêmes: «Nous ne pensions pas que nous mangerions si bien. Que c'est bon! Que c'est abondant!» s'exclament-ils. Je leur réponds: «Vous aviez peur, n'est-ce pas, que je vous laisse sur votre faim ou que je ne vous offre que du chou et des carottes!» Nous rions alors tous de bon cœur et me voilà invitée à donner mes recettes. Les aliments végétariens sont honnêtes. Ils ont un goût de terroir qui leur donne une beauté particulière et satisfaisante. L'organisation des repas végétariens est *économique*. Les protéines végétales sont abondantes et bon marché. Un demi-kilogramme de lentilles ne coûte pas deux dollars et il permet de nourrir adéquatement six personnes adultes. Que coûte un demi-kilogramme de viande et combien de personnes nourrit-il? C'est ainsi que la cuisine végétarienne encourage et permet la sociabilité. Combien de familles ne peuvent plus se permettre de recevoir à leur table leurs amis parce que cela coûte trop cher? Le repas végétarien, au contraire, se multiplie et se partage à peu de frais. La table végétarienne est large et elle accepte sans difficulté les amis et les hôtes inattendus. Sur le plan social, la capacité de partager son pain avec l'étranger a une valeur inestimable. L'hospitalité a toujours été, au cours des siècles, la marque d'une véritable culture car elle a permis la création de liens sacrés entre les hommes, qu'ils soient amis ou étrangers, pauvres ou riches.

«Jette ton pain sur la face des eaux,
Car avec le temps tu le retrouveras.»
«Partage ton pain avec celui qui a faim,
Et fais entrer dans ta maison les malheu-
reux sans asile;
Si tu vois un homme nu, couvre-le
Et ne te détourne pas de ton semblable[3].»

Ces textes anciens nous enseignent qu'il y a une bénédiction à élargir sa table, à y inviter son prochain. Avez-vous
pensé à l'étymologie des mots copains, compagnons? Ces mots
n'évoquent-ils pas en nos cœurs les plus douces émotions, les
joies les plus profondes et ils signifient ceux avec qui on partage
son pain... Ces mots nous permettent de considérer une fois
de plus que c'est le pain qui a formé au cours des siècles la
base de l'alimentation; que c'est le pain, la céréale, le végétal
qui est l'aliment de l'homme. L'organisation du repas végétarien
vous fera renouer avec cette tradition millénaire et proprement
humaine: partager son pain. Vous le verrez, la table végétarienne est gaie, heureuse, pétillante de joie et propre à
l'amitié.

L'organisation des repas végétariens parce qu'elle est
simple et qu'elle n'absorbe pas beaucoup de temps permet à
la personne qui en est responsable de jouir pleinement de la
société de sa famille et de ses invités. Il est désolant de voir
qu'une réception signifie souvent pour la femme un travail
accru et absorbant au point qu'elle ne pourra se détendre et
prendre le temps de se divertir. Organiser un repas végétarien
est souvent une affaire de famille. Chacun y va de son ori-
ginalité, de son inspiration. L'heure du repas devient un moment de communion et d'échange pour tous. Les repas
végétariens n'étant pas gras, la vaisselle sera plus facile à
faire, le ménage aussi. Là encore, il y aura économie d'un
temps précieux qui pourra être employé à faire toutes ces
choses qu'on n'a plus le temps de faire...

Le végétarisme est sur tous les plans une source de
bonheur. Facile, économique, simple, le repas végétarien répond
aux besoins de l'homme moderne pressé, guetté par l'inflation
et coupé de la nature. Allez-y, organisez vos repas végétariens

et s'il reste encore en vous une crainte, celle de trop vous distinguer, de vous couper de la société, permettez-moi de vous faire une suggestion: mettez sur pied un club d'échange de repas végétariens. Oui, vous craignez de ne plus pouvoir sortir, ni aller au restaurant et de vous retrouver tout seul. Ce n'est pas nécessaire. Organisez un bon repas et invitez des amis. Ils seront enchantés. Échangez des recettes et faites-vous inviter à votre tour. Bientôt vos sorties seront tout aussi agréables et même plus, que lorsqu'elles se faisaient autour de pizzas, «hot dogs, hamburgers», bière et vin, steaks au poivre, le tout bien enveloppé dans des volutes de fumée de tabac...

Le végétarisme est sain, débordant de vitalité et croyez-moi, il peut être communicatif. Bon appétit! Bonne santé!

1. E. G. White, *conseils sur les aliments et la nutrition*, p. 395.

2. Halberg, L. and L. Rossander. Improvement of Iron Nutrition in Developing Countries: Comparisons of Adding Meat, Soy Protein, Ascorbic Acid, Citric Acid, and Ferrous Sulphate on Iron Absorption From a Simple Latin American Type of Meal. *Am. J. Clin. Nutr.* 39: 577-583, 1984.

3. Ecclésiate 11 (1), Ésaie 58 (7).

5

La mère végétarienne

Tu as le ventre rond, Mélanie,
Et que tu es belle!
Mains lasses, posées sur le
tablier brodé:
L'attente sera douce.

Voilà quelques minutes, une heure, quelques jours, une semaine, un mois, plusieurs mois que la femme est amarrée à l'humanité. Elle porte en elle son levain et, dès le tout premier instant de la conception, elle le pétrit, le travaille, le modèle. La femme crée, et son œuvre est si grande, si étonnante qu'elle imprime à son visage, à ses gestes, à ses pensées, un air de mystère paisible. Sa tâche est lourde de responsabilités, car de la qualité de la femme, dépendra la qualité de l'enfant. Ce qu'elle mange, ce qu'elle respire, ce qu'elle pense, lui sera bénéfique ou maléfique, car la femme ne **porte** pas l'enfant, elle le **fait**.

Cette idée fut chère aux générations passées qui souvent l'exagérèrent au point de lui ôter toute crédibilité. Notre époque scientifique l'a rejetée et a énoncé plutôt avec beaucoup de sérieux et d'insistance, que le fœtus était un parasite prélevant chez sa mère ce dont il avait besoin, même si cela ne se trouvait pas dans son alimentation. Elle a enseigné avec autorité que le poids et la taille de l'enfant ne dépendaient nullement de la qualité ou de la quantité de la nourriture de la mère. Mais de nouveau le vent a tourné, et cette fois-ci, semble-t-il, pour marquer l'équilibre.

La science explore maintenant avec avidité le domaine des influences prénatales. Oui, avant la naissance, l'enfant, qu'il soit embryon ou fœtus, vit; et cela non seulement parce qu'il est composé de tissus vivants mais parce que des choses lui arrivent, parce qu'il réagit déjà, même s'il n'a que deux ou trois semaines.

Le docteur Aslhey Montagu dans son livre *Life Before Birth*, communique le fruit de ces recherches sur la vie avant la naissance. Il m'a enthousiasmée car il m'a permis d'acquérir la conviction, déjà vaguement établie chez-moi, que l'enfant que je propulserai dans le monde, de toute la force de mon être, ne serait pas le résultat du hasard mais bien le résultat de mes efforts, de mes soins envers lui. Je peux faire mon enfant, et je le veux si beau, si bon... Une fois de plus, je sens que la femme n'est pas passive mais profondément active, infiniment responsable dans cette mission de vie. C'est à elle que l'humanité doit en grande partie ses meilleurs et ses pires représentants.

Un ancien récit biblique parle d'influences prénatales. Alors que Dieu voulait susciter un libérateur au peuple d'Israël, il recommanda à une femme, l'épouse de Manoach, un programme de vie particulier. Cet enfant devait être rempli de sagesse et pour cela sa mère ne devait boire «ni vin, ni liqueur forte et ne manger rien d'impur[1]». Ces paroles doivent faire comprendre à chaque mère son devoir. Elle doit savoir que le caractère de ses enfants dépendra plus de ses habitudes de vie avant leur naissance et de ses efforts personnels après leur naissance que des avantages et des inconvénients qui viennent de l'extérieur.

Le docteur Aslhey Montagu affirme que c'est pendant la période prénatale qu'un être humain est le plus sensible à son environnement. Tout ce qui lui arrive pendant cette période peut contribuer à son développement ou lui nuire. De plus, toutes ces influences prénatales le marqueront de façon indélébile et pour le reste de ses jours. La période prénatale la plus importante, la plus déterminante est celle qui s'écoule à partir de la conception jusqu'à la fin du troisième mois de la grossesse.

Quels sont les éléments qui composeront l'environnement du bébé pour le meilleur ou pour le pire? Ce sont a) ce que sa mère mange et boit, b) ce qu'elle respire, c) ce qu'elle pense. Examinons pendant quelques instants ces trois points.

A) Une nutrition adéquate a toujours été et restera toujours le facteur le plus important dans la promotion et le maintien de la santé. Lorsqu'une femme est enceinte (mais aussi lorsqu'un couple décide de concevoir), la nutrition devient encore plus importante car maintenant sa qualité ou ses carences vont engager les générations à venir. Tant qu'un couple ne se reproduit pas, il n'est responsable que de lui-même et toutes ses activités n'influencent de façon étroite que lui-même. (Je dis bien de façon **étroite** car même là son mauvais état physique et psychique peut être un fardeau pour les autres.) Mais lorsque la vie a jailli, frémissante d'espérance, elle a le droit sacré à la plus haute qualité. Elle ne doit pas être déçue, entravée dans sa marche, étouffée dans son développement et cela tout simplement à cause de l'ignorance ou de la paresse de la femme. La femme apte à concevoir, la femme enceinte a une responsabilité envers la vie dont elle ne peut se départir. C'est pourquoi une nutrition adéquate ne doit pas être instituée une fois que la femme a pris conscience de sa grossesse (quoiqu'il ne soit jamais trop tard pour bien faire) mais dès qu'elle est apte à concevoir. La femme évitera donc toute drogue officielle ou non officielle, tout médicament et particulièrement ceux donnés sans prescription médicale, tout irradiation (même en petites doses tels que les rayons-x employés pour dépister une carie dentaire). Mon père disait souvent, et si je me rappelle bien, il citait Napoléon, qu'un enfant se prépare vingt ans à l'avance... Quelle éclatante vérité scientifique! Ne perdez plus de temps! Qu'elle devienne pour vous un fait vécu dont vous pourrez témoigner avec bonheur.

La mère végétarienne n'a pas beaucoup d'efforts à faire pour fournir à son enfant les meilleures conditions de développement. Le végétarisme équilibré, selon les principes énoncés plus tôt, est riche en vitamines et minéraux; il exclut tout produit qui ne nourrit pas réellement; il évite les produits industrialisés chargés de sucre, de sel, d'agents de conservation et de colorants artificiels. La mère végétarienne ne consomme ni thé, ni café, ni colas[2], ni boissons alcoolisées. Elle ne fume pas et déjà, uniquement à cause de cela, elle peut être assurée de mettre au monde un enfant né à terme, de bonne grosseur, sain et vigoureux. La mère végétarienne peut s'inquiéter cependant de l'absence de viande dans son régime. En effet il faut absolument des protéines pour la croissance et la viande en étant une source importante, elle peut croire que celle-ci est essentielle pendant la grossesse et l'allaitement. Elle peut s'inquiéter aussi au sujet de la carence en fer et penser, comme le veut le préjugé populaire, que là encore seule la viande saura lui fournir adéquatement cet élément.

Cependant, qu'elle ne se trouble pas. Pour ce qui est des protéines elle en trouvera en abondance dans les noix, les graines de sésame et de tournesol, les légumineuses, le pain complet, les céréales. Si son alimentation est variée, il s'effectuera presque automatiquement la complémentarité des protéines végétales permettant l'assimilation de protéines complètes et de haute qualité. En fait, lorsqu'une femme a un régime équilibré, elle n'a pas grand changement à y faire, si ce n'est d'en augmenter la quantité, ce que son appétit accru se chargera de faire automatiquement. Cette déclaration de Samson Wright devrait lui donner la paix de l'esprit: «Prenez soin des calories et les protéines prendront soin d'elles-même! Lorsque l'on étudie divers régimes on remarque que si leur valeur calorique est adéquate, ils contiennent tous en général 100 grammes de protéines et même plus[3].» H. C. Sherman[4] a confirmé cette déclaration car après avoir étudié plusieurs centaines de régimes, il n'en a jamais trouvé un qui était déficient en protéines lorsque la quantité de nourriture ingérée était suffisante.

Ainsi une femme enceinte ne doit pas chercher à restreindre son appétit mais elle doit l'écouter et le satisfaire avec des produits de première qualité. Elle peut alors avoir la certitude qu'elle et son enfant ne manquent de rien.

Pour ce qui est du fer, il faudrait d'abord souligner que le fer le plus assimilable dans la viande se trouve dans les abats (foie, reins, cervelle) et non dans le muscle (steak, roast-beef, filet mignon, etc...). Après les abats, les sources de fer les plus riches sont la verdure vert foncé (n'oubliez pas le persil), les légumineuses, les céréales entières, les fruits secs et la mélasse noire (une cuillère à soupe fournit 3,2 mg de fer). La femme enceinte devrait trouver dans son alimentation quotidienne 18 mg de fer. Pour cela il faut donc qu'elle mange suffisamment et si la grossesse n'est pas un temps où il faut se laisser aller à la gloutonnerie, il faut savoir respecter les impératifs d'un appétit accru.

En Occident on encourage les femmes enceintes à boire au moins quatre tasses de lait par jour afin d'obtenir suffisamment de calcium. Bien des femmes ne supportent pas le lait et leurs malaises, gaz, ballonnements, diarrhée, constipation, fatigue peuvent être le signe d'une allergie qu'il faut prendre au sérieux. L'allergie aux produits laitiers est fréquente. De plus un enfant peut être sensibilisé au lait «in utero» et développer ainsi une intolérance aux produits laitiers qui, dès sa naissance et même s'il est allaité, pourra se manifester par des coliques, de l'eczéma, des vomissements, de l'irritabilité, des otites, des bronchites non infectieuses à répétition[5]. Des millions de femmes tout autour du monde, qui ne consomment pas de lait ni de produits laitiers mais dont l'alimentation de base consiste en des céréales complètes et des légumineuses, peuvent témoigner qu'elles ont des bébés bien formés et qu'elles ne subissent pas de décalcification sous forme de caries dentaires, de ramollissement du squelette, de perte de cheveux, d'ongles cassants. Certes on peut affirmer qu'une alimentation végétarienne équilibrée fournit le calcium nécessaire aux besoins de la mère et de l'enfant. Il est bon de se rappeler que 2 cuillères à soupe de graines de sésame non décortiquées fournissent 258 mg de calcium alors qu'une tasse de lait de vache entier en fournit 288 mg. Beaucoup de légumes verts et de fruits secs sont riches en calcium: par exemple, une seule figue sèche fournit 26 mg de calcium et 1 gramme de protéine.

La femme enceinte, dit-on, doit manger pour deux. Elle doit aussi et surtout boire pour deux. Plus elle boira mieux elle permettra l'élimination des toxines de son métabolisme et de celui de son enfant. Cela l'aidera également à éviter la constipation. Il faut au moins six à huit verres d'eau par jour pour suppléer aux besoins normaux du corps en eau. Évitez cependant l'eau douteuse, et à la place de toute la gamme des boissons gazeuses sucrées, achetez ou obtenez de l'eau de source. À votre santé!

B)   S'il est important de bien manger pendant une grossesse, il est encore plus important de bien respirer. La carence en oxygène affecte d'abord et le plus fortement le cerveau dont les besoins sont cinq fois plus élevés que le reste du corps. Toute privation d'oxygène affecte également et de façon précise le fœtus. La mère doit donc apprendre à respirer profondément un air pur et abondant. Qu'elle sorte fréquemment au cours de la journée et qu'elle se livre à une oxygénation méticuleuse. Elle en récoltera un immense bienfait tant physique que psychique. Qu'elle apprenne à aérer sa maison, sa chambre, son bureau régulièrement. Que jour et nuit l'air circule librement. Que sous aucune circonstance, elle ne tolère que qui que ce soit ne fume auprès d'elle. Qu'elle évite absolument tout endroit clos où l'on fume. Il n'y a aucun doute que le tabac réduit considérablement le taux d'oxygène dans le sang. Le bébé d'une fumeuse est constamment hypo-oxygéné ce qui entraîne une diminution du poids à la naissance, la prématurité, une plus grande tendance à la nervosité et une intelligence amoindrie. Si vous fumez ou vivez avec des fumeurs votre enfant ne sera jamais ce qu'il aurait pu être. Oui, même si vous ne fumez pas personnellement, respirer la fumée des autres vous affecte au point que vous «fumiez» par personne interposée au moins huit cigarettes dans une journée de travail. Il serait bon que les non-fumeurs soient protégés, particulièrement dans les endroits publics.

La mère doit protéger son bébé contre toute diminution d'oxygène pendant la grossesse mais aussi pendant l'accouchement. Il n'y a plus de doute maintenant que tous les anesthésiques, la plupart des sédatifs et analgésiques reçus au cours de l'accouchement, réduisent le taux d'oxygène dans le sang et donc affectent nettement l'enfant. Son réflexe de succion peut être amoindri et un tel bébé aura de la difficulté à téter pendant plusieurs jours après sa naissance. La maman doit également insister pour que le cordon ombilical ne soit pas coupé avant que le placenta se soit détaché. Le cordon contient une quantité importante de sang oxygéné et l'enfant en a besoin pour être assuré d'un bon départ dans la vie. Si le cordon est coupé immédiatement à la naissance, l'enfant est privé de la presque totalité de ce sang. S'il est coupé alors que les pulsations du cordon ont cessé, le bébé reçoit moins que la moitié du sang placentaire. S'il est coupé dix à vingt minutes après la naissance alors que le placenta est expulsé, l'enfant a reçu la presque totalité de ce sang riche[6]. Il est donc essentiel d'accoucher naturellement. Lorsque la maman est bien nourrie, et qu'elle a compris l'importance d'un tel accouchement, non seulement pour son enfant mais aussi pour elle-même*, cela se fera simplement. — Et s'il le fallait, que sont quelques heures de souffrance lorsque le cri de l'enfant se fait entendre et qu'il est fort et puissant, étreignant le cœur d'une joie intense... Le désir d'éviter à tout prix la souffrance lors de l'accouchement peut être la source d'une angoisse beaucoup plus profonde, plus lancinante, indélébile pour la mère: un enfant mort-né, un enfant arriéré, un enfant inadapté, un enfant dépressif, un enfant qui ne sera jamais celui qu'elle avait fait avec tant d'amour et de soin... «La femme, lorsqu'elle enfante, éprouve de la tristesse, parce que son heure est venue; mais lorsqu'elle a donné le jour à l'enfant, elle ne se souvient plus de la souffrance à cause de la joie qu'elle a de ce qu'un homme est né dans le monde[7].» Alors que j'étais enceinte, je me répétais souvent cette parole de Jésus et je sentais en moi la paix. J'aimais aussi cette déclaration des Psaumes: «La voix de l'Éternel fait enfanter les biches[8].» Dans mon cœur je disais à Dieu, «si tu prends soin des biches, prends soin de moi, fais-moi enfanter selon ta volonté et non celle des hommes». Au temps voulu, l'enfant est venue. Je ne me souviens de rien sinon de ce cri qui me fit pleurer de joie. Une fille, c'était une fille et combien je l'aime...

C)   Finalement, ce que la mère pense affecte son enfant. Une tristesse continue, un refus de l'enfant, un chagrin profond, un stress soutenu, la fatigue, la colère peuvent nuire à l'enfant. En effet, toute émotion s'exprime physiquement et effectue des changements dans le corps de la mère qui seront transférés à l'enfant. Ces changements sont de deux ordres: il y a des substances chimiques manufacturées par les terminaisons nerveuses et des hormones relâchées par les glandes endocrines. Ces substances pénètrent dans le courant sanguin, puis après avoir traversé le placenta, arrivent à l'enfant. Ces émotions occasionnelles sont souvent inévitables mais la mère devrait faire un effort marqué pour éviter les situations génératrices

* Pour les détails concernant l'accouchement naturel voir du même auteur *Les cinq dimensions de sexualité féminine*, Publications ORION.

d'émotions néfastes. Par dessus tout que la mère aime son enfant intensément dès sa conception. Qu'elle soit heureuse d'être enceinte car «voici des fils sont un héritage de l'Éternel, le fruit des entrailles est une récompense[9]».

Quelques recettes utiles pour la femme enceinte

Le persil est très prisé sous nos latitudes comme garniture de plats. Il réjouit l'œil, rend tout appétissant mais semble n'être bon qu'à cela. Presque invariablement il reste sur le bord du plat ou de l'assiette, dédaigné. Pourtant il est une source extraordinaire de vitamines A et C ainsi que de calcium et de fer. Une cuillère à soupe de persil frais haché vous donne 8 mg de calcium; 0,2 mg de fer; 340 i.u. de vitamine A et 7 mg de vitamine C. Les Romains sans avoir ces analyses de laboratoire connaissaient la valeur du persil. Ils l'employaient pour soigner les yeux douloureux et pour augmenter la force des gladiateurs. Les peuples méditerranéens consomment le persil comme de la laitue et l'incorporent toujours généreusement dans la majorité de leurs plats. Le persil est économique et peut très bien se cultiver toute l'année sur le bord d'une fenêtre en été et à l'intérieur en hiver. Il s'agit tout simplement de rentrer les pots puis de vous servir au besoin.

La salade de persil

Mélanger avec soin 2 tasses de persil haché fin et 4 gousses d'ail pilé. Faire la sauce avec ¼ tasse d'huile d'olive, ½ c. à thé de sel marin et le jus d'un citron. Émulsifier le tout en battant bien avec une fourchette. Verser la sauce sur le persil et l'ail et garnir de paprika. Consommer immédiatement en mastiquant bien.

Tomate et persil

1 tasse de jus de tomate ou 4 grosses tomates juteuses	½ tasse de persil haché fin 1 c. à s. de levure une pincée de sel

Mélanger dans le mélangeur trois minutes.
Ajouter quelques gouttes de jus de citron.

Boisson fortifiante

3	tasses de jus d'ananas non sucré	2	tasses de persil haché très fin
		1	c. à s. d'huile

Mélanger le tout jusqu'à consistance onctueuse.
Boire avant le petit déjeuner.

La mélasse est délicieuse. Il s'agit d'en acquérir le goût. Choisissez-la noire et crue si possible. Méfiez-vous des mélasses claires et douces. Elles peuvent n'être que du sirop de sucre à saveur de mélasse. Chaque cuillère à soupe de mélasse fournit 137 mg de calcium et 3,2 mg de fer. Pour une maman, quelle mine d'or! La mélasse contient aussi en quantité appréciable les vitamines B_1, B_2 et B_3 alors que le sucre est totalement dépourvu de nutriments.

Crème à tartiner à la mélasse

Bien mélanger:

½	tasse de mélasse noire	½	tasse de poudre de lait de soja
½	tasse de beurre d'arachide non hydrogéné	¼	tasse de raisins secs

Étaler généreusement sur une bonne tranche de pain de blé entier.

Sauce à la mélasse
(pour galettes de sarrazin ou autres crêpes)

Chauffer:

1	tasse de mélasse noire

Y ajouter:

1	c. à s. d'huile	le jus de deux citron
2	c. à s. de levure alimentaire	

Bien mélanger. Servir chaud.

Mousse à la mélasse
et aux pruneaux

C'est un dessert unique.

2	tasses de pruneaux trempés, dénoyautés et mis en purée.	3	c. à s. de poudre de marante (arrowroot)
¼	tasse de jus de pruneaux	1	c. à s. de jus de citron
¼	tasse de mélasse noire	¼	tasse de noix d'acajou moulues
2	c. à s. de levure alimentaire	1	c. à thé de vanille

Mélanger tous les ingrédients. Mettre dans une pâte à tarte non cuite. Cuire dix minutes à 450°F (235°C), puis à 350°F (180°C) pendant une demi-heure. Refroidir. Garnir avec des moitiés de noix de Grenoble décortiquées ou des rondelles de kiwi.

Biscuits à la mélasse

¾	tasse d'eau	2	tasses de farine de blé entier
½	tasse de graines de tournesol	1	c. à thé de vanille
1	tasse de mélasse	¼	c. à thé de sel
1	tasse de flocons d'avoine		

Liquéfier l'eau et les graines de tournesol.
Mélanger tous les ingrédients.
Étaler en une mince couche sur deux tôles à biscuits.
Cuire à 325°F (170°C) 15 à 20 minutes. Ne pas trop cuire. Découper en carrés.

Boisson réconfortante à la mélasse

Dans le mélangeur fouetter:

1	tasse d'eau chaude	1	c. à s. de levure alimentaire
4	c. à s. de graines de sésame	1	c. à s. de mélasse

Boire lentement. C'est une boisson qui détend et réchauffe.

Un lait de sésame

Pulvériser ¼ tasse de graines de sésame. Puis les mélanger avec 2 tasses d'eau. Ajouter 1 c. à s. de poudre de caroube et 8 dattes dénoyautées. Liquéfier le tout 1 à 2 minutes. Pour varier et enrichir, ajouter une banane bien mûre.

Beurre de sésame sucré

1 tasse de graines de sésame moulues	2 c. à s. d'huile
½ tasse de miel	une pincée de sel

Mélanger le miel, l'huile et le sel puis incorporer le tout aux graines de sésame. Délicieux sur du pain ou des biscuits secs.

Beurre de sésame salé

1 tasse de graines de sésame moulues	½ c. à thé de poudre d'oignon
¼ à ½ tasse d'eau (selon la consistance désirée)	⅛ c. à thé de poudre d'ail
¼ c. à thé de sel	½ c. à thé de sauce de soja

Bien mélanger tous les ingrédients. Excellent comme base de sandwichs garnis d'olives noires et de tomates rouges.

---

1. Juges 13 (4).

2. On suspecte que la caféine qui est un composé de ces produits (ainsi que de nombreux médicaments tels que l'empirine, l'anacine et l'aspirine) est la cause de nombreuses malformations de naissance. Dans le «Easter's Digest», à la page 92, le docteur Jacobson dit qu'au moins pendant les trois premiers mois de la grossesse la femme devrait totalement éliminer ou grandement limiter l'usage des produits contenant de la caféine.

3. Samson Wright, *Applied Physiology*, London, Oxford University Press, 1965, p. 418.

4. H. C. Sherman, *Food and Health*, p. 76.

5. Jeliffe D. B. et Jellife E. F., *Human Milk in the Modern World*, Oxford University Press, 1978, p. 96 à 101.

6. Ashley Montagu, *Life Before Birth*, Signet Book, New York, 1965, p. 53.

7. Jean 16 (21).

8. Psaumes 29 (9).

9. Psaumes 127 (3).

6

L'enfant végétarien

*«Une femme oublie-t-elle
l'enfant qu'elle allaite?
N'a-t-elle pas pitié du
fruit de ses entrailles[1]?»*

Le seul bon aliment pour le bébé est celui que la nature lui fournit. Le lait maternel n'est pas «meilleur» que les laits animaux, végétaux ou synthétiques. **Il est le seul bon lait**. Tous les autres ne sont que des pis-aller et posent des problèmes d'ordre physique et psychologique. C'est pourquoi dans ce chapitre, je vous parlerai de ce sujet cher à mon cœur, l'allaitement maternel. Élisabeth, ma fille, s'est sévrée spontanément à 32 mois. Avec un grand sérieux, elle a refermé ma blouse et a déclaré: «Maman, garder tétés pour le petit frère!»

La nature dans cet acte naturel entre tous doit être notre seul guide. Une mère ayant allaité quatre enfants écrivait en 1871: «Au lieu de se conformer à la nature, on l'a maltraitée pour mieux pouvoir marcher de pair avec la mode. Souvent les mères recourent à des nourrices ou au biberon pour ne pas avoir à se servir de leurs seins. C'est ainsi qu'un des devoirs les plus agréables et les plus tendres que puisse accomplir une mère en faveur de sa progéniture si dépendante, où sa propre vie peut se transmettre et qui remplit son cœur maternel de sentiments sacrés, se trouve sacrifié à la folie criminelle de la mode[2].»

Que devrait-elle dire aujourd'hui alors que la femme semble vouloir à tout prix tuer en elle ses fonctions féminines? Non seulement elle n'allaite plus mais elle n'accouche plus consciemment et activement. Certains médecins voient dans l'accouchement médicamenté une des causes du refus d'allaiter. En effet, une mère sous anesthésie, qu'elle soit locale ou générale, n'est pas l'artisan de son accouchement. Elle est passive, spectatrice étonnée ou détachée d'un des actes les plus extraordinaires de sa vie: la mise au monde d'un être humain. Elle ne se sent pas liée profondément à ce petit être et elle peut facilement attendre plusieurs heures et même plusieurs jours avant de le tenir dans ses bras. Cependant, il est bon de projeter l'enfant avec force et enthousiasme dans la lumière. La mère consciente, instinctivement, désire prendre son bébé dans les bras et lui donner le sein. La paix et le silence enveloppent ce nouveau couple. Le travail est terminé. Tous les deux reposent tendrement unis, à nouveau inséparables, dépendant étroitement l'un de l'autre et pour la vie et pour l'amour.

L'allaitement du nouveau-né doit commencer dès la première heure de sa vie et être fréquent, toutes les deux heures ou presque pendant les premières 48 à 72 heures. Il présentera des avantages très nets qui sont les suivants:

1)   L'allaitement stimule les contractions utérines. Il permet ainsi d'une part l'expulsion rapide et naturelle du placenta et d'autre part il permet d'éviter l'hémorragie du post-partum.

2)   Le bébé absorbera de grandes quantités de colostrum qui contient des anticorps utiles face à diverses maladies. (Les éleveurs de bétail connaissent bien cela et ils exigent que le petit animal s'il ne doit pas être allaité, reçoive au moins le colostrum en abondance). Le colostrum amène une élimination rapide du mucus ainsi que du méconium en provoquant rapidement une première selle.

3)   Il empêchera la jaunisse accentuée du nouveau-né; le colostrum, cette première substance sécrétée par la mère

dès et même avant l'accouchement, amène l'évacuation du méconium contenant de la bilirubine, pigment de la bile pouvant être réabsorbé s'il reste dans les intestins. Une tétée précoce suivie de tétées fréquentes activera la montée laiteuse qui permettra une hydratation adéquate du nouveau-né. Elle constitue le traitement de base de la jaunisse (ictère physiologique du nouveau-né).

4)   Il empêchera une perte de poids importante car le lait ne tardera pas à monter.

5)   Finalement, l'allaitement précoce unit rapidement la mère et l'enfant. Nous savons aujourd'hui combien les perturbations de la relation mère-enfant ont des répercussions jusque dans l'âge adulte. Le bébé est particulièrement sensible à l'abandon et donc vulnérable[3].

L'allaitement ainsi commencé se poursuivra sans entraves ni accroc, selon les besoins de l'enfant et sur sa demande. Le lait maternel est léger et parfaitement adapté aux besoins de l'enfant. Il se digère rapidement. L'enfant allaité tète donc, en général, plus souvent que l'enfant au biberon et il ne peut accepter un horaire rigide d'une tétée toutes les quatre heures. Il réclame le sein toutes les deux ou trois heures et tète paisiblement et longuement les premières semaines de sa vie. Que la nouvelle maman ne s'en inquiète pas. Qu'elle en profite plutôt pour bien s'installer, prendre un bon livre et se détendre. Ces moments si tendres passeront un jour. Qu'elle n'ait pas à regretter de n'avoir pu les vivre pleinement.

L'allaitement est merveilleux et pratique. La mère qui allaite n'a pas de tracas pour choisir une formule et ne perd pas un temps précieux à nettoyer, stériliser, chauffer (puis refroidir!) des biberons. Il s'établit entre elle et son enfant une communication parfaite: l'enfant pleure, elle le met au sein. En quelques secondes, le calme est là. Que ce soit le jour, que ce soit le soir pour l'endormir, que ce soit la nuit, la mère ne perd pas de temps à essayer de calmer un enfant agité ou inquiet. Le sein est là, toujours prêt, magiquement semble-t-il, à maintenir la paix et la joie au foyer. La mère qui allaite n'a pas à craindre ces moments cauchemaresques où il faut essayer de faire manger à la cuillère un petit être qui ne peut encore soutenir sa tête. Pauvre enfant! Il en a partout de ces carottes ou de ces pommes de terre (ou de cette viande...) Il crache, il pleure, se débat. La mère se sent rejetée. Elle s'irrite ou devient suppliante. Finalement la séance s'arrête brusquement. Il faut laver l'enfant et le changer. Que de travail inutile et que de moments désagréables. Pourra-t-on jamais les effacer?

Oui, le lait maternel est le seul aliment, à l'exclusion même de l'eau, dont l'enfant a besoin pendant les 6 à 9 premiers mois de sa vie. L'introduction précoce d'aliments solides, souvent indispensable pour l'enfant nourri artificiellement, est inutile pour l'enfant allaité. Le Comité sur la Nutrition de l'Académie américaine de Pédiatrie a dit: «L'introduction d'aliments solides aux dépens du lait pourrait résulter dans une aggravation du statut nutritionnel de l'enfant plutôt que dans son amélioration. Il semble que ce sont les adultes et non le bébé qui sont, par ce geste, psychologiquement satisfaits.»

Le docteur Newton affirme: «Les bébés savent mieux que leur maman combien ils veulent manger. C'est un des faits fondamentaux de l'individualité de votre bébé que vous devez accepter. Une étude récente a démontré que les enfants nourris artificiellement dans l'enfance étaient à deux ans plus lourds que les bébés allaités. Mais en dépit de leur poids élevé, ils avaient eu plus de maladies.»

Le docteur Paul György déclare: «Un menu varié peut entraîner le développement d'allergies chez l'enfant, particulièrement dans le jeune âge.»

C'est ainsi que la maman qui allaite son bébé librement, selon ses besoins, avec joie et spontanéité, n'a pas à s'inquiéter d'introduire des solides dans cette alimentation parfaite avant que l'enfant manifeste positivement qu'il veut autre chose. La mère doit cependant veiller à ce que son alimentation à elle soit abondante et variée. Elle doit maintenir un état d'esprit paisible et s'accorder beaucoup de repos. Elle peut être assurée alors d'être une bonne mère, et de faire pour son bébé qui sera beau et satisfait, tout ce qui est humainement possible.

Si la mère a suffisamment d'information ou de force morale pour résister à la pression de ses bonnes amies ou même de son médecin la suppliant d'introduire des solides tôt et même très tôt, elle peut néanmoins être vaguement inquiète craignant pour son bébé l'anémie. Bien des mères élevées à l'école de «la grosse nourriture» ne peuvent avoir confiance dans la vertu de leur lait qui leur semble si clair, si peu consistant et que de plus, elles ne peuvent mesurer. Le corps médical, souvent peu informé sur l'allaitement maternel, ne fait pas la différence entre le bébé allaité et le bébé au biberon. Si le bébé nourri artificiellement, exclusivement de lait animal, sans complément de nourriture solide, peut et devient souvent anémique, il n'en est pas ainsi pour le bébé au lait de sa maman. Le bébé allaité, ne recevant que le lait de sa maman pendant les six (et parfois les neuf) premiers mois de sa vie, ne devient pas anémique et cela d'autant plus qu'il aura eu la chance de profiter au maximum du sang placentaire à la naissance. Ceci est un fait scientifiquement établi et largement prouvé par l'expérience[4].

Si vous avez élevé votre bébé de façon courante (biberons, petits pots, vitamines), ne vous êtes-vous jamais demandé ce qui arriverait si soudain, pour une raison ou une autre les industries responsables de la fabrication de ces produits cessaient d'opérer? Je frémis à l'idée de tous ces bébés hurlant de faim, de toutes ces mamans désespérées... Des études démontrent que l'introduction des solides est une question de schéma culturel. Au début du siècle, les médecins conseillaient l'introduction des solides après neuf mois. Il y a 25 ans, on conseillait l'âge de trois mois et maintenant bien des bébés connaissent les solides pratiquement à la naissance. Si les idées changent, la nature elle, encore, amène l'apparition des premières dents chez tous les enfants du monde à peu près au même moment: entre 4 et 8 mois, six mois étant l'âge le plus courant. Au même moment tous les bébés du monde désirent attraper les objets et les porter à la bouche, les sucer, les mordre et tout naturellement si cela est de la nourriture, à l'avaler. Le sevrage a commencé et il se poursuivra paisiblement jusqu'à ce que l'enfant ait suffisamment de dents et de maturité émotionnelle pour qu'il abandonne cette source de nutrition. C'est si simple! Cela ne demande aucun effort de la part de la mère et ne pose aucun problème pour l'enfant qui agit selon son développement et ses possibilités propres. Ainsi les premières dents d'un enfant sont un signe important. Le bébé change, il grandit. Ces premières dents sont ses premiers outils qui lui permettront de façonner son indépendance vis-à-vis de sa mère. Que la mère amène son enfant à table avec elle. Sur ses genoux, bien calé, il ne tardera pas à faire ses propres découvertes. Il n'y a qu'à veiller à ne mettre à sa portée que des aliments sains, équilibrés, entiers. Cependant que la mère n'oublie pas que son lait est encore et pour long-temps le plat de résistance de son bébé.

Au fur et à mesure de son développement, l'enfant va mordre, mâchouiller, triturer ses aliments. Il n'y a pas à s'in-quiéter trop pour la tasse ou la cuillère dont il doit normalement apprendre à se servir. Quand un enfant est prêt physiquement à faire une chose, il la fait, si on sait la lui enseigner d'abord par l'exemple. Les bonnes manières (tout comme les mauvaises) sont contagieuses. On peut laisser à l'enfant une certaine liberté à table. On ne devrait cependant jamais tolérer que l'enfant joue avec sa nourriture en la jetant par terre ou ailleurs, en la crachant, en s'en barbouillant les cheveux. Sa dextérité s'exercera, son sens du toucher se sensibilisera ainsi que son don d'observation et d'expérimentation. Il deviendra actif, en-gagé et non pas tristement passif, déjà habitué à ce qu'on fasse tout pour lui.

Élisabeth a été un bébé étonnant qui m'a plus d'une fois laissée perplexe. Elle aimait le sein et le réclamait souvent et à grand renfort de cris et de pleurs. Elle était toute petite et malgré toutes ces tétées qu'elle aimait longues, elle ne grossissait que très lentement. D'où maintes réflexions de mes parents, amis et médecins qui insinuaient très adroitement (!) qu'il était vraiment malheureux de refuser de donner à manger à un bébé aussi mignon. De nombreuses femmes ont été incapables d'allaiter leur bébé, malgré leur ardent désir, à cause de ce genre de remarques... Comme si tous les bébés nourris au biberon et aux petits pots ne pleuraient jamais, dormaient à un mois toute la nuit et grossissaient rapidement et idéalement. Non-sens.

Élisabeth grandissait cependant et étonnait tous ceux qui la voyait par sa vivacité et sa force. À quatre mois et demi, nous l'asseyions dans la serre et là, elle jouait dans le sable en prenant son bain de soleil. À cinq mois elle se mettait debout en se tenant aux barreaux de son parc et en faisait le tour en marchant. Oui, Élisabeth était un phénomène et comme elle pleurait dès qu'elle n'était pas dans mes bras, j'ai fini par la mettre sur mon dos et à vivre avec elle aussi intimement que lorsqu'elle était dans mon ventre. J'ai cuisiné, j'ai jardiné, semé des pommes de terre, lavé le plancher, repassé, écrit et donné des conférences avec ce petit bout dans les bras, sur les genoux ou sur le dos. Après tout, une femme enceinte s'habitue bien à son bébé dans son ventre et n'a pas l'idée de le déposer parce qu'elle travaille ou qu'elle sort. Pourquoi l'enfant, lorsqu'il est né devrait être séparé de sa mère, éloigné et bien souvent oublié pendant de longues heures... Où sont «ces cordages d'amour, ces liens d'humanité» qui devraient nous cimenter à notre propre chair?

À sept mois, elle eut sa première dent et se mit à sucer des figues noires, des bananes séchées et des gousses de caroube. Ce qu'elle préférait c'était les figues. Elle s'en mettait partout et refusait catégoriquement d'être nettoyée. Pendant plusieurs semaines elle fut plus souvent noire et collante que rose et douce. (Il faut que j'avoue que si c'était à recommencer, je ne l'aurais pas laissée faire. Je ne savais pas encore que si mon enfant avait besoin de mon lait et de mon amour, elle avait aussi besoin de mon autorité...) Bientôt ce fut l'été et elle mangea à satiété des fraises, des framboises, des bleuets, des tomates, des concombres, des melons, des petits pois, acceptant de temps à autre du pain de blé entier sec, une pomme de terre cuite à la vapeur. L'automne vint. Elle aima les pommes, les bananes, les avocats, les dattes et la purée de noisettes et d'amandes. Elle tétait toujours abondamment. Puis un jour, alors qu'elle tétait et que j'étais à table en train de manger, elle laissa le sein pour manger dans mon assiette. Bientôt elle exigea une assiette pour elle-même et assise près de moi elle prit ses repas, réservant les tétées pour le matin, le soir et avant chaque sieste. À 32 mois, elle était sevrée. Elle avait toutes ses dents et mangeait tout ce que je lui présentais avec plaisir. Elle avait une préférence très nette pour ce qui est cru et croquant. Elle mangeait très proprement avec sa four-chette. Je ne pouvais m'empêcher d'être émue chaque fois qu'elle joignait ses petites mains, baissait sa tête, fermait ses yeux et disait avec conviction: «Merci Jésus pour le bon repas. Amen.».

Ainsi donc le nourrisson végétarien sera alimenté avec le lait de sa maman. En cas d'absence de lait maternel, il faudra choisir entre un lait animal, le plus couramment employé étant celui de vache, ou un lait végétal, le plus couramment employé étant celui de soja. On ne peut nier que ces modes d'alimentation peuvent apparemment produire de beaux enfants, mais ils demandent beaucoup de soin dans leur application. Il y a le choix de la formule, le choix du biberon, celui de la tétine; puis il faudra à la mère beaucoup d'amour et de conviction pour ne pas oublier que la nature veut que le petit de l'homme, pendant la première année de sa vie, soit nourri **dans** les bras de sa mère et non pas dans son lit, calé entre des oreillers.

Les laits animal ou végétal exigent l'introduction assez rapide de solides pour combler leurs carences. Ces aliments solides devront eux aussi être préparés avec beaucoup de soin et être de la plus haute qualité. Ne vous laissez pas tenter par «les petits pots». Ils sont trop riches en sel, en sucre, en farine blanche et trop pauvres en vitamines et en minéraux. Votre enfant n'en a pas besoin. Les fruits sont les aliments les mieux adaptés au goût de l'enfant. Une banane bien mûre, écrasée est un excellent premier aliment pour bébé. Il est doux, sucré, d'une consistance agréable et contient des éléments nutritifs appréciables. Une banane moyenne fournit 1 g de protéines; 10 mg de calcium; 0,8 mg de fer; 230 i.u. de vitamine A; 12 mg de vitamine C et des vitamines B. L'avocat est également un fruit bien adapté à l'enfant.

Il faudrait souligner ici que l'introduction des céréales, même complètes, avant que l'enfant ait au moins une dent, n'est pas à conseiller. Jusqu'à ce moment l'enfant ne possède pas suffisamment de ptyaline (une amylase dans la salive) pour prédigérer l'amidon des céréales. Ceci peut entraîner chez lui un état de dénutrition par suite d'une mauvaise assimilation, une faible résistance et des allergies. L'enfant sera alors sujet au rhume, irritable et sans vigueur.

Les céréales devraient toujours être entières et bien cuites. Les grains germés sont utiles car ils sont très assimilables et demandent peu de cuisson. La germination transforme l'amidon en sucres simples. Le pain cuit deux fois (zwieback) est également très digestible. On peut le pulvériser et l'ajouter aux purées de fruits ou de légumes.

Méfiez-vous de certains régimes extrémistes qui, en l'absence de lait maternel, soumettent l'enfant dès sa naissance à des menus déséquilibrés: aliments exclusivement crus, laits végétaux qui ne fournissent pas des protéines complètes, quantité d'aliments insuffisante. Il est très difficile d'ignorer la nature impunément. Une alimentation strictement végétale pour le bébé qui n'est pas allaité est aussi difficile à réaliser que l'alimentation au lait de vache, et des enfants en ont souffert parfois tragiquement.

D'autre part, il est important que la mère comprenne la nécessité d'une alimentation variée après la petite enfance. La mère doit aussi veiller à la qualité et à la quantité des protéines ingérées par l'enfant. Un enfant grandit et se développe. Le rôle des protéines est d'assurer la croissance. Il ne faut donc en aucun cas que l'enfant en soit privé. Voici un petit tableau[5] qui pourra vous guider dans l'arrangement de vos menus et vous indiquer son contenu en protéines.

1 gramme de protéines est fourni par:

Une portion de la plupart des fruits ainsi qu'une portion (½ tasse) de la plupart des légumes: panais, rutabagas, haricots jaunes ou verts, betteraves en cube, chou (cuit, en salade, en choucroute), tomates et jus de tomate ainsi que par ¼ d'avocat; une portion de laitue; une branche de céleri; une cuillère à soupe de persil haché; 4 petits biscuits secs.

2 grammes de protéines sont fournis par:

Une patate douce; un épis de maïs; 1½ tasse de pommes de terre en purée; ½ tasse de courge cuite au four; ½ tasse d'asperges; ½ tasse de chou frisé cuit; ½ tasse de chou-fleur; ½ tasse de brocoli; ½ tasse de feuilles de pissenlit.

3 grammes de protéines sont fournis par:

Une portion de la plupart des pains et céréales à grains entiers. (Les céréales commerciales sucrées et soufflées fournissent moins d'un gramme de protéines par 30 grammes); ½ tasse de pâtes alimentaires; ½ tasse d'épinards ou de choux de Bruxelles cuits.

4 grammes de protéines sont fournis par:

Une c. à s. de beurre d'arachide ou neuf arachides; ½ tasse de yaourt; ½ tasse de petits pois verts; ½ tasse de fèves de Lima cuites; ½ tasse de pudding au lait.

6 grammes de protéines sont fournis par:

Un œuf; 30 grammes de fromage; une tasse de crème d'asperges, de céleri ou de champignons; une tasse de soupe au riz ou à l'orge.

8 grammes de protéines sont fournis par:

Une tasse de lait ou de babeurre; ¼ tasse de fromage; ½ tasse de légumineuses cuites et servies avec du blé sous forme de pain, biscuits, gâteaux ou crêpes.

En 1973, le gouvernement américain déterminait quels étaient les besoins quotidiens en protéines pour les enfants, les femmes et les hommes. Les enfants ont besoin entre 23 et 26 g de protéines, les femmes entre 44 et 48 g, les hommes entre 52 et 56 g.

Les docteurs Hardinge et Stare[6] ont étudié, dans le but de déterminer leur apport quotidien en protéines, trois groupes de personnes dont l'option alimentaire était différente. Voici les résultats obtenus.

	Hommes	Femmes
Groupe végétarien	83 g	61 g
Groupe ovo-lacto-végétarien	90 g	82 g
Groupe omnivore	125 g	94 g

Quel que soit le choix alimentaire d'un individu, tant que son apport calorique est suffisant, il obtient plus de protéines que nécessaire. Il ne faut donc pas restreindre l'appétit souvent vorace des jeunes et ne pas permettre qu'ils le gâtent avec des aliments «à calories vides». Il faut aussi veiller à ne pas les surcharger de crudités qui rassasient vite mais qui sont pauvres en calories et en protéines. L'enfant, l'estomac calé par la salade n'aura plus faim pour les aliments qui doivent lui fournir les calories et les protéines nécessaires à sa croissance. L'équilibre est dans ce domaine une vertue obligatoire. Il est aussi bon de se rappeler l'importance de l'air, du soleil, de l'exercice, de l'eau et de la confiance* qui sont pour la santé et l'épanouissement de l'enfant, des facteurs aussi déterminants que ce qui est mis dans son assiette.

Quelques recettes pour la mère qui allaite

Tisane de graines de fenouil
(pour favoriser une lactation abondante)

Faire infuser une c. à thé de graines dans une tasse d'eau bouillante. Laisser reposer 5 minutes. Passer. Sucrer avec un peu de miel. Boire souvent à petites gorgées.

Décoction de flocons d'avoine
(pour maintenir une lactation abondante)

Faire mijoter à feu doux pendant 30 minutes:

½	tasse de flocons d'avoine	une pincée de sel
4	tasses d'eau	

Après avoir fouetté le mélange, le tamiser. Mettre le liquide dans le mélangeur avec:

2	c. à thé de miel	1	poignée de graines de luzerne germées
1	c. à s. de graines de tournesol		

Liquéfier le tout et boire chaud.
Cette boisson est excellente pour le bébé et le jeune enfant. On peut préparer de la même façon la décoction d'orge et de riz; (augmenter le temps de cuisson: 2 heures pour l'orge, 1 heure pour le riz)

---

* Voir pour une étude détaillée des facteurs de santé, du même auteur, *La vie en abondance*, aux Publications Orion.

Les recettes préférées
de ma petite fille

Les fruits frais

Utiliser de préférence des fruits en saison. Ne pas oublier les petits fruits. Ne pas utiliser des fruits en conserve. Ils sont cuits et conservés dans du sucre. Choisir plutôt des fruits congelés sans sucre ajouté. Selon l'âge de l'enfant les écraser à la fourchette ou les laisser entiers. L'enfant aura beaucoup de joie à les manipuler avec ses doigts.

Les fruits secs

Disposer avec soin dans une petite assiette une ou deux dattes dénoyautées; une ou deux figues équeutées; cinq ou six raisins secs. Donner à l'enfant le temps de déguster tout cela avec soin. Ne jamais le presser. Manger est pour lui un acte important et sérieux.

La purée de noisettes et amandes

Écaler trois amandes et quatre noisettes. Les pulvériser. Délayer la poudre ainsi obtenue avec un peu d'eau miellée ou de lait. En faire une crème onctueuse. L'enfant se régalera. On peut moudre ainsi n'importe quelles noix et les donner à l'enfant sous forme de purée. Ne pas exagérer cependant les quantités car les noix sont très concentrées en graisses et en protéines.

Les légumes cuits

Tout légume frais peut être cuit rapidement à la vapeur et servi en purée ou en petits morceaux à l'enfant. Éviter l'excès de sel, le beurre et les sauces.

Habituer plutôt l'enfant à une nourriture simple, dépourvue d'excitants. Arroser la purée ou les morceaux d'un filet d'huile, de levure alimentaire et d'un petit peu de paprika qui est une bonne source de vitamine A et C. Garnir de persil frais ou sec.

L'assiette de crudités

Couper les légumes en petits morceaux, en bâtonnets ou les râper finement selon la capacité masticatoire de l'enfant. Élisabeth aimait à l'âge d'un an le chou et la carotte râpés ensemble et décorés de lanières d'olives noires. Les tranches de tomates mûres, de concombre frais, les lanières de poivrons verts et rouges, les lamelles de champignons crus permettent de décorer une assiette avec goût et d'inciter l'enfant à manger frais et cru.

Les céréales

Il est préférable de donner au bébé les céréales sous une forme sèche: pain, biscuits, craquelins. La mastication sera encouragée et l'insalivation meilleure. Ne pas trop insister sur les bouillies trop claires qui sont avalées sans effort. Les bâtonnets de pain sec sont excellents. Il n'y a qu'à découper une tranche de pain en lanières et les faire sécher à l'air ambiant ou à four doux. Présenter régulièrement du millet, cette céréale riche en minéraux et en protéines.

Une fois la petite enfance passée (après 13 mois) l'enfant peut facilement consommer tous les mets végétariens, ceux-ci étant toujours légers et exempts de substances irritantes.

Les enfants sont le bien le plus précieux que les parents ont. Que ceux-ci n'épargnent aucun effort pour leur bien-être physique, mental et spirituel.

Bouillies pour bébés
(de 6 à 15 mois)

Mélanger dans le mélangeur jusqu'à consistance onctueuse:

a) ½   tasse de riz brun cuit
   1   c. à s. de raisins secs
   ¼   tasse de lait de soja

b) ½   tasse d'orge mondé cuit
   4   dattes dénoyautées
   1   c. à thé de graines de lin moulues
   ¼   tasse de lait de soja

c) ½   tasse de bouillie de maïs
   3   pruneaux secs tempés
   1   c. à s. de graines de tournesol moulues
   ¼   tasse de lait de soja

d) ½   tasse de millet cuit
   4   figues trempées
   ¼   tasse de lait de soja

L'association céréales entières, fruits secs et lait de soja est excellente. Les fruits sont sucrés, il est donc inutile d'ajouter du miel.

Formules de «laits» végétaux

Elles sont pour les enfants sevrés du lait maternel. Elles ne doivent jamais être employées comme «laits» exclusifs pour le nouveau-né, mais peuvent être incorporées dans l'alimentation variée de l'enfant comme boissons saines et nourrissantes. Elles se préparent dans le mélangeur puis se passent au fin tamis. La pulpe peut être incorporée aux céréales, pâtés, biscuits.

a) 1   tasse d'amandes moulues (non pelées car la peau contient du calcium et du fer)
   4   tasses d'eau
   1   c. à s. de miel

b)   ½   **tasse d'amandes mou-lues**
     ½   **tasse de graines de sé-same moulues**
     4   **tasses d'eau**
     1   **c. à s. de miel**

c)   ½   **tasse de noix d'acajou moulues**
     ½   **tasse de graines de tournesol moulues**
     4   **tasses d'eau**
     1   **c. à s. de miel**

Nous sommes à une époque où l'on préconise officiellement des changements importants dans nos habitudes alimentaires. Les adultes et les jeunes adultes sont prêts à prendre au sérieux leur nutrition mais n'est-il pas temps d'adopter un mode d'alimentation qui favorisera le développement physique et mental le plus harmonieux de l'enfant[7,8]?

1. Esaïe 49 (15).

2. E. G. White, *Conseils sur la nutrition et les aliments*, p. 267.

3. Voir *Comment vraiment aimer votre enfant* du docteur Ross Campbell, ORION.

4. Voir «Anemia», *Information Sheet No. 24*, publié par La Ligue La Leche, 9616 Minneapolis Avenue, Franklin Park, Illinois 60131.

5. Edyth Y. Cottrell, *How to Live Series*, No 10., p. 3.

6. M.G. Hardinge and F.J. Stare. Nutritional Studies of vegetarians. 1. Nutritional, physical and laboratory studies, and 2. Dietary and serum levels of cholesterol. *J. Clin. Nutr.* 2: 78-82; 83-88, 1954.

7. Starenkyj Danièle, *Le bébé et sa nutrition — de la conception au sevrage*, Orion, Québec, 1987.

8. Starenkyj Danièle, *L'enfant et sa nutrition — du sevrage à l'adolescence*, Orion, Québec, 1988.

7

Les boissons saines

L'eau! Je suis sûre que quelque part dans vos souvenirs il y a la lumière, la musique, la fraîcheur d'une source d'eau qui vous a fait sourire puis rire le cœur dilaté de joie. Vous avez bu, vous avez éclaboussé votre visage puis vos bras et, couvert de gouttelettes d'argent vous avez senti d'une façon toute réelle que vous étiez prêt à conquérir le monde. Ce moment ne fut que paix, force, douce harmonie vous marquant à toujours d'un éclat heureux.

L'eau pure, l'eau douce est indispensable à la vie au point que 60 à 80 heures de privation totale en eau peuvent entraîner la mort. Au désert, le voyageur perdu lorsqu'il cherche de l'eau, cherche la vie. C'est vers la vie qu'il marche, c'est la vie qu'il poursuit déjà tenaillé par les affres de la mort. Il a soif, oui, mais cette soif est plus intense, plus impérieuse, plus essentielle que le rafraîchissement de sa bouche sèche. Cette soif est le cri déchirant de chacune des cellules de son être demandant à vivre. Alors il marche, et marche, croyant à ce puits caché quelque part, ivre déjà de son eau pétillante comme des clochettes. Il n'a pas de temps à perdre. Déjà il chavire dans un monde de fantaisies et d'illusions. Perdre 10% de l'eau de son corps est grave. Perdre 20 à 22% de l'eau de son corps est fatal. Bientôt notre voyageur trouve un puits. Il pose sa main sur la margelle, puis sur la corde. Il actionne la poulie

et à cet instant et pour toujours il comprend un impératif de
la vie... Pardonnez-lui son regard narquois ou irrité lorsque
revenu à la civilisation, il supporte sans dire mot votre poursuite
vaine et agitée de mirages autrement dangereux et dévorants
que ceux contre lesquels il se battait ne pouvant se permettre
l'illusion, mais ayant impérieusement besoin de réalité, d'une
réalité aussi simple que l'eau...

«Des milliers de gens, qui auraient pu vivre, sont morts
pour avoir manqué d'eau pure et d'air pur... Ces bénédictions
leur sont nécessaires pour retrouver la santé. S'ils voulaient
se laisser éclairer, abandonner les médicaments et s'habituer
à faire de l'exercice au grand air, à aérer leurs maisons, été
comme hiver, et à utiliser l'eau comme boisson et sous forme
de bains, ils seraient heureux et bien portants, au lieu d'avoir
à mener une existence misérable[1].»

L'eau! Est-elle vraiment si nécessaire? Oui, car l'eau entre
dans *toutes* les réactions qui s'effectuent dans le corps. Elle
représente chez l'homme 70% du poids de son corps et elle
forme ainsi la plus grande partie du milieu intérieur: 65%
des globules rouges, 70% des globules blancs, 75% du proto-
plasme, 80% des cellules, 99% de la salive, du suc gastrique
et de la sueur, 85% du cerveau, 75% des nerfs, 70% du cœur,
75% des poumons, 70% du foie, 80% des reins. Un homme
adulte élimine de l'eau surtout par les reins sous forme liquide,
mais aussi par les poumons sous forme de vapeur, et par la
peau sous les deux formes (perspiration insensible et trans-
piration). Une petite quantité d'eau est aussi rejetée avec les
matières fécales. La quantité d'eau perdue varie selon les
circonstances, en particulier selon la température extérieure
et l'intensité du travail musculaire. Le plus souvent cette
quantité est, en vingt-quatre heures, de 2 à 3 litres, soit en
moyenne 2,5 litres.

Il n'est pas difficile alors de comprendre qu'une personne
ne consommant pas suffisamment d'eau, aura très rapidement
des troubles dans ses organes internes. Elle pourra souffrir
de constipation et de mauvaise digestion. Des pierres pourront
se former sur ses reins ou dans sa vessie et elles entraîneront
de sérieuses infections. Un manque d'eau peut obliger le cœur
à travailler plus durement et être la cause de divers malaises
tels que les maux de tête, les étourdissements, les nausées.

Des altérations du comportement peuvent être liées à une carence en eau, la mémoire peut être déficiente, les idées confuses et embrouillées. En fait, le manque d'eau affecte notre corps en entier étant donné que tout notre corps a besoin d'eau pour fonctioner normalement. La peau sèche, les yeux sans éclat, le vieillissement précoce, la mauvaise humeur, la fatigue peuvent être éliminés par une ration quotidienne et abondante d'eau pure. Lorsqu'il y a déficience en eau, les processus d'élimination continuent mais au détriment du contenu en eau du sang et des tissus. Les reins, les poumons et les pores de la peau qui sont des organes d'élimination sont entravés dans leur fonctionnement et les déchets s'accumulent puis sont refoulés à nouveau dans les cellules créant ainsi une auto-intoxication dangereuse, source d'innombrables maux. Si la déficience en eau s'aggrave, le sang s'épaissira et la circulation deviendra difficile. Les globules colleront aux capillaires, le sang ne retournera pas au cœur, la pression tombera et entraînera un état de choc souvent mortel.

Combien d'eau faut-il boire? La soif n'est pas toujours un critère sûr. Chez l'homme tout instinct peut être perverti, détourné ou détruit. Il existe effectivement des gens qui n'ont pas soif, (j'entends pas soif *d'eau...*), et ils peuvent facilement passer un semaine entière sans consommer un seul verre d'eau. D'autre part, la vie sédentaire que mène la majorité des gens ne donne pas soif (d'eau) et ces derniers peuvent croire que n'ayant pas soif d'eau, ils n'ont pas besoin d'eau. Cependant rappelons-le, quel que soit le travail ou le genre de vie que vous menez votre corps perd 2 à 3 litres d'eau chaque jour et ces pertes doivent être compensées. Il faut donc boire 6 à 8 verres d'eau quotidiennement pour une santé florissante. L'eau est le liquide de la vie. Personne ne doit s'en priver. Les enfants, les femmes enceintes et celles qui allaitent, les travailleurs de force devraient être particulièrement soigneux et ne pas oublier de boire. Si vous êtes de ces personnes qui se prennent pour des chameaux, rééduquez-vous en établissant un programme d'eau et en le suivant avec soin et conviction.

Prenez: 2 verres d'eau avant le petit déjeuner
2 verres d'eau dans la matinée
2 verres d'eau dans l'après-midi
2 verres d'eau dans la soirée.

Bientôt vous ne vous reconnaîtrez plus. Essayez, vous verrez. Ce n'est pas compliqué et cela vaut véritablement la peine.

Comment faut-il boire l'eau? L'eau doit être fraîche, sans être glacée. Cependant certaines personnes à l'estomac sensible se portent mieux si l'eau est prise à la température de la pièce ou même si elle est chaude. Pour prendre son eau à la température de la pièce, il n'y a qu'à laisser reposer sur le comptoir, pendant la nuit, la ration du lendemain. Il est bon de boire à petites gorgées. Boire avec une paille est un moyen de boire doucement et de faire de ce geste un moment de détente. Prenez un verre d'eau pour une saveur inégalée de joie et de vie et laissez tomber la cigarette à la fumée narquoise, sournoise et hypocrite. En fait, si vous fumez, pour chaque cigarette que vous voulez allumer, prenez à la place un verre d'eau. Asseyez-vous et buvez lentement tout en disant: «J'ai décidé de ne plus fumer.» Bientôt — tout de suite si vous le voulez vraiment — cigarettes, allumettes, toux, crachats, essoufflements, insomnie et bouche pâteuse seront du passé. Allons! Il faut jouer gagnant, cessez de fumer et buvez de l'eau.

Quelle eau faut-il boire? L'eau naturelle est pure, dépourvue de microbes et de bactéries pathogènes. Elle est douce, non minéralisée. On ne fait pas la lessive avec une eau dure et calcaire. Or l'eau doit laver notre corps intérieurement et extérieurement. L'eau naturelle est saine et ne colporte pas avec elle les résultats de l'industrie chimique sous forme de déchets polluants, sous forme d'agents purificateurs ou de substances thérapeutiques. Si vous avez le bonheur d'avoir cette eau pure à votre robinet, servez-vous en et faites-en profiter vos amis. Sinon, achetez-la. L'eau est une priorité, une nécessité vitale. Cet investissement vous épargnera de nombreuses dépenses autrement coûteuses financièrement, physiquement et moralement.

Les jus de fruits et de légumes

Ces jus peuvent être acceptables et même rendre de réels services dans certains cas mais il ne faudrait jamais en faire un abus ni même une habitude quotidienne. En effet, la valeur

nutritive d'un fruit ou d'un légume *entier* est toujours supérieure
à une de ses parties. Votre organisme a besoin d'une bonne
quantité de cellulose pour fonctionner de façon adéquate. La
valeur nutritive d'une orange entière est supérieure à celle
de son jus. Il est donc préférable de servir pour le petit déjeuner
des quartiers d'orange plutôt que du jus d'orange même s'il
est frais. En rejetant la pulpe, on fait du gaspillage. Il ne faut
pas oublier que c'est *l'eau* qui est la boisson naturelle.

Cependant ces jus peuvent être agréables pour permettre
un abandon sans regret des breuvages commerciaux à saveur
de fruits, breuvages contenant d'importantes proportions de
sucre et de produits chimiques dont personne n'a besoin. Ils
peuvent être indispensables lorsqu'une personne ou un enfant
refuse absolument les crudités ou dit ne pas les supporter. Ils
doivent alors faire partie intégrante du repas et être bien
insalivés. Les jus de fruits et de légumes sont des aliments
concentrés en vitamines et minéraux et peuvent combler des
carences à ce niveau. Ils doivent toujours être parfaitement
frais et servis immédiatement. Les fruits et légumes dont on
se sert pour leur préparation devraient être d'une bonne qualité
et non pas défraîchis. De plus, personnellement, j'hésiterais
à faire des jus à partir de fruits et de légumes qui ne sont pas
cultivés biologiquement car je craindrais une trop forte
concentration de résidus de l'agriculture chimique. Le jus de
carotte est souvent donné en abondance aux jeunes enfants
avec la conviction que cela est excellent pour eux. Or, l'excès
de jus n'est bon pour personne d'une part et d'autre part si
les carottes utilisées pour faire le jus ont été cultivées à l'aide
d'engrais nitratés leur carotène ou provitamine A n'est pas
utilisable. Les nitrates sont des antagonistes de la vitamine
A. De plus, ils peuvent se transformer dans l'estomac ou dans
l'intestin grêle en nitrites. Les nitrites sont des poisons qui
ralentissent le fonctionnement de la thyroïde, un organe indispensable pour la transformation de la carotène en vitamine
A. D'après le docteur Shamberger la carotène non convertie
n'est pas utilisable et pourrait devenir une substance
cancérogène[2].

À la lumière de ces quelques faits parmi des milliers
d'autres, on ne pourrait insister avec trop de ferveur sur la
consommation de produits biologiques surtout lorsqu'il s'agit
de jeunes enfants. Quelle sécurité pour la maman qui allaite

de savoir que les six à neuf premiers mois de la vie de son enfant sont à l'abri de ces pollutions alimentaires incontrôlables pour la majorité des citadins.

Il faut aussi rappeler que pour faire des jus il faut un extracteur et d'énormes quantités de fruits ou légumes. S'il faut acheter tous ces fruits ou légumes au magasin, ce procédé peut rapidement devenir ruineux. Si vous possédez un potager ou un verger et avez une récolte abondante, faire des jus peut devenir alors un moyen agréable d'écouler des produits qui autrement se gâteraient.

Les jus sont donc des aliments d'exception, utiles dans le cadre d'un régime thérapeutique mais ils ne sont pas indispensables dans le végétarisme. Ne vous inquiétez donc pas. Procurez-vous la meilleure eau pour boire et les meilleurs fruits et légumes pour les manger naturellement, c'est-à-dire *entiers*.

Citronnade rafraîchissante

Mélanger le jus d'un citron et celui d'une lime. Ajouter deux tasses d'eau et 2 c. à s. de miel.

Jus de framboises

Mélanger deux tasses de framboises avec ¼ tasse de noix de coco râpée. Ajouter 2 c. à s. de miel. Liquéfier le tout avec une tasse d'eau. Passer au fin tamis.

Jus de fraises à la menthe

Mélanger deux tasses de fraises avec 4 feuilles de menthe, une tasse d'eau et 2 c. à s. de miel. Liquéfier le tout et passer au fin tamis.

Cocktail de santé

Réserver les graines des melons. Mélanger ½ tasse de graines avec 1 tasse de jus d'ananas non sucré et 1 tasse de jus d'orange frais. Liquéfier le tout dans un mélangeur et passer au tamis.

Boisson au concombre
(pour la beauté du teint)

Liquéfier jusqu'à consistance onctueuse:

3 petits concombres très tendres	½ tasse de graines de luzerne germées
une pincée de sel	

Boire avec une grosse paille très lentement. (Passer au fin tamis si désiré.)

Jus de raisin

Les raisins bleus du Canada donnent un jus très sain et délicieux. Mettre les grappes de raisins dans une grande casserole avec un tout petit peu d'eau. Donner un bouillon. Extraire le jus en pressant les grappes à travers une mousseline. Sucrer avec du miel. Ce jus peut être embouteillé et conservé pour l'hiver.

Jus de cassis

Mettre des cassis dans une casserole et donner un bouillon. Extraire le jus en pressant à travers une mousseline. Sucrer avec du miel et diluer avec de l'eau.

Jus de son vivifiant

Faire mijoter à feu doux 20 minutes, 1 tasse de son de blé biologique dans 4 tasses d'eau. Passer au fin tamis. Boire ce jus chaud. On peut l'assaisonner avec une pincée de sel, de la poudre de céleri et de la poudre d'oignon, ou encore avec une cuillère à soupe de poudre de caroube.

Les cafés de céréales

Bien des personnes consomment du thé et du café parce qu'elles aiment la sensation agréable et réconfortante que donne une boisson chaude. Pour d'autres offrir une boisson chaude est un geste d'amitié, un signe d'hospitalité et il leur est difficile de briser une telle habitude.

En fait les cafés de céréales et les tisanes remplacent très avantageusement le café et le thé tout en permettant de conserver les aspects positifs reconnus à ces boissons: réconfort et sociabilité.

Les anciens Québécois buvaient volontiers du café d'orge. Il consistait tout simplement en grains d'orge torréfiés au four puis ébouillantés au besoin. Ce «café» se prenait le soir autour du poêle à bois et il n'empêchait personne de dormir.

Aujourd'hui on trouve dans les magasins spécialisés toute une série de cafés de céréales instantanés, prêts à l'usage. Pour beaucoup ils ont l'arôme et le goût du «bon» café et ils s'y habituent très vite. À vous de les goûter et de découvrir celui qui vous conviendra le mieux.

Peut-être aimeriez-vous fabriquer votre propre café? Vous en serez d'autant plus fier et il vous sera d'autant plus précieux. Vous pouvez obtenir un café agréable à partir des fèves de soja, des racines de pissentlit, des grains germés de blé, d'orge et de seigle. Naturellement ces cafés n'ont pas beaucoup plus de valeur nutritive que le vrai café, mais ils sont assurément exempts de toute substance nocive ou stimulante. Buvez-les juste pour le plaisir, sous le signe de l'amitié.

Le café de soja

Étaler les fèves de soja jaunes sur une tôle à biscuits. Les griller au four, à température basse jusqu'à ce qu'elles soient complètement grillées et qu'elles aient la couleur du café, brun foncé. Il faut plusieurs heures. Refroidir puis moudre finement. Garder la poudre dans un pot en verre bien fermé afin d'en conserver la saveur.

À 4 tasses d'eau ajouter ½ tasse de fèves de soja moulues. Amener à ébullition et laisser mijoter 20 minutes. Laisser reposer assez longtemps afin d'en extraire le maximum de saveur.

Le café de racine de pissenlit

Cueillir des racines au printemps avant la floraison ou à l'automne. Veiller à ne pas les prendre dans un endroit où l'on utilise des herbicides. Faire sécher au four. Moudre puis procéder comme pour le café de soja.

Le café de céréales germées

Il se fait à partir du malt (poudre de grains germés de blé, d'orge ou de seigle, grillés à feu doux et pulvérisés).

Pour chaque tasse d'eau utiliser 1 c. à thé comble de malt. Laisser mijoter 15 minutes. Passer et servir. Vos invités vous demanderont sûrement la marque de votre café.

Le café de gourganes

Faire griller au four des fèves de gourganes. Les moudre très finement. Faire revenir cette poudre avec un peu d'huile dans une poêle chaude. Laisser refroidir puis mettre dans des bocaux bien fermés au sec. Pour servir: prendre deux cuillerées à thé de poudre et les ébouillanter dans une tasse d'eau. Sucrer au goût avec du miel. Ce café est délicieux et précieux. Ce n'est pas une petite affaire d'écosser toutes ces fèves! Les gousses s'utilisent pour faire un sirop de table agréable. Faire bouillir les gousses dans suffisamment d'eau puis laisser mijoter une heure. Recueillir le bouillon et le mélanger avec du miel dans les proportions d'une tasse de miel pour deux tasses de bouillon. Cuire jusqu'à épaississement. Laisser refroidir et mettre en bocaux. À servir sur des crêpes, du pain, des puddings.

Les tisanes

Dans ce domaine il n'y a que l'embarras du choix. Les tisanes se font à partir des fleurs, des feuilles, des racines, des graines ou des fruits de diverses plantes. En général ces plantes ont des propriétés médicinales bienfaisantes que l'on extrait par décoction, infusion ou macération. L'étude des simples (des herbes) est passionnante et particulièrement émouvante. Je me rappelle encore l'émerveillement que j'éprouvai lorsque pour la première fois j'eus entre mes mains un de ces anciens livres qui enseignait que les simples herbes des champs sont parfois salutaires. Il est certes étonnant de découvrir que si chaque famille apprenait à se servir de quelques herbes en cas de maladie, bien des souffrances seraient évitées et l'on n'aurait pas besoin d'avoir tant recours à des soins spécialisés.

La mode aujourd'hui est revenue à l'usage des plantes, mais cet usage qui se voulait autrefois un antidote aux potions compliquées et dangereuses, est devenu à son tour compliqué. Les herbes sont concentrées, mises en poudre, prises en gélules ou en comprimés; on en extrait les essences et sans s'en apercevoir, on est maintenant à des kilomètres de ces herbes simples, à l'ancienne mode, à la portée de la main, accessibles à tous, employées à bon escient.

Ces critères devraient être appliqués chaque fois que l'on désire utiliser une plante. Il faudrait aussi savoir que les herbes simples, sont des herbes *inoffensives*. On ne peut ignorer qu'il existe des herbes toxiques et dont l'usage entraîne des effets secondaires aussi désastreux que certains médicaments. On sait que de nombreuses plantes utilisées à des fins alimentaires (épices, condiments) ou thérapeutiques contiennent des alcaloïdes combinés à des tannins et à des acides organiques. Les alcaloïdes ont une constitution chimique complexe et il est important de savoir qu'il sont tous actifs, même à faible dose, et toxiques.

Les herbes simples et utiles, lorsqu'elles sont prises sous une forme simple, aident à purifier l'organisme. Ainsi elles ne nuisent pas et n'affaiblissent pas par leurs propriétés actives. À une époque où être malade est si courant, et se soigner si compliqué — il y a tant de médecines, tant de manières de pratiquer «l'art de guérir», j'aimerais suivre cette ligne de conduite: Je ne veux jamais introduire dans mon corps dont je suis responsable, des substances que je ne connais pas, dont j'ignore les effets secondaires. Je veux savoir en «bon français» le nom de ce que je pourrais introduire dans mon organisme. Les noms compliqués et étranges donnés aux préparations dissimulent la réalité, et on ne peut en deviner le contenu à moins d'avoir à la portée de sa main un dictionnaire spécialisé. On pèche contre son intelligence chaque fois que l'on prend des substances qui nous sont inconnues et l'on peut mettre ainsi en danger toute sa vie subséquente.

La pratique de boire des tisanes, pour se rafraîchir ou se réconforter, selon le cas, remonte à ces temps où sans faire d'histoire chacun croyait qu'il était responsable de sa vie et qu'il avait entre les mains le pouvoir de la conserver ou de la perdre. Vous connaissez l'adage: «Il vaut mieux prévenir que guérir.» En consommant régulièrement quelques herbes sous forme d'infusion, on mettait en pratique cette vérité. Lorsque l'on oublia que la nature pouvait guérir on continua pendant un temps à consommer ces boissons par habitude puis elles furent reléguées dans l'arsenal des choses qui se faisaient du temps de nos grands-mères... Ramasser des herbes,les sécher, les infuser tout cela était trop primitif, pas assez sophistiqué pour une population qui se voulait maintenant éduquée. L'exotisme du thé éblouit les esprits, et la mode et l'habitude et la dépendance du thé s'installèrent bien vite.

Je vous invite à redécouvrir l'infinie variété des herbages. Il existe des plantes qui de par leur goût ne peuvent être consommées qu'avec parcimonie et grimace (malgré toute la conviction et la bonne volonté) et dont l'usage est réservé aux malades. Mais d'autre part, nos aïeux ont développé tout une gamme de tisanes à base de fruits, fleurs, feuilles et graines agréables au goût, souvent délicieuses, aux vertus positives et reconnues. Ces tisanes peuvent être consommées avec joie. Partez à l'aventure et découvrez-les une à une. Puis mélangez-les deux à deux ou trois à trois. Vous obtiendrez des couleurs, des arômes, des saveurs parfois enchanteresses.

Où trouver les tisanes?

Il existe bien des préparations commerciales offrant des tisanes en sachets. On peut obtenir ainsi la menthe, la verveine, le tilleul, la luzerne, le trèfle rouge, les fruits de l'églantier. C'est bien pratique et il est facile de remplacer un sachet de thé néfaste par un sachet de tisane bienfaisant.

Vous pouvez, si vous en avez la possibilité, cultiver vos herbes. Cette culture est agréable et simple. Elle demande un tout petit terrain bien ensoleillé. Le sol peut être relativement pauvre mais il doit être bien drainé. La culture des herbes n'est pas exigeante et elle ne craint pas l'attaque des insectes. Je connais bien des gens qui cultivent la menthe, le thym et la sauge dans des pots sur leur balcon avec beaucoup de succès et de fierté légitime. Les herbages devraient être récoltés par temps sec et clair, le matin après que la rosée est tombée. Ils devraient être séchés à l'ombre pour retenir le maximum de leur valeur et étalés en mince couche sur un plancher propre recouvert de papier brun. L'endroit où ils sèchent doit être bien aéré. N'oubliez pas de remuer votre récolte régulièrement.

Il est très agréable d'aller à la recherche de nos herbes en pleine nature. Il n'y a qu'à tendre la main.

Les tisanes de fruits

L'églantier ou rosier sauvage (Rosa rugosa ou rosa canina) donne un fruit, le cynorrhodon, qui, séché, fera une tisane délicieuse, rose et très riche en vitamine C. Dans les pays nordiques européens, la tisane de cynorrhodon est utilisée quotidiennement pour prévenir la grippe ou la guérir. Cette tisane est également considérée comme diurétique et utile dans les affections inflammatoires du rein.

L'églantier pousse un peu partout à la campagne, le long des chemins, au coin des maisons. Hélas, le cultivateur souvent s'acharne à saper cet arbuste épineux. Il se bat contre un merveilleux bienfaiteur. Bien des pays, dont l'Angleterre, exigèrent pendant la dernière guerre mondiale, que l'on plante en abondance cet arbuste précieux. Il devint alors pour beaucoup de gens privés de citrus, une source importante de vitamine

C. Le fruit de l'églantier est facile à récolter. Il n'y a qu'à le cueillir vers le mois de novembre ou de décembre. Il sera déjà sec et prêt à être mis en pot à l'abri de l'humidité.

Pour faire la tisane, prendre quelques fruits et les pulvériser dans un moulin à café. Prendre 1 c. à thé de cette poudre et infuser 15 minutes. Servir avec du miel et si désiré, un filet de jus de citron.

Le pimbina (viorne trilobée) donne tard l'automne, après les premières gelées, de belles grappes de fruits rouge vif et juteux. Nos grand-mères les cueillaient pour les suspendre aux poutres de leur cave à légumes. Une bonne partie de l'hiver elle régalait ainsi leur famille avec tartes et gelées. N'aimant pas les choses compliquées et la cuisson prolongée des fruits, j'eus sous l'inspiration de mon mari, l'idée de sécher ces grappes. Cela fut assez long mais un matin les baies étaient devenues dures comme de petits cailloux. Je les pulvérisai et j'en fis une tisane qui nous enchanta. Elle devint immédiatement notre boisson favorite au goût du Québec. Cet arbuste se trouve aussi en Ukraine, pays d'origine de mon mari, où il reçoit beaucoup de vénération. Sa présence près d'une maison est un gage de prospérité et de santé. Il était autrefois pour ce peuple une source précieuse de vitamine C pendant les longs hivers. Près de chez nous, un octogénaire déclare devoir sa force phénoménale à sa grosse consommation de pimbina. Un jour, un savant découvrira peut-être dans cet humble fruit de plus en plus méprisé, des principes dignes de sa consommation.

Les tisanes de fleurs

Qui n'a pas déjà cueilli des **trèfles rouges** pour en sucer les fleurs au goût sucré? Les abeilles en font un miel délicieux et les fleurs séchées donnent une tisane aux propriétés étonnantes. Elle est particulièrement purificatrice du sang et pour cela elle peut être employée dans toutes les conditions où l'on soupçonne au départ, un sang impur.

Le tilleul fournit une tisane qui a déjà été fort populaire. Elle se prépare à partir des bractées de fleurs et de fruits verts de l'arbre. Cette tisane est diurétique, calmante et antispasmodique. Elle est employée contre les maux de tête, les indigestions, les vomissements et les frissons fébriles. Le tilleul s'emploie généralement le soir, au coucher ou après les repas.

La camomille pousse un peu partout, bien près des maisons. La sagesse populaire y voit un signe de son utilité. La camomille en infusion est digestive et calmante. D'après certains médecins, employée avec persévérance et à l'exclusion de tout autre produit elle vient à bout de l'insomnie et procure un sommeil réparateur.

Les tisanes de graines

L'anis est très aromatique et s'emploie régulièrement en pâtisserie, dans les biscuits. En infusion, cette graine fournit une boisson très adoucissante pour la gorge qui dégage facilement les voies respiratoires. Elle soulage la toux. Cette tisane est si agréable à prendre qu'il faudrait la consommer avec régularité, surtout l'hiver.

Les graines de fenouil sont employées dans les désordres digestifs avec succès. Elles ont toujours été le spécifique des coliques venteuses, c'est-à-dire des gaz et des ballonnements. La tisane est aromatique et les enfants la prennent sans difficulté.

Le cumin a les mêmes vertus et s'emploie de la même façon que les graines de fenouil. Il est cependant plus amer.

Les tisanes de feuilles et sommités fleuries

La menthe, qui ne sait qu'elle favorise la digestion? C'est encore peut-être la tisane la plus employée. Après un repas trop copieux elle libère l'estomac et facilite la digestion. Elle soulage les maux de tête. En général, on aime tout simplement son arôme et le sentiment très net de rafraîchissement qu'elle procure. Les feuilles de menthe fraîches ou séchées frottées sur les dents les blanchissent à merveille et laissent la bouche très propre.

Le thym très aromatique, largement employé en cuisine devrait également faire partie des remèdes domestiques. L'infusion de thym faite avec cinq ou six brins est excellente en cas de rhume de cerveau. On peut en prendre toutes les deux heures. Le thym est reconnu en pharmacie pour son pouvoir antiseptique.

Boire est une activité indispensable pour l'entretien de la vie. Que dorénavant, chaque goutte de liquide pénétrant en vous, puisse contribuer à la soutenir avec force et vigueur. À votre santé!

---

1. E. G. White, *Conseils sur la nutrition et les aliments*, p. 504.

2. *Prevention*, avril 1972, p. 157.

8

Les fruits

*«Et il me montra un fleuve d'eau de
la vie, limpide comme du cristal, qui
sortait du trône de Dieu et de l'agneau.
Au milieu de la place de la ville et
sur les deux bords du fleuve, il y avait
un arbre de vie, produisant douze fois
des fruits, rendant son fruit chaque
mois, et dont les feuilles servaient à
la guérison des nations[1].»*

Le récit biblique affirme que les fruits
font partie de la nourriture de l'homme et il est réconfortant
de lire que si le paradis perdu était illuminé d'une immense
variété de fruits, le paradis retrouvé le sera aussi. Cet aliment
est précieux et il est synonyme de fécondité, d'abondance, de
récompense, de résultat, de production, de richesse, de raffinement. Ne parle-t-on pas du fruit de son travail, du fruit des
entrailles, du fruit de l'Esprit? Les cornes d'abondance se des-
sinent toujours avec des fruits débordant de toutes parts; une
belle coupe ornée de divers fruits, placée au centre d'une table
bien cirée, n'est-ce pas délicieux à voir?

Mais qu'est-ce qu'un fruit? Plusieurs sciences ont donné
plusieurs définitions. La botanique par exemple, décrit le fruit
comme étant «l'organe contenant les graines et provenant de
l'ovaire de la fleur». Elle affirme que tout ce qui est le résultat

d'une floraison est un fruit et elle distingue deux grandes classes de fruits: les fruits secs comportant les gousses, les akènes, les caryopses, et les fruits charnus comportant les drupes, les baies, les fruits à pépins, les pépons. Voici quelques exemples de fruits ainsi nommés: les pois (gousses), les châtaignes et les noisettes (akènes), le blé et le maïs (caryopses), les pêches et les cerises (drupes), les groseilles et les mûres (baies), les pommes et les poires (fruits à pépins), les melons, courges, citrouilles, concombres (pépons).

Ainsi, selon cette conception, les tomates, poivrons, aubergines, haricots, concombres, melons, citrouilles seraient des fruits que certains, parce qu'ils se cultivent comme des légumes appellent légumes-fruits. Cependant d'autres auteurs, basant leur classification sur l'observation de la culture de ces produits considèrent que les fruits sont le résultat d'arbres, d'arbustes ou de vignes plantés une fois pour longtemps et produisant leur récolte année après année; les légumes sont le résultat de graines semées en terre annuellement.

La botanique a donné une définition qui, convenant à son but, la classification des végétaux et leur description, est devenue pour elle un outil de travail. Cependant l'observation de la nature nous permet de voir que si de nombreux produits sont le résultat d'une floraison, il y a diverses floraisons: Les arbres fleurissent, les herbes fleurissent, les plantes fleurissent... Pour l'agriculteur les fruits viennent du verger, les légumes du potager et les céréales des champs. Nous aimerions retenir cette définition, simple à observer, quand pour des raisons de santé on désire ne pas mélanger au même repas, les fruits et les légumes.

Un auteur écrivait au début du siècle: «Nous nous trouverions bien de manger moins d'aliments cuits et davantage de fruits crus. Enseignons aux gens à user largement de raisin, de pommes, de pêches, de poires, de baies et de toute autre sorte de fruits[2].» La consommation abondante et régulière de fruits fournit à notre système des nutriments indispensables. Il existe trois grandes variétés de fruits que l'on peut se procurer couramment: les fruits d'arbre, les petits fruits ou baies et les fruits secs.

Les fruits d'arbre

Les pommes, les pêches, les poires, les abricots, les cerises, les agrumes (oranges, pamplemousses, citrons), les prunes, les avocats, comme ils sont appétissants et pourtant on les consomme souvent si mal! Loin d'être considérés comme des aliments importants et indispensables, ils sont souvent considérés comme des objets de luxe ou encore comme des aliments de peu de valeur tout juste bons à calmer une fringale entre les repas. On estime parfois qu'ils sont indigestes. Cela peut être dû au fait qu'ils sont consommés alors qu'ils ne sont pas suffisamment mûris ou encore qu'ils sont employés en mauvaises combinaisons alimentaires. «Une grande variété d'aliments au même repas incite à manger trop et expose à l'indigestion. Il n'est pas bon de manger des fruits et des légumes au même repas. Pour ceux qui ont une digestion laborieuse, l'emploi de ces deux catégories d'aliments à la fois peut provoquer un embarras gastrique et rendre difficile tout effort cérébral. Il vaut mieux prendre les fruits à un repas et les légumes à un autre[3].» «Les fruits et les légumes associés à un même repas produisent de l'acidité dans l'estomac; il en résulte de l'impureté dans le sang et la pensée n'est pas claire du fait que la digestion est perturbée[4].»

Nous devons apprendre à considérer les fruits d'arbre comme des aliments à part entière, ayant un rôle spécifique à jouer dans notre organisme et aptes à entretenir un haut degré de santé. Quelques études ont démontré les faits suivants: la pectine de ces fruits, associée à leurs fibres, contrôle le taux de cholestérol, selon le docteur Fisher de l'Université Rutgers (New York). Le docteur Glenn H. Joseph écrivait en 1955 dans le journal Nutrition Research que la pectine a la capacité d'éliminer le plomb de l'organisme. Elle transforme les métaux lourds en sels métalliques insolubles. Ces derniers ne pouvant être absorbés, sont excrétés. Le JAMA du 18 novembre 1962 déclarait que la pectine lie le strontium 90 et réduit l'absorption et le dépôt de l'isotope dans le squelette. Les fruits, à la lueur de ces quelques découvertes, sont des aliments préservant l'écologie interne. Ils sont véritablement des aliments protecteurs.

Pour remplir ce rôle, les fruits doivent nécessairement être de la meilleure qualité et cette qualité est déterminée par le mode de culture du fruit et non par son aspect extérieur. Une culture biologique produit un fruit exempt de produits chimiques. Cette culture veillera à la qualité du sol du verger mais aussi à son orientation. Plus un fruit aura été caressé par le soleil, meilleur il sera. L'art de la taille a toute sa valeur afin d'aérer l'arbre et de permettre une pénétration profonde et complète du soleil. Il est dit que la graine d'un fruit cultivé à l'ombre ne germera pas. Je ne peux ici m'étendre sur les méthodes de culture de la très grosse majorité de nos fruits. Je ne peux que vous encourager autant que possible à cultiver vos propres arbres, à les soigner avec douceur et à en jouir avec reconnaissance. Un pommier sur un parterre est aussi décoratif qu'un érable et un cerisier aussi joli qu'un tremble. Ces arbres, avec un peu de soin, seront les plus beaux investissements de votre vie.

Un fruit de culture industrielle devrait toujours être très bien lavé dans de l'eau chaude et du vinaigre. Pour ma part je ne pèle pas ces fruits, bien que certains auteurs le recommandent; j'évite d'en consommer le cœur et les pépins qui, dit-on, contiennent la plus grande concentration des résidus des produits chimiques employés.

Je crois d'une façon générale, que les fruits les plus bénéfiques sous nos climats sont ceux qui s'y cultivent. La pomme est notre fruit par excellence. «Si vous pouvez vous procurer des pommes vous devez vous estimer satisfaits pour ce qui concerne les fruits, même si vous ne trouvez rien d'autre... Les pommes sont supérieures à tout autre fruit de la saison pour l'alimentation[5].» Les fruits consommés dans leur saison respective ont plus de valeur nutritive et de saveur.

Les fruits exotiques sont généralement très riches en vitamines et en minéraux et valent la dépense: les avocats, mangues, papayes, kiwis, ananas, bananes, melons divers, noix de coco, bananes devraient pouvoir, en saison, figurer au menu régulièrement tout en lui donnant un air de fête. Les agrumes, particulièrement les oranges, sont des fruits acides, généralement très maltraités, mûris artificiellement, largement agrémentés d'agents de conservation et de colorants. Ils devraient être utilisés avec modération. Ils rendent bien des gens frileux et sous nos climats, ils peuvent décalcifier. La vitamine C, en hiver, devrait être recherchée plutôt dans les légumes verts, les graines germées et les fruits de l'églantier.

Finalement, il faut toujours manger un fruit bien mûr. La banane ne doit pas être consommée avant que sa peau soit tachetée de points bruns. Ce n'est qu'à ce moment que l'amidon indigeste de ce fruit s'est transformé en sucres assimilables. Certains autres fruits, tels les fruits exotiques, doivent accepter une marque du doigt. Un fruit mûr a une odeur agréable et caractéristique. Il faut laisser les fruits à la température de la pièce recouverts d'un linge, et ne garder au réfrigérateur que les fruits qui ne sont pas utilisés immédiatement. Il ne faut jamais manger un fruit tiré directement de la glacière. Quel gaspillage gustatif!

Les baies

Où sont les fruitages d'antan? Fraises des bois, groseilles rouges, groseilles blanches, groseilles à maquereaux, bleuets ou myrtilles, framboises, mûres, cassis, cerises à grappes, merises, pimbinas, quatre-temps, prunelles... Allons! il n'y a pas de fruits au Québec? Mais si, on les a seulement oubliés, déplacés, arrachés. Ils ont en grande partie disparu de nos marchés et même en saison, ils ne sont offerts qu'en petites quantités et à des prix élevés. Pourtant, ils ont une très grande valeur car ils sont très riches en vitamines et minéraux (A, C et fer) et possèdent des acides aptes à purifier le sang et à dissoudre les toxines. Ces fruitages se succèdent tout l'été jusque tard l'automne. Ils ne prennent pas beaucoup de place et peuvent être cultivés très avantageusement presque partout. Leur culture est facile et tellement agréable! Ils se conservent sans problème par la dissécation (séchage) ou la congélation. Les nutritionnistes recommandent particulièrement ces baies car elles sont toujours consommées avec leurs graines qui fournissent des éléments vitaux et indispensables, comme la vitamine B_{17}, considérée comme susceptible de prévenir le cancer[6].

Les fruitages sont très périssables et devraient toujours être consommés dès la cueillette. Ceci rend indispensable un jardin de petits fruits à la portée de la main. Si vous n'avez pas encore ce privilège, n'achetez que la quantité de baies nécessaires. Sans les laver ni les équeuter, réfrigérez-les aussitôt ou mieux encore, mangez-les sans délai. Il ne faut jamais laisser ces fruits longtemps dans l'eau; cette pratique entraîne une perte rapide des sucres et des vitamines B et C. Lorsque vous êtes sûr de la provenance de vos baies, il est préférable de ne pas les laver. Leur saveur sera supérieure.

Ainsi, ne dédaignez pas les fruitages. Chérissez-les et mangez-en en abondance pour en retirer tous les bienfaits.

Les légumes-fruits

Nous les plaçons ici, non parce qu'ils sont des fruits véritables, mais parce que saisonniers et très vitaminés, ils en ont jusqu'à un certain point les qualités. Ils occupent la plus grande partie de nos jardins et de nos marchés l'été. Les tomates, les concombres, les poivrons verts et rouges, les aubergines, les courgettes, les haricots verts et jaunes, les petits pois, les citrouilles, les courges sont des aliments importants. Riches en eau, en vitamines et en minéraux, pauvres en protides, à part les petits pois, riches en glucides, pauvres en lipides, ils permettent un nettoyage et un rajeunissement de l'organisme encrassé par l'hiver et sa nourriture chargée de féculents. Ils sont très bien adaptés à l'été car ils sont rafraîchissants. Légers, ils ne surchargent pas, d'assimilation rapide, ils n'embarrassent pas. En saison il est bon de les consommer en abondance. Les citrouilles, courges, potirons se gardent magnifiquement tout l'hiver dans une pièce fraîche mais sèche. Ils permettent la préparation de nombreux plats réconfortants, nourrissants et ensoleillés.

Valeur nutritive et thérapeutique de quelques fruits frais.

La pomme: Vous connaissez l'adage: «Une pomme par jour éloigne le docteur pour toujours.» De nos jours, on semble ne plus y croire avec autant de conviction. L'analyse de la pomme ne révèle pas des valeurs extraordinaires de certains minéraux ou vitamines, mais plutôt une gamme très large d'éléments en quantités modérées mais équilibrées. La pomme possède, et c'est là peut-être le secret de sa valeur nutritive, de nombreux acides organiques très bénéfiques et de la pectine en abondance pouvant fixer de grandes quantités d'eau. C'est pourquoi la pomme, en cure, a toujours donné des résultats spectaculaires dans certaines maladies intestinales, telles la dysenterie et la diarrhée infantile. La cure consiste à consommer toutes les 2 à 4 heures des pommes non pelées et râpées jusqu'à concurrence de 1 kg de fruits par jour, à l'exclusion de toutes autre nourriture. «En plus de l'action salutaire des sels minéraux, des acides et des éthers de la pomme, cette diète fait l'effet d'une éponge dans l'intestin enflammé. La pomme se gonfle dans le tube digestif, absorbe sur son passage l'eau et les produits toxiques et les élimine. De plus, les ferments de la pomme sont astringents et anti-inflammatoires, ce qui renforce encore l'action anti-diarrhéique de celle-ci[7].» Ainsi, mangez au moins une pomme par jour.

L'avocat: Ce fruit du Sud garnit nos marchés de septembre à janvier. Il peut paraître cher mais il vaut son prix. C'est un fruit riche en graisses polyinsaturées et en fibres végétales. Voici sa valeur nutritive: un avocat de Floride fournit 390 calories; 4 g de protides; 19 g d'acides gras non saturés; 30 mg de calcium; 1,8 mg de fer; 880 U.I. de vitamine A; 0,33 mg de vitamine B_1; 0,61 mg de vitamine B_2; 4,9 mg de vitamine B_3; 43 mg de vitamine C. À la lumière d'une telle analyse l'avocat apparaît comme un aliment de première classe. Il est très utile dans l'alimentation des jeunes enfants qui l'aiment à cause de sa consistance douce et de son goût peu prononcé. L'avocat doit être mûr avant d'être mangé, c'est-à-dire légèrement mou au toucher. Pour le faire mûrir, il n'y a qu'à le laisser quelques jours à la température de la pièce. L'avocat s'accommode de diverses façons. Il est délicieux aussi bien dans des plats salés que sucrés.

La fraise: Les yeux brillent. Un rire éclate et cascade comme de joyeux grelots: un enfant a découvert les premières fraises des bois. Il les cueille, les mange et a la conviction qu'il n'y a rien de meilleur au monde. La fraise est un fruit délicieux. En saison, il faudrait pouvoir en faire une cure intense afin d'en bénéficier pleinement. Elle est plus riche en vitamine C que le citron (60 mg pour 100 g). La fraise arrive à point au printemps pour permettre une régénération de l'organisme car elle a des vertus désintoxicantes, toniques, revigorantes. Elle est très alcalinisante et a un pouvoir purificateur du sang. Certaines personnes se plaignent de mauvaises réactions à la consommation de ce fruit. Si on a pu enregistrer de réels cas d'allergie aiguë à ce fruit, en général toute personne peut supporter la fraise. Les crises d'urticaire provoquées par ce fruit sont en général une preuve de son efficacité et de son pouvoir nettoyant. Ces personnes ont généralement des toxines endogènes sous la peau que la fraise élimine et amène à l'extérieur. Il ne s'agit pas alors d'arrêter la consommation de ce fruit mais bien plutôt d'en faire une cure. Voici un moyen de se désensibiliser aux fraises: ne manger rien d'autre que les baies, sans sucre, sans miel ni crème, en petites rations répétées, après un ou deux jours de diète liquide ou fruitarienne. L'organisme purifié, n'aura plus de toxines à éliminer et les fraises seront merveilleusement bien supportées. Profitez donc de ce fruit frais et mangez-le au naturel. Il a un goût exquis pour un fin palais!

Le bleuet ou myrtille: Les nutritionnistes l'appellent un fruit-remède tant ses vertus thérapeutiques sont puissantes. Il faut donc, en saison, consommer le bleuet à titre préventif. Plusieurs médecins soulignent l'effet immédiat du bleuet sur la diarrhée. Il a un pouvoir désinfectant sur les voies urinaires. D'après le docteur Schneider, le bleuet «est un genre d'antibiotique naturel valable du moins dans les affections colibacillaires[8].» Le bleuet est riche en provitamine A et ainsi il est tout indiqué pour «éclaircir» la vue. Les feuilles de bleuet sont utilisables en infusion et bénéfiques pour les diabétiques car elles contiennent une substance proche de l'insuline. Le bleuet est également un vermifuge de première qualité en cas d'oxyurose. Il s'agit de ne manger pendant trois jours que des bleuets crus. Les vers sont expulsés rapidement. Les bleuets se sèchent facilement ou se congèlent et peuvent ainsi être employés toute l'année. «Que ton aliment soit ton médicament!»

La tomate: Ce légume typiquement américain a conquis nos marchés. Il a déjà eu une mauvaise presse, — on le croyait capable d'empoisonnement —, mais maintenant qui ne l'aime pas? Il est précieux car il est riche en vitamines A, C et E. La tomate est délicieuse en saison et devrait être consommée en abondance à ce moment. La tomate peut causer certaines réactions cutanées tout comme la fraise et pour les mêmes raisons. Il faut alors agir comme pour la fraise: cure de désintoxication puis cure de tomates. La tomate mûre alcalinise le sang. Il y a intérêt à consommer la tomate crue et à ne pas la combiner avec des racinages mais plutôt avec les céréales.

Les poivrons verts, rouges et jaunes: Les anciens Aztèques les utilisaient comme un remède contre le vieillissement et le rhumatisme. La très haute teneur en vitamines A et C de ce fruit justifierait cet usage. Le poivron rouge est meilleur que le vert car il est mûr. Il est alors très doux, sucré, très vitaminé et digestible. En effet bien des gens ne supportent pas le poivron vert alors qu'ils n'auraient aucun problème avec le poivron rouge. Ce dernier se met facilement en conserve et permet d'égayer l'hiver.

Les petits pois: Élisabeth ne marchait encore qu'à quatre pattes mais elle s'échappait au jardin et là, dans la rangée des petits pois, elle faisait un festin. Je la trouvais toute barbouillée d'un jus vert et si heureuse! Elle mangeait aussi bien la gousse que les pois. Je la laissais faire, heureuse de ses goûts simples mais j'aurais dû lui enseigner plus tôt qu'on ne mange *jamais* entre les repas. Les petits pois sont un aliment de première qualité tant au niveau des vitamines A, B et C, des minéraux phosphore et fer que des protéines qui sont d'excellente qualité. (1 tasse de petits pois donne 9g de protéines).Les petits pois sont meilleurs jeunes, tout frais cueillis et très légèrement cuits. Avec les gousses bouillies dans de l'eau on fabrique un bouillon très riche. Séchés, ils donnent les pois secs ou cassés qui sont excellents en purée ou en soupe, en hiver.

La citrouille, la courge: Ces légumes-fruits colorent l'automne et sa grisaille. Pour certains, ils sont la promesse de nombreux plats savoureux, mais la majorité les dédaigne. Pourtant, toutes les courges sont essentielles car elles sont nourrissantes tout en étant de digestion facile. Elles sont riches en vitamines A et en vitamines B, particulièrement en vitamine B_2 (riboflavine). Elles se conservent très bien une bonne partie de l'hiver. Elles sont tellement versatiles qu'on peut en mettre à toutes les sauces. Les propriétés que l'on reconnaît à ces légumes-fruits sont les suivantes: ils sont calmants et rafraîchissants, laxatifs et diurétiques. La citrouille et la courge sont recommandées pour ceux dont les reins ou la vessie ne fonctionnent pas normalement ainsi qu'aux arthritiques. Ces légumes-fruits fournissent également une graine de première qualité. Ils sont tellement économiques qu'on aurait intérêt à les consommer avec régularité.

Les fruits secs

Ils formaient, avec les céréales sous forme de grains rôtis, la base de l'alimentation des peuples romains, grecs, israélites, égyptiens, assyriens et méridionaux. Agréables au goût, délicieusement mais non dangereusement sucrés, les fruits secs peuvent encore aujourd'hui avoir une place de choix dans un régime végétarien équilibré. Le séchage était autrefois le seul moyen de conserver les productions abondantes du verger tout au long de l'hiver. Fruits doux, fruits précieux, ils ont été chantés par les poètes et appréciés par de nombreux peuples qui en faisaient un met de choix, les jours de fête.

Au point de vue nutritif, ces fruits sont remarquables pour leur richesse en vitamines B, en fer et en calcium. Les abricots secs sont une source très importante de vitamine A. Les figues sont riches en protéines et en calcium. Riches en calories, ces fruits aux sucres rapidement assimilables, sont précieux en hiver ou pour toute période de travail intense et soutenu. Les enfants raffolent de ces fruits qui remplacent pour eux très avantageusement les bonbons et les biscuits. Leur richesse en fibres cellulosiques est utile pour le bon fonctionnement des intestins. La figue serait un des meilleurs cholagogues naturels. Elle provoque l'écoulement de la bile. La teneur en fer des raisins secs et des abricots est élevée et permet leur utilisation avec succès dans l'anémie ferriprive.

Les fruits secs ne doivent pas être consommés comme des friandises ni comme des aliments de luxe. Ils doivent être des aliments à part entière et entrer dans la composition des menus. Leur qualité doit être vérifiée et elle ne sera bonne que si le fruit a été séché au soleil ou à l'air tiédi. Il faut éliminer les fruits séchés sous gaz souffrés et préservés avec du benzoate de sodium.

Le commerce nous offre sous forme de fruits secs, des dattes, des figues, des abricots, des raisins mais aussi des bananes, des cerises, des pêches, des pruneaux, des pommes, des poires. Les bananes sèches sont particulièrement saines car ce sont des bananes ayant pleinement mûri dans leur pays d'origine. Elles sont plus économiques que les bananes fraîches et plus digestibles car leur amidon est parfaitement transformé en sucres.

Les fruits secs se prêtent à maintes préparations délicieuses. Ils ont intérêt, à part la datte et certaines variétés de figues, à être consommés après avoir trempé quelques heures dans de l'eau pure. Au naturel, sous forme de compote ou de purée, découvrez les fruits secs et bénéficiez de leur grande valeur.

Je vous communique maintenant quelques recettes qui vous permettront de consommer plus de fruits. Cependant, rappelez-vous que ces aliments ont leur plus grande valeur frais, crus et entiers.

Mousse aux pommes

Râper 2 pommes par personne. Ajouter le jus d'un demi citron et 1 c. à thé de miel. Servir immédiatement dans des coupes individuelles avec de la crème de soja. On peut préparer de la même manière les bananes.

Pommes croustillantes

4	grosses pommes légèrement acides	½	tasse de dattes hachées
1	tasse de granola ou de chapelure	½	c. à thé de coriandre moulue
1	tasse de noix de coco râpée	2	c. à s. d'huile
		1	douzaine d'amandes effilées

Couper les pommes en tranches minces et les disposer dans une cocotte recouvertes du granola, de la noix de coco, des dattes hachées, de l'huile, de la coriandre. Répéter en couches alternées jusqu'à épuisement des ingrédients. Garnir avec les amandes effilées. Cuire avec un couvercle 35 minutes à 180°C (350°F), puis sans couvercle 10 minutes. On prépare de la même manière des poires croustillantes.

Pommes au four

Prendre de belles pommes à cuire, en ôter le cœur avec un ustensile destiné à cet usage et les laisser entières. Les placer dans un plat en pyrex dans 2cm d'eau. Mettre dans le cœur de chaque pomme une datte dénoyautée. Saupoudrer le tout de coriandre moulue. Cuire environ 40 mn à 180°C (350°F). Servir garni d'avelines émincées et légèrement grillées.

Tarte aux pommes

8	pommes	4	c. à s. de poudre de ma-
¼	tasse de miel		rante (délayée dans un
2	c. à s. de jus de citron		peu d'eau)
1	c. à thé de vanille		

Couper les pommes en morceaux. Les cuire dans 4 c. à s. d'eau, juste pour les ramollir, environ 5 minutes. Mélanger le reste des ingrédients et les ajouter aux pommes. Ne pas trop mélanger. Verser le tout dans une pâte à tarte. Cuire à four chaud, jusqu'à ce que la masse soit ferme et dorée.
On prépare de la même manière une tarte aux poires.

Salade de fruits d'hiver

4	pommes ou poires	½	tasse de raisins secs
4	bananes	⅓	tasse d'amandes mou-
4	oranges ou 2 pample-		lues grossièrement
	mousses	2	tasses de jus de pomme

Couper les fruits en petits morceaux. Les placer dans un compotier avec les amandes et les raisins secs. Verser le liquide dessus et laisser macérer 20 minutes. Servir frais.

Tranches de melons

Les melons, pastèques, melons de miel se servent en tranches et font ainsi une élégante entrée. Garnies de poudre d'amandes grillées, c'est un délice.

Crème d'avocat

| 2 | avocats | 2 | c. à s. de miel |
| 4 | petites bananes | | un peu de jus d'ananas |

Liquéfier le tout dans le mélangeur. Servir dans des coupes individuelles, garni de noix de pin et accompagné de pain grillé.

Salade d'avocat

2	avocats		le jus d'un citron
1½	tasse de champignons crus	2	c. à s. de persil haché
		2	c. à s. d'huile
4	gousses d'ail pilé		du sel au goût

Couper les avocats en cubes après les avoir épluchés. Couper les champignons en fines lamelles. Bien mélanger en ajoutant le reste des ingrédients. Laisser reposer environ 15 minutes et servir.

L'avocat, en cubes, assaisonné d'ail et de citron accompagne très bien les tomates mûres et les laitues.

Mousse aux fraises

| 3 | tasses de fraises fraîches | ¼ à ½ | tasse de jus d'orange |
| ½ | tasse de noix de pin ou d'amandes en poudre | 3 | c. à s. de miel |

Liquéfier le tout dans le mélangeur. Servir très frais dans des coupes individuelles.

Compote aux fraises

| 2 | petits casseaux de fraises | ¼ | tasse de miel |

Mélanger le miel avec les fraises d'un casseau. Laisser reposer. Prendre les fraises du second casseau et les mettre en purée. Mélanger le tout et garnir d'amandes grillées.

Tourte aux framboises

Huiler un moule, y mettre une couche de granola et bien tasser. Déposer ensuite une couche épaisse de framboises écrasées et sucrées au miel. Recouvrir d'une couche de granola. Laisser reposer quelques heures. Le granola doit être imbibé du jus des framboises pour que l'on puisse découper la tourte facilement.

Sauce aux bleuets

4	tasses de bleuets frais (ou congelés)	¼	tasse de miel
		2	c. à s. de farine de blé
1	tasse d'eau	1	c. à thé de jus de citron

Mélanger l'eau et la farine. Cuire à feu doux jusqu'à épaississcment. Ajouter les bleuets, le miel et le jus de citron. Chauffer sans faire bouillir. Les fruits restent crus. Délicieux sur des crêpes ou du pain grillé.

Tarte aux bleuets

Préparer une pâte à tarte et en foncer un plat. Piquer à la fourchette. Mélanger ½ tasse de farine à ¼ tasse de miel. Étaler le mélange dans le fond de la tarte. Répandre généreusement des bleuets et poser dessus quelques moitiés de noix de Grenoble décortiquées. Cuire 25 minutes à 180°C (350°F).

Délice aux bleuets

1	c. à s. de miel	1	c. à s. d'huile
1	tasse de bleuets	1	petite banane bien mûre

Bien mélanger jusqu'à l'obtention d'une pâte onctueuse. Servir dans des coupes individuelles.

Confiture aux baies
(fraises, framboises, bleuets)

2 à 3	c. à s. d'agar-agar	½	tasse d'eau
4	tasses de miel	2	c. à s. de jus de citron
8	tasses de petits fruits		

Dissoudre l'agar-agar dans l'eau. Amener à ébullition et laisser mijoter tout en mélangeant, quelques minutes. Ajouter les fruits, le miel et le jus de citron. Réchauffer et laisser bouillir 1 minute. Verser dans des pots en verre et garder au réfrigérateur ou au congélateur.

Tomates farcies aux champignons

Prendre de belles tomates fermes. En découper le chapeau et les évider. Les placer dans un plat à gratin huilé. Préparer la farce suivante:

Hacher très finement des champignons frais et un gros oignon. Les faire revenir ensemble dans de l'huile puis y ajouter:

1	tasse de chapelure ou de flocons d'avoine	2	c. à s. de graines de lin moulues
1½	tasse de lait de soja		

Assaisonner de sel, basilic, thym, persil et ail ainsi que des morceaux de tomates évidées.

Mettre la farce dans les tomates et cuire le tout 30 minutes dans un four chaud. Cette farce peut très bien servir pour du chou roulé.

Salade de tomates provençale

Prendre des tomates bien mûres. Les couper en quartier et les déposer dans un saladier. Les arroser d'une sauce à l'huile d'olive, à l'ail écrasé et au basilic frais. Bien mélanger. À déguster avec de bonnes tranches de pain frotté à l'ail. Pour varier le goût, mettre à la place de l'ail, de l'oignon ou de l'échalote très finement hachés.

La jamhah
(spécialité ukrainienne)

2	oignons hachés	2	poivrons verts en cubes
3	carottes râpées	4	gousses d'ail pilé
1	grosse aubergine en cubes		sel, thym, basilic

Faire revenir les oignons dans de l'huile. Y ajouter les carottes. Couvrir et laisser cuire jusqu'à ce qu'elles soient tendres. Ajouter un peu d'eau si nécessaire. Dans un autre plat, faire cuire dans un peu d'huile les poivrons verts, puis l'aubergine avec les assaisonnements. Laisser mijoter environ 20 minutes. Mélanger les oignons et les carottes aux poivrons et à l'aubergine. Excellent pour accompagner du riz ou du millet ou comme pâte à tartiner. Se conserve plusieurs jours dans un bocal en vitre bien fermé, au réfrigérateur.

Poivrons à la marocaine

Prendre des poivrons rouges, jaunes ou verts. Les placer sur une tôle et les cuire à four chaud environ 30 minutes. Une fois cuits, les couper en deux et en ôter les pépins ainsi que la peau qui s'enlève très facilement. Les servir arrosés d'huile d'olive dans laquelle on a fait macérer des gousses d'ail écrasé. Saupoudrer d'un peu de sel et de persil haché. Garnir d'olives noires.

Purée de pois cassés

1	tasse de pois cassés	2	c. à thé de sel
½	tasse d'oignons frits	½	c. à thé de basilic en poudre
1	c. à s. d'huile		
4	tasses d'eau		

Verser les pois dans l'eau bouillante. Ajouter les oignons. Cuire jusqu'à ce que les pois soient en purée. Assaisonner. Servir garni de croûtons de pain frits et frottés à l'ail.

Potage de courge et haricots secs

Faire tremper toute une nuit ½ tasse de haricots secs dans 3 tasses d'eau. Cuire à feu doux environ 2 heures. Ajouter à ce moment 1 grois oignon émincé et 1 tasse de courge coupée en dés. Laisser mijoter 30 minutes. Retirer du feu, saler au sel marin. Agrémenter avec du thym, de l'origan, de la levure alimentaire, un peu d'huile.
Servir ainsi ou passer au presse-purée.

Potage de citrouille au millet

Cuire 30 minutes:

1	gros oignon émincé	3 tasses d'eau
1	tasse de citrouille en cubes	2 c. à s. de millet

Assaisonner avec du sel, du thym, du laurier et un peu d'huile. Servir après avoir liquéfier le tout, garni de tofu en cubes et de persil haché.

Courge au four

Prendre une courge sucrée, la découper en quartiers et les placer sur une tôle après avoir ôté les graines. Cuire à four chaud environ 1h30 ou jusqu'à ce que la courge soit molle. L'évaporation de l'eau concentre les sucres. C'est un délice à servir nature ou avec une crème aux amandes.

Compote de citrouille

Cuire de la citrouille épluchée et coupée en cubes avec une poignée d'abricots secs. Mettre dans la casserole ½ tasse d'eau. Passer en purée. Servir garni de noisettes et de miel.

Tarte à la citrouille

Peler et couper un bon morceau de citrouille. Faire bouillir dans très peu d'eau. Réduire en purée. Ajouter une pincée de sel, 2 c. à s. de miel, 2 c. à s. de noix d'acajou moulues, 2 c. à thé d'huile, 2 c. à s. de poudre de marante (arrowroot) et le zeste d'un citron bien lavé. Foncer un plat à tarte avec de la pâte. Piquer à la fourchette. Mélanger sur la pâte 2 c. à s. de farine et 2 c. à s. de miel. Bien étaler. Y verser la masse. Garnir de raisins secs trempés au préalable. Cuire à four chaud 25 minutes.

Compote de fruits secs

Pour une personne, faire tremper 24 heures dans de l'eau pure ou additionnée de jus de citron ou d'orange:

4	figues équeutées	1	c. à s. de raisins secs
4	pruneaux	4	abricots

Consommer tel que.

Mousse aux figues noires

Liquéfier dans le mélangeur:

1	tasse de lait de soja	1	c. à s. de poudre de
3	tasses de figues hachées		caroube
1	c. à s. d'amandes moulues		

Verser dans des coupes à dessert. Refroidir avant de servir. Garnir de noix de coco râpée.

Mousse aux abricots

Tremper 12 heures dans de l'eau pure 2 tasses d'abricots secs. Les liquéfier avec leur eau dans le mélangeur. Incorporer à la purée ½ tasse de raisins secs trempés. Servir frais avec des noisettes effilées.

Tarte aux raisins secs

2	tasses de raisins secs	1	c. à thé d'amandes moulues
1	tasse d'eau		
1	c. à s. de farine délayée dans un peu d'eau	1	c. à s. de zeste d'orange bien lavé
		2	c. à s. de jus de citron

Mélanger les raisins, le jus de citron et l'eau dans une casserole et amener à ébullition. Laisser mijoter quelques minutes jusqu'à ce que les raisins soient gonflés. Ajouter la farine délayée, le zeste d'orange et les amandes moulues. Verser le tout dans une pâte à tarte. Cuire 30 minutes à 180°C (350°F). Ne pas trop cuire.

Petits gâteaux aux fruits secs

1½	tasse de pommes râpées		une pincée de sel
½	tasse de jus d'orange	¼	tasse de farine de blé entier
½	tasse de dattes hachées		
¼	tasse d'huile	1	c. à s. de vanille
1½	tasse de flocons d'avoine		

Mélanger tous ces ingrédients et laisser reposer 20 minutes. Par ailleurs couper en petits morceaux des abricots, des figues et des poires séchées. En mesurer 1 tasse. Hacher finement des noix de Grenoble, des noix du Brésil et des amandes. En mesurer ½ tasse. Ajouter ces ingrédients au premier mélange. Bien mélanger et verser à la cuillère dans des petits moules à muffins graissés. Cuire à 180°C (350°F), 20 à 25 minutes. Ils se conservent bien dans une boîte en fer fermée.

---

1. Apocalypse 22 (1 à 2).

2. E. G. White, *Conseils sur la nutrition et les aliments*, p. 365.

3. Ibidem, p. 133.

4. Ibidem, p. 134.

5. Ibidem, p. 369.

6. Dr Ernst T. Krebs Jr, *The Laetriles — Nitrolosides in the Prevention and Control of Cancer*, publié par la McNaughton Foundation.

7. Dr E. Schneider, *La santé par les aliments*, p. 46.

8. Ibidem, p. 79.

9

Les noix

L'été a pâli et l'automne flamboyant a cédé la place à l'automne gris et bruineux. La cave et le grenier sont bien pleins et ils laissent flotter dans l'air les parfums mélangés des pommes, de l'ail et des fines herbes. Il fait déjà sombre. La lampe est allumée et à sa clarté les enfants, avec des rires clairs, craquent des noix. Ce sont les derniers fruits de la saison. Ils ont lentement mûri et tout au long de ces mois, ils ont élaboré une richesse nutritive inégalée dans le domaine végétal. Leurs coques dures et résistantes cachent jalousement leurs joyaux gras et savoureux. Sur la table de bois ciré, le panier de noix variées côtoie le plateau de pommes rouges et la miche de pain. Quel beau tableau! Quel repas joyeux! Cric, crac, les coques se fendent. Élisabeth, notre fille, rit ou pleure selon que la noix sort entière ou brisée. Le repas est animé, complet, satisfaisant, d'une simplicité harmonieuse. Je pense au dessert des quatre mendiants. C'est ainsi qu'au Moyen Âge, le peuple avait nommé la subsistance de ceux qui se voulaient, en des temps troublés et troubles, «les pauvres de la Foi». Pieux mendiants, ils combattaient le luxe et l'inconduite du clergé en allant de village en village, prêchant un retour au pur évangile et quêtant leur nourriture. Ils n'acceptaient que les aliments les plus simples, les plus faciles à transporter, les plus nutritifs sous un volume réduit, et de bonne conservation. Dans leurs sacs, point de viandes grasses et faisandées, point de sucreries, point de brioches, point de vins ni liqueurs, mais des galettes de blé complet ou de seigle, des fruits secs, des olives noires séchées au soleil et des amandes, des noix, des noisettes. Le peuple méridional a conservé jusqu'à ce jour, ce dessert des quatre mendiants, composé de noix, noisettes, amandes et figues, qui est en fait un plat de résistance très sain et extrêmement nourrissant. Les noix variées ne sont pas des friandises à croquer par-ci, par-là, mais elles font partie d'un régime équilibré. Associées aux céréales et aux fruits frais, elles permettent la composition de repas économiques mais complets. La simplicité de tels repas ennoblit le cœur et l'esprit et laisse le corps fort, dégagé de toute surcharge. Ce «dessert» est tout indiqué pour tous ceux qui sont toujours pressés et qui trouvent à cet état une excuse pour manger n'importe quoi, pour ceux qui mangent hors de chez eux, pour les voyageurs. Tout comme aux moines mendiants, les noix associées aux céréales et aux fruits frais et secs, leur fourniront des repas sains, agréables, de transport facile et très nourrissants.

Les noix sont nombreuse et leur utilisation conjuguée permet de fournir au corps des éléments indispensables à son bon fonctionnement. Les noix doivent toujours être achetées et conservées dans leur coque. Les noix écalées s'oxydent et les graisses qu'elles contiennent rancissent assez rapidement. Or une huile rancie détruit les vitamines A et E et certaines vitamines B. Elle provoque aussi l'anémie. Il faut donc prendre l'habitude d'écaler les noix au cours du repas. Cette activité permet d'éviter la suralimentation et elle garantit la fraîcheur du produit. Investissez donc dans quelques bons casse-noix. Il faut à tout prix éviter les noix rôties à l'huile et salées. Cette opération est une injure à un aliment si précieux. La torréfaction craque les acides gras de la noix et fabrique des traces de goudrons cancérogènes. Elle diminue aussi le taux de thiamine de 69%. Les noix rôties et salées sont des amuse-gueule souvent servis avant et pendant l'apéritif pour forcer à boire. Elles deviennent un artifice supplémentaire pour s'alcooliser. Comme il est triste de constater combien l'homme cherche toujours à altérer un produit sain pour en faire un produit nuisible.

Les noix sont certainement les plus hautes productions de la nature. Ce sont des aliments concentrés. Il faut donc les utiliser avec modération. On ne devrait jamais consommer plus d'une dizaine de noix à un repas. Elles sont très riches en acides gras insaturés et en protides. Les protéines des noix ne sont pas complètes mais elles sont indispensables dans un régime végétarien équilibré. Exemptes de produits de déchets (urée, acide urique), elles ne sont pas sujettes à la putréfaction et ne contiennent pas de bactéries ni de parasites. L'association noix-céréales fournit des protéines complètes, de première qualité. Les noix sont particulièrement riches en minéraux. Les proportions de calcium sont élevées: les amandes contiennent 234 mg de calcium par 100 g, les noisettes 209 mg. Ceci peut être comparé aux 94 mg de calcium par 100 mg qu'offre le fromage blanc. La peau brune des noix a une valeur nutritive et contribue à les enrichir en minéraux. Il faut également remarquer les taux élevés de soufre, de magnésium, de phosphore et de fer. Les noix sont porteuses des vitamines liposolubles (A, D, E, F) et hydrosolubles (B_1, B_2, B_6 et C). Plus les noix sont fraîches plus elles contiennent de vitamines. Ceci est particulièrement vrai pour la vitamine C. Les noix sont des aliments de choix en période de croissance, d'allaitement, de grossesse. Les sportifs, les travailleurs de force et les intellectuels ont intérêt à en consommer régulièrement. Les noix doivent toujours être très soigneusement mastiquées et insalivées. Consommez-les sans hâte et prenez la peine de les savourer. Si la denture est défectueuse, il y a intérêt à les pulvériser au moyen d'un petit moulin à café électrique.

Voici une description des noix les plus communes sous nos latitudes et dans nos marchés.

Le gland est la noix du chêne. Dédaigné à notre époque, il fut en d'autres temps le plat de résistance des Indiens et des Blancs affamés. Les Indiens en faisaient une farine après l'avoir débarrassée de son tanin par plusieurs rinçages. Essayez de ramasser quelques glands cet automne. Après les avoir complètement séchés dans un four à basse température, vous en ferez une farine que vous pourrez mélanger à de la farine de blé. Elle permettra la confection d'un pain à la couleur chocolat très foncé.

L'amande est une noix noble, connue et estimée depuis des millénaires. Les médecins de tous les temps ont vanté sa valeur nutritive et ont su l'indiquer tout particulièrement pour les femmes enceintes et les nourrices ainsi que pour les enfants en croissance. Les poètes ont chanté l'arbre et ses fleurs d'un blanc de neige, les premières écloses au printemps et paraissant avant même les feuilles. L'amande est alcalinisante, contrairement à la plupart des autres noix. Elle est très riche en magnésium, ce qui explique qu'elle a toujours été recommandée pour combattre la sénescence et apaiser les nerfs. Certains pédiatres ont recommandé le lait d'amandes pour les nourrissons; mais ils l'ont fait dans un but curatif, dans des cas de diarrhées, en particulier. Son usage est de courte durée car à lui seul, le lait d'amandes ne peut permettre une croissance normale de l'enfant. Attention à l'amande amère. Elle contient de l'acide cyanhydrique qui, en surdose, est mortel. L'amande amère est généralement employée en pâtisserie.

La noix du Brésil est très grasse et riche en calories. Ses graisses sont hautement insaturées et contiennent 30% d'acide linoléique. Elle est parfois difficile à écaler. On peut résoudre ce problème en la congelant quelques heures. Après ce processus la noix du Brésil se détachera de sa coque sans problème.

La noix d'acajou croît pleinement exposée au soleil et serait une source végétale de vitamine D. Cette noix est très utile dans la cuisine végétarienne car elle se prête à de nombreuses préparations. On en fabrique des substituts utiles de lait, crème, beurre ainsi que des sauces blanches de goût très fin.

Le marron ou la châtaigne: Ah! que l'automne serait triste sans les châtaignes dodues, croustillantes et chaudes. Que les soirées seraient longues sans la joie de les rôtir au feu, dans la cheminée ou sur le poêle. Ces noix sont différentes des autres; elles sont pauvres en protéines et en lipides mais riches en hydrates de carbone. Dans certains pays elles remplacent les pommes de terre et même les céréales. Elles sont considérées comme des petits pains naturels. Les châtaignes contiennent également des vitamines B, du potassium et du phosphore. Les Orientaux les font sécher et en font grand usage. Un chou rouge aux marrons, quel délice! Quel plat réconfortant par les temps humides et gris du début de l'hiver. Essayez, vous serez ravi.

La noix de coco vient du Sud mais elle se trouve facilement dans nos marchés à un prix très abordable. Le cocotier est providentiel dans les pays où on le cultive. «Le bois et les feuilles servent de matériaux de construction, les jeunes pousses constituent un genre de légume, l'huile de coco est extraite de la noix, le sucre de palme de la sève, etc.» De plus le cocotier est extrêmement prolifique. «Dès sa huitième année, il donne jusqu'à douze récoltes par an, soit environ trois cents noix, cette production pouvant durer pendant une centaine d'années.» La noix de coco est versatile. Fraîche ou séchée et râpée, elle est délicieuse et peut se prêter à de nombreuses préparations. On remarque que la noix de coco, dont il faut toujours boire l'eau, est très riche en magnésium, ce minéral si important pour la santé de la cellule. Elle contient également un facteur de croissance très actif. La médecine populaire en fait un remède efficace contre les vers et contre le mal de gorge.

La pécane est une noix purement américaine venant du centre-sud des États-Unis. Elle est riche en acides gras insaturés et en vitamines B, particulièrement en vitamine B_6. Le docteur John M. Ellis la recommande particulièrement pendant la grossesse[1]. Sa richesse en vitamine B_6 permettrait d'éviter certaines complications de cet état et particulièrement les nausées et les œdèmes. Il conseille à la future maman d'en manger douze, crues, chaque jour. La pécane a un goût délicat et une texture douce. Les gourmets la recherchent et la savourent avec joie.

Le pignon de pin est la graine comestible d'une certaine variété de pins nains poussant en Italie, en Turquie, en Espagne et au Mexique. C'est une délicatesse. Ces noix ont une texture de beurre et un goût très fin. Elles contiennent 39% de protéines et sont très riches en minéraux. Elles auraient un heureux effet sur les bronchiques.

La noix de Grenoble est un délice lorsqu'elle est associée à la pomme. Riches en graisses, en calcium, phosphore et vitamines B, ces noix peuvent être à la base de nombreux plats tant salés que sucrés. Enfants, nous en cassions les coques avec beaucoup de soin, en glissant un couteau dans leur fente. Une fois vidées de leur contenu, nous les recollions en y insérant un bout de laine en forme de boucle, puis nous les peignions en or ou en argent. Noël venu, nous en décorions le sapin. Que c'était joli parmi les mandarines et les chandelles!

La noisette ou aveline est la noix de notre pays. Elle pousse un peu partout sans problème. Les écureuils, cependant, en profitent plus que nous. C'est dommage, car l'aveline, (c'est ainsi qu'on appelle la noisette cultivée), est de toutes les noix la plus utile par sa richesse en graisses et en protides, en calcium et en fer. Très digestible lorsqu'elle est bien mastiquée et insalivée, elle est particulièrement utile dans l'alimentation des enfants. Elle préviendrait ou corrigerait l'anémie.

L'olive, sans être qualifiée de noix, est un fruit gras de première qualité. Bien apprêtée, elle est un aliment utile. «Les olives peuvent être consommées à chaque repas avec de bons résultats. Elles remplacent avantageusement le beurre. L'huile de l'olive combat la constipation et pour les estomacs irrités, elle est bien meilleure qu'un médicament. Convenablement préparées, les olives, comme les noix, remplacent avantageusement le beurre et la viande. Elles contiennent une huile bien préférable à la graisse animale. L'huile d'olive est laxative. Son emploi est favorable aux tuberculeux et peut guérir les estomacs irrités ou ulcérés[2].» Une olive convenablement apprêtée est une olive séchée au soleil et conservée dans l'huile, ou encore mise en conserve mais non dans le vinaigre. L'olive noire est supérieure à l'olive verte car la première est une olive mûre alors que la seconde ne l'est pas. L'olive est un aliment nourrissant et reconstituant. N'en faites pas, comme c'est trop souvent le cas, une délicatesse qui vous encouragera à consommer de l'alcool ou d'autres aliments malsains. L'olive a été au cours des siècles un aliment de base, une source de richesse. Les anciens Israélites chantaient un cantique où ils comparaient leur femme à une vigne féconde et leurs fils à des plants d'oliviers. Chaque fois que je mange des olives noires et luisantes, j'ai l'impression de renouer avec une tradition de joyeuse abondance.

Ainsi donc, découvrez les noix pour jouir de leur richesse et de leur valeur toute l'année. Avec ces fruits gras, le naturel et la simplicité vous donneront de grandes joies et les meilleurs résultats.

Voici pour terminer un tableau donnant la valeur alimentaire de quelques noix comparée à la valeur alimentaire du fromage blanc et de la farine de blé entier[3].

		Amandes	Noisettes	Noix	Châtaignes	Fromage blanc	Farine de blé entier
Protéines	(g/100 g)	18,6	12,6	14,8	2,9	13,6	13,3
Graisses	(g/100 g)	54,2	62,4	64,0	1,5	4,2	2,0
Glucides	(g/100 g)	19,5	16,7	15,8	42,1	2,9	71,0
Fibres	(g/100 g)	2,6	3,0	2,1	1,1	0	2,3
Calcium	(mg/100 g)	234,0	209,0	99,0	27,0	94,0	41,0
Fer	(mg/100 g)	4,7	3,4	3,1	1,7	0,3	3,3
Potassium	(mg/100 g)	773,0	704,0	450,0	454,0	85,0	370,0
Vitamine B_1	(mg/100 g)	0,24	0,46	0,33	0,22	0,03	0,55
Vitamine B_2	(mg/100 g)	0,92	—	0,13	0,22	0,25	0,12
Vitamine B_3	(mg/100 g)	3,5	0,9	0,9	0,6	0,1	4,3

Cuisiner avec des noix permet la fabrication de nombreux plats riches en protéines et au goût et à l'apparence très distingués. Voici plusieurs recettes.

Haricots verts aux amandes grillées

Faire cuire rapidement à la vapeur des haricots verts très frais. Les faire revenir dans la poêle avec un peu d'huile. Les assaisonner avec du sel, du persil et une gousse d'ail pilé. Les servir garnis d'une ½ tasse d'amandes émincées et légèrement grillées dans une poêle sèche. Un délice.

Riz aux amandes

2   tasses de riz brun cuit   ½   tasse d'amandes pilées
      assaisonné

Bien mélanger les ingrédients et faire revenir rapidement dans une poêle légèrement huilée. Servir garni de persil et de ciboulette hachés.

Crème aux amandes

Dans le mélangeur, battre jusqu'à consistance onctueuse:

½   tasse d'amandes   ⅛   c. à thé de vanille
1   tasse d'eau   une pincée de sel
6   dattes dénoyautées

Excellent sur des fruits frais ou des céréales chaudes.

Confits d'amandes

Mélanger:

⅔ tasse d'amandes mou-   ⅔ tasse de malt ou sucre
   lues   de raisin

Ajouter un peu d'eau. Laisser reposer 60 minutes. Former alors de petites boules, que vous aplatissez. Garnir d'une demi-noix.

Salade de fruits aux noix du Brésil

Couper en petits morceaux:

2 grosses bananes   4 pommes rouges
1 orange

Ajouter 10 noix du Brésil hachées. Arroser avec ½ tasse de jus d'ananas non sucré.

Sauce blanche à la noix d'acajou

Mélanger:

2   tasses de bouillon de lé-   2   c. à thé de poudre d'oi-
    gumes   gnon
½   tasse de noix d'acajou   2   c. à s. d'huile
    moulues   sel
2   c. à s. de farine de millet
    (ou de blé)

Cuire à feu doux jusqu'à épaississement.

Beurre de noix d'acajou

Moudre très finement 1½ tasse de noix d'acajou. Incorporer à cette farine 2 c. à s. d'huile et du sel selon le goût. Bien mélanger et garder au réfrigérateur. On peut fabriquer de la même manière un beurre d'amande.

Crème glacée aux noix d'acajou

Dissoudre 1 c. à s. d'agar-agar dans une tasse d'eau.
Faire bouillir une minute puis refroidir. Mettre dans
le mélangeur et ajouter:

1	tasse de noix d'acajou moulues	2	tasses de lait de soja

Mélanger et ajouter:

½	tasse de miel liquide une pincée de sel	1	c. à s. de vanille

Ajouter en versant goutte à goutte ⅓ tasse d'huile
de tournesol. Bien mélanger le tout et le placer au
congélateur. Veiller à servir cette crème avant qu'elle
soit trop dure.

Crème fouettée à la noix d'acajou

Prendre deux pommes blanches ou jaunes. Les couper
en morceaux. Les liquéfier avec un peu de jus de
pomme et 1 c. à thé de jus de citron. Ajouter 1 tasse
de noix d'acajou moulues. Mélanger jusqu'à consistance onctueuse. Délicieux comme glaçage à gâteaux.

Pain aux marrons

Faire tremper un pain de blé entier (celui que vous
avez raté hier) dans juste assez d'eau pour que le
pain l'absorbe. Assaisonner avec persil, ail, sel, laurier
et thym. D'autre part faire revenir 3 oignons dans
de l'huile et les faire blondir. Mélanger le pain et les
oignons et les mettre en purée.

Préparer deux tasses de marrons cuits. Les hacher
grossièrement. Les incorporer à la purée de pain et
d'oignons. Ajouter 3 c. à s. de farine de millet ou
autre.

Mettre dans un plat allant au four et cuire 20 à 30
minutes à 180°C (350°F). Servir en tranches fines
avec des légumes verts et des tomates fraîches.

Marrons rôtis

Ces fruits délicieux se rôtissent au four ou sur une plaque sur le poêle. Préférer une température douce afin d'éviter que les marrons durcissent. Avant de les griller les inciser afin qu'ils n'éclatent pas. Ils se mangent ainsi avec un peu de beurre de sésame salé ou sucré.

Chou rouge aux marrons

1	gros chou rouge coupé en lanières	1	c. à s. d'huile
1	gros oignon émincé	½	c. à thé de sel marin
2	gousses d'ail pilé	4	c. à s. de jus de citron
		½	tasse d'eau

Mettre le tout dans une cocotte huilée. Cuire à l'étouffée environ une heure. Par ailleurs préparer 1½ tasse de marrons cuits et épluchés et les ajouter au chou rouge. Servir chaud, monté sur un plat et garni de persil frais et de lanières d'olives noires.

Marrons bouillis

Les marrons se cuisent aussi à l'eau. Ils sont alors plus difficiles à éplucher mais leur texture est plus moelleuse.

Les marrons se sèchent et s'achètent ainsi dans les magasins chinois ou japonais. Les laisser tremper dans de l'eau quelques heures puis les cuire environ 20 minutes. Les apprêter alors selon le goût. Ainsi, ils sont agréables à employer car il n'y a pas à les éplucher.

Galette aux marrons

Réduire en purée 4 tasses de marrons cuits à l'eau. Ajouter à la purée ¼ tasse de miel et ¼ tasse de farine de riz. Verser le tout dans un moule graissé. Cuire à feu doux 30 minutes.

Tarte à la noix de coco

Fabriquer une pâte à tarte et y mettre le remplissage suivant:

2	tasses de noix de coco râpée	¼	tasse de raisins secs
¼	tasse de miel	¼	tasse de jus d'orange
½	c. à thé de vanille	2	c. à s. de poudre de marante (arrowroot)
			une pincée de sel

Mélanger sans faire de grumeaux le jus d'orange et la poudre de marante. Mélanger au reste des ingrédients et déposer le tout dans la pâte à tarte. Cuire au four à 200°C (400°F) jusqu'à ce que le dessus soit doré.

Pâte à tarte à la noix de coco

1	tasse de noix de coco râpée	2	c. à s. d'huile

Mélanger le tout, en tapisser un plat à tarte. Cuire à 180°C (350°F) jusqu'à ce que les bords soient brunis. Refroidir avant de remplir.

Bonbons à la noix de coco

3½	tasses de noix de coco râpée	1	c. à s. d'huile
1	c. à thé de vanille	¼	tasse de miel
½	tasse d'eau	¼	tasse de mélasse
			une pincée de sel

Mélanger le miel, la mélasse, l'eau, le sel et la vanille dans une casserole. Amener à ébullition tout en remuant jusqu'à épaississement. Retirer du feu.

Verser dans le mélange 3 tasses de noix de coco. Huiler un plat à gâteau rectangulaire. Saupoudrer ¼ tasse de noix de coco dans le fond. Verser le mélange. L'aplatir. Le recouvrir du reste de la noix de coco.

Découper en carrés avant qu'ils durcissent.

Pâtés aux noix et flocons d'avoine

3	c. à s. de levure alimentaire	¼	tasse de champignons tranchés
1	tasse de noix hachées	1½	tasse de flocons d'avoine trempés dans du bouillon assaisonné
sel, sauge et persil au goût			
1	c. à s. d'huile		
1	oignon émincé		

Chauffer l'huile; faire revenir l'oignon et les champignons. Ajouter le reste des ingrédients. Former en petits pâtés en ajoutant un peu d'eau au mélange, si nécessaire. Cuire au four 45 minutes à 180°C (350°F). Servir froid ou chaud avec laitue et tomates.

Pâté de pommes de terre et noisettes

1	tasse de noisettes grossièrement moulues	1	tasse de céleri en cubes
3	tasses de purée de pommes de terre	1	oignon haché
		1	c. à thé de sel
		3	c. à s. de persil haché

Faire revenir dans un peu d'huile le céleri et l'oignon. Puis mélanger tous les ingrédients. Mettre au four dans un plat huilé 30 minutes, à 180°C (350°F). Servir chaud avec des légumes verts.

Crème à tartiner aux olives noires

Bien mélanger:

½	tasse d'olives finement hachées	3	c. à s. de beurre de sésame salé
1	tasse de noix moulues	1	branche de céleri très finement hachée

Excellent sur du pain grillé ou comme farce pour les tomates.

1. John M. Ellis, M.D., *Vitamine B₆, The Doctor's Report,* Harper and Row, 1973.

2. E. G. White, *Conseils sur la nutrition et les aliments,* p. 416.

3. *Handbook of the Nutritional Contents of Foods,* United States Department of Agriculture, 1975.

10

Les graines

L'homme moderne dont l'alimentation ne consiste plus en matières végétales premières mais en produits commercialisés a besoin des nutriments que fournissent les graines. Graines de tournesol, de sésame, de lin, de citrouille sont les promesses de nouvelles graines en abondance. Enfouies dans le sol, elles germent et se reproduisent. Ce sont des aliments directement tirés du sol et consommés tel quel et c'est là leur plus grand avantage.

Les graines sont petites, humbles mais combien belles quand on s'arrête pour les remarquer. Elles sont antiques car elles ont constitué la première nourriture de l'homme. «Voici, je vous donne toute herbe portant de la semence et qui est à la surface de toute la terre[1]...» a dit Dieu et depuis, l'invitation à accepter cette offre demeure. Parce que les graines contiennent les éléments nécessaires à la croissance d'une nouvelle plante et de centaines d'autres graines, elles sont riches en protéines, en graisses, en minéraux et en vitamines B. Faites à partir d'aujourd'hui un pacte: celui de consommer chaque jour, au moins une petite poignée de graines. Vous verrez bientôt une différence dans votre sourire, l'éclat de vos yeux, la clarté de votre pensée.

La graine de tournesol: L'hélianthe est une fleur qui a inspiré les poètes et intrigué les savants. Haute sur tige, elle tourne son visage vers le soleil et le suit constamment, les yeux dans les yeux. Elle offre à l'homme une multitude de graines au goût délicieux et d'une valeur nutritive exceptionnelle. Les pays slaves en ont toujours fait une grande consommation.

½ tasse de graines de tournesol fournit:

24g	de protéines complètes[2]
47g	de graisses insaturées
20g	d'hydrates de carbone
120mg	de calcium
837mg	de phosphore
7,1mg	de fer
920mg	de potassium
50 U.I.	de vitamine A
1,96mg	de vitamine B_1
0,23mg	de vitamine B_2
5,4mg	de vitamine B_3
38mg	de magnésium
1,25mg	de vitamine B_6
31mg	de vitamine E

On y trouve également du manganèse, du cuivre, du zinc, de la choline, de l'acide folique, de l'inositol et de l'acide pantothénique[2].

Ces graines sont à recommander pour les enfants en croissance, les mamans enceintes et les nourrices comme pour toute personne ayant à faire face à des situations épuisantes pour les nerfs. Elles encouragent une excellente dentition et maintiennent la santé des yeux.

La graine de sésame est toute petite mais tellement versatile. Elle pousse sur un plant annuel d'environ 60 centimètres de hauteur. Elle est largement cultivée en Chine, en Afrique, aux Indes et en Amérique du Sud. Cette graine forme la base de l'alimentation des peuples du Moyen-Orient, particulièrement en Turquie. Les peuples tirent de la graine de sésame une huile très légère et, chose importante, sous ces climats chauds, qui ne rancit pas. L'huile rancie est dangereuse et doit être évitée. Cette graine a la réputation de conserver ou de restaurer la vitalité, de construire des corps forts et résistants au stress. On dit que les femmes de l'ancienne Babylone mangeaient du « halvah », un mélange de graines de sésame moulues et de miel, pour retrouver la jeunesse et la beauté.

2 c. à s. de graines de sésame fournissent[3]:

125	calories
4,1 g	de protéines
4,8 g	d'hydrates de carbone
10,9 g	de graisses
13 mg	de sodium
258 mg	de calcium

Certains médecins français et américains recommandent un usage quotidien de cette graine pour lutter contre la fatigue mentale et nerveuse, la dépression et le vieillissement.

Il est très important de ne consommer que des graines non décortiquées. Ainsi, elles doivent faire plus que décorer certains pains. Elles doivent devenir un aliment de base.

La graine de citrouille: Nos aïeux l'utilisaient comme vermifuge avec succès. En d'autres pays, en particulier dans les pays slaves, elle a la renommée de lutter efficacement contre les troubles de la prostate. La graine de citrouille contient environ 30% de protéines, 40% d'acide gras insaturés, beaucoup de fer, du phosphore et du calcium en bonne quantité. Elle est particulièrement riche en zinc, ce minéral dont la carence entraîne divers troubles bien documentés: retard de croissance, modifications de l'ongle (taches blanches, rainures), perte de l'appétit, maladie de la peau, cicatrisation lente des plaies, mauvaise odeur corporelle. On reconnaît aussi l'effet bénéfique du zinc dans les troubles de la prostate, l'athérosclérose, la schizophrénie, certains troubles nerveux prémenstruels.

Ma belle-mère cultive plusieurs variétés de courges, ci-trouilles, potirons. Elle n'en jette jamais les graines mais les recueille pour les grignoter pendant les longues soirées d'hiver, après les avoir fait sécher à l'air libre. Personnellement, j'aime les moudre sans les décortiquer dans mon moulin à café électrique et les saupoudrer sur mes petits fruits en particulier, car elles en adoucissent le goût.

La graine de lin: Cette petite graine brune est un laxatif universellement reconnu. Cependant, des la plus haute antiquité on l'utilisait pour des maux divers: les désordres abdominaux (diarrhée, constipation), «les maladies de femmes», la cataracte (une goutte d'huile de lin pure dans chaque œil), pour la santé des cheveux (lustre et couleur naturelle). La science moderne y a découvert une bonne quantité de vitamine F ou d'acides gras insaturés. La graine de lin est utile pour abaisser le taux sanguin de cholestérol. Elle semblerait avoir une action heureuse sur certaines dermatoses. Elle restaure rapidement l'équilibre de la flore intestinale après un choc chimiothérapeutique. On emploie alors une cuillère à soupe de graines moulues mélangées à un peu d'eau ou de jus, au lever et au coucher. La graine de lin a des protéines d'une valeur biologique élevée. Il ne faut pas la mépriser.

Lorsque l'on a bien compris l'importance des graines dans une alimentation équilibrée on ne peut plus jeter les graines des légumes d'été: melon, pastèque, tomate, concombre, poivron. Il faut prendre le temps de les manger en les mastiquant soigneusement, de les liquéfier dans une boisson saine et rafraîchissante ou encore de les mettre en poudre une fois séchées.

Les graines aromatiques ont des qualités indéniables et doivent être employées. J'aime particulièrement les graines de carvi dans le pain de seigle, les graines d'anis dans les biscuits, les graines de fenouil dans les plats de légumineuses, les graines d'aneth dans les concombres, les graines de céleri dans les salades.

Petits pâtés à la graine de tournesol

½	tasse de carottes râpées	1	tasse de graines de tournesol moulues
½	tasse de céleri haché		
2	c. à s. d'oignon râpé	2	c. à s. de son de blé ou de germe de blé
1	c. à s. de persil haché		
1	c. à s. de farine de riz	½	c. à thé de sel
2	c. à s. d'huile	⅞	c. à thé de basilic
¼	tasse de jus de tomate		

Bien mélanger le tout et former des petits pâtés. Cuire au four sur une plaque à 180°C (350°F), 15 minutes de chaque côté.

Végépâté

Mélanger:

1	tasse de graines de tournesol moulues	2	c. à s. de jus de citron
½	tasse de farine de blé entier	1	pomme de terre crue râpée
½	tasse de levure alimentaire	½	tasse de beurre de soja
1	gros oignon émincé	1½	tasse d'eau chaude
			thym, basilic, sauge
			sel

Verser le mélange dans un plat en pyrex et cuire au four, 1 heure à 180°C (350°F). Quand la préparation est refroidie, la démouler. Ce végépâté est un excellent substitut de diverses préparations à la viande. On peut l'employer sur du pain rôti, dans des pâtes à tarte ou, accompagné de crudités et de concombres à l'aneth, comme plat de résistance lors d'un dîner de fête.

Sauce tomate rapide

Émincer 2 gros oignons et les faire revenir dans de l'huile.

Ajouter:

2	tasses d'eau	½	tasse de graines de tournesol moulues
½	boîte de pâte de tomate		du sel, paprika, basilic, ail
1	c. à s. de sauce de soja		

Laisser mijoter 30 minutes.

Pâte à frire

Mélanger:

¾	tasse de lait de soja	sel, poudre d'ail, persil haché
1½	tasse de graines de tournesol moulues	

Tremper dans le mélange des tranches minces de tomates, courgettes, aubergines et les faire frire dans un peu d'huile. Excellent pour accompagner du riz, du millet ou du sarrazin cuits.

Pain aux dattes
et aux graines de tournesol

1	c. à s. ou un sachet de levure	4	c. à s. de purée d'abricots
1½	tasse d'eau tiède	¾	tasse de graines de tournesol hachées
2½	tasses de farine de blé entier		une pincée de sel
¾	tasse de dattes hachées	1	c. à thé de graines de coriandre moulues
¼	tasse de miel		

Dissoudre la levure dans l'eau et ajouter 1 tasse de farine. Mélanger et laisser lever. Ajouter ensuite le reste des ingrédients. Le mélange sera plutôt compact. Le mettre dans un plat à pain et laisser lever au double. Cuire 50 minutes à 180°C (350°F).

Croquettes aux pommes de terre
et graines

Mélanger:

1	tasse de graines de tournesol moulues	5	gousses d'ail émincé
½	tasse de carottes très finement râpées	2	c. à s. de persil haché
1	tasse de pommes de terre cuites râpées	¼	tasse d'eau
			du sel

Former en croquettes et les griller au four, 10 minutes de chaque côté.

Pâté des jours de fête

½	tasse de pois chiches trempés	1	oignon moyen haché
½	tasse d'eau	1	tasse de mie de pain assaisonnée
2	tasses de graines de tournesol moulues	½	tasse céleri haché
1	tasse d'eau bouillante	1	c. à thé de sel
1	tasse de flocons d'avoine	1	c. à thé d'origan ou marjolaine

Liquéfier les pois chiches trempés dans ½ tasse d'eau. Verser dans un plat et mélanger tous les ingrédients. Laisser reposer 10 minutes. Placer dans un plat en pyrex légèrement huilé et cuire à 180°C (350°F) 45 minutes. Servir avec une sauce tomate bien relevée.

Sauce aux graines de sésame

Liquéfier dans le mélangeur:

1	échalote	3	c. à s. de graines de sésame moulues
1	petit concombre coupé		
	le jus de 2 citrons	4	c. à s. d'huile
			sel et paprika

Délicieux sur de la verdure ou du chou.

Crème aux graines de sésame

Mélanger jusqu'à consistance onctueuse:

1	tasse de graines de sésame moulues	1	tasse d'eau chaude

Ajouter:

1	c. à s. de miel	1	c. à thé de vanille

Délicieux sur une salade de fruits ou des céréales chaudes.

Biscuits aux graines de sésame

Mélanger jusqu'à consistance onctueuse:

½	tasse de miel	½	c. à thé de vanille
¼	tasse d'huile		une pincée de sel
½	tasse d'eau		

Ajouter et bien mélanger:

1	tasse de graines de sésame moulues	½	tasse de farine de soja (ou de blé)
½	tasse de graines de sésame entières	¾	tasse de farine de blé
½	tasse de flocons d'avoine	1	c. à thé de graines d'anis entières

Étaler sur une tôle à biscuits. Cuire à 180°C (350°F) jusqu'à ce que les biscuits soient dorés. Découper en carrés.

Carrés aux graines de sésame

4	tasses de graines de sé- same entières	1	tasse de miel
1	c. à s. de zeste râpé de citron bien lavé		une pincée de sel

Faire bouillir le miel en remuant constamment. Lorsqu'il fait une boule dure lorsqu'on le jette dans l'eau froide, ajouter le zeste de citron. Remuer. Ajouter le sel et les graines de sésame. Verser sur une plaque huilée. Découper en carrés. Laisser durcir au réfrigérateur. C'est une friandise très appréciée.

Biscuits aux graines de lin

Mélanger:

⅓	tasse d'huile	¼	tasse d'eau
½	tasses de graines de lin moulues	3	tasses de farine de blé ou d'avoine
½	tasse de miel		une pincée de sel

Verser à la cuillère sur une plaque huilée. Cuire à 180°C (350°F) environ 20 minutes. Ne pas laisser trop cuire.

Pâte à crêpe aux graines de lin

Mélanger et laisser reposer une heure:

½	tasse de graines de lin moulues	¼	tasse de flocons d'avoine
2¼	tasses d'eau	2	c. à s. d'huile
2	tasses de farine de blé	1	œuf battu
			une pincée de sel

Confectionner les crêpes en versant ¼ tasse du mélange dans une poêle en fonte huilée. Servir avec de la compote de fruits frais.

Sauce aux dattes

¼	tasse de jus de citron	½ c. à thé de graines de lin
½	tasse d'eau	moulues
12	dattes dénoyautées	

Bien liquéfier le tout dans le mélangeur et alors qu'il tourne ajouter 3 c. à s. d'huile, lentement. Servir sur des fruits frais ou des crêpes.

Concombres aux graines d'aneth

Faire bouillir 13 tasses d'eau avec ¼ tasse de gros sel marin. Dans des bocaux stérilisés, placer des petits concombres debout, des gousses d'ail et des graines d'aneth. Recouvrir avec l'eau salée. Sceller. Garder au frais.

On peut préparer de la même manière des tomates vertes et des fleurettes de chou-fleur.

---

1. Genèse 1 (29).

2. Voici un tableau comparatif des acides aminés essentiels se trouvant dans les graines de tournesol et les œufs.

	graines de tournesol	œufs
Isoleucine	1,276	0,850
Leucine	1,736	1,126
Lysine	0,868	0,819
Méthionine	0,443	0,401
Phénylalanine	1,220	0,739
Tréonine	0,911	0,637
Tryptophane	0,343	0,211
Valine	1,354	0,950
Histidine	0,586	0,307

(quantités exprimées en grammes par 100 g de portion comestible) communiqué par *Prevention*, août 1975, p. 94

3. USDA, *Agriculture Handbook N° 8*, Composition of Foods.

11

Les céréales

Dès la plus haute antiquité, les céréales, avec les fruits, ont formé la base de l'alimentation des peuples forts et intelligents. Le blé, l'orge, l'avoine, le millet, le sarrazin, le riz, le maïs, le seigle! Ah! les grains multiples, versatiles, aux couleurs, aux goûts, aux formes, aux odeurs si variés! Dans le grenier, nous avons des barils remplis de céréales en grains. Le soir, quand je me couche, je me sens riche. Peu importe, l'absence de billets dans le porte-feuille, nous avons du pain, nous avons de l'eau, nous avons la joie. En fait, tout au fond des choses, que faut-il de plus?

Les céréales en grains sont de la vie en puissance, de la vie saine, robuste et dépouillée. Elles sont essentielles, indispensables. En dehors de leur usage, il ne peut y avoir de véritable plénitude. Vous êtes surpris. Des céréales en grains! D'accord, on en trouve à la grange. C'est pour les animaux. Les hommes, eux, ont besoin de gâteaux, de biscuits. Ils ont besoin de raffinement... Triste distortion de l'esprit coupé de la nature. Il m'arrive souvent de conseiller aux cultivateurs de rentrer dans leur maison les barils de son, d'orge, d'avoine et de germe de blé qu'ils donnent à leurs animaux et de mettre à la grange la livraison du boulanger. Ils ne tarderaient pas à vivre une expérience dont les résultats seraient bouleversants. Bientôt ni les pensionnaires de la grange ni ceux de la maison ne se reconnaîtraient. Les hommes deviendraient forts et verraient disparaître comme par enchantement une foule de maux qu'ils ont été amenés à considérer comme normaux: varices, hémorroïdes, constipation, entre autres. Les animaux probablement mourraient. Quelle catastrophe! Quelle perte d'argent! Bien vite, on se dépêcherait de retourner les barils à la grange, mais en garderait-on une partie à la maison? La science le prouve: une céréale raffinée est pourvoyeuse de mort. Les rats, les pigeons, les poules, les vaches nourris de céréales raffinées meurent après une rapide dégénérescence et un vieillissement précoce. L'homme croit-il échapper à cette loi? Pourtant, de tous côtés, il n'y a que gémissements, fatigues, démences, cancers...

Dans un livre, absolument bouleversant car il n'a pas été réfuté, Nutrition and Physical Degeneration, le docteur Weston Price (Cleveland, Ohio, É.U.) a exposé le résultat de ses études faites tout autour du monde, sur les conséquences d'une alimentation raffinée sur la santé, la beauté et l'équilibre des peuples l'ayant adoptée. Il a fait des études systématiques de groupes raciaux isolés et de leurs homologues civilisés. Il a observé les Indiens, les Esquimaux, les Européens, les Asiatiques, les peuples des montagnes et les peuples de la plaine. Transformé en globe-trotter, il a pris d'innombrables photographies et notes. Ses conclusions sont précises, frappantes: Chaque fois qu'un peuple consomme son alimentation ancestrale, locale, composée d'aliments bruts, il connaît la santé, la robustesse et l'immunité à de nombreuses maladies. Dès qu'il l'abandonne pour une alimentation industrielle, des signes de dégénérescence apparaissent, les premiers étant indubitablement la carie dentaire, le rétrécissement des arcades dentaires et la tuberculose.

Au Québec, il n'est pas encore trop loin le temps de la galette de sarrazin, du pain de son, du gruau d'avoine, de la soupe aux choux de siam et de la mélasse noire. Quelle race forte et généreuse une telle alimentation n'a-t-elle pas produite! Il faut y revenir si l'on veut, une fois de plus, voir un peuple noble et heureux. Il faut le comprendre: «Les céréales, les fruits, les oléagineux et les légumes sont les aliments que Dieu nous offre. À l'état naturel ou apprêtés d'une manière très simple, ils constituent le régime le plus sain et le plus nourrissant. Ils donnent une force, une endurance et une vigueur physiques et intellectuelles qu'une nourriture plus compliquée et plus stimulante ne saurait jamais fournir. Ceux qui consomment de la viande absorbent en réalité — mais de seconde main — les éléments contenus dans les céréales et les légumes, puisque l'animal s'en nourrit. La vie des céréales et des légumes passe dans l'animal, et nous la recevons en mangeant la chair de l'animal. Ne serait-il pas préférable de prendre directement cette vie dans les aliments que Dieu nous a destinés? C'est une erreur de croire que la force musculaire dépend de la viande. Les besoins de l'organisme seront mieux satisfaits, on jouira d'une meilleure santé sans en faire usage. Les céréales, les fruits et les légumes contiennent tous les éléments nutritifs nécessaires à la formation d'un sang généreux[1].»

Les céréales entières, complètes, brutes sont pourvoyeuses de vie et cela d'autant plus qu'elles auront subi le moins de transformation possible. Les grains de blé, d'orge, de maïs sont des complexes parfaits en eux-mêmes et il ne faut rien y ajouter et rien en retrancher. L'homme n'améliore jamais, par ses techniques, les produits de la nature, mais il peut les dégrader au point d'en faire des aliments nocifs.

De nombreux médecins et dentistes dénonçaient en 1973, officiellement et publiquement ce qui, dans notre société industrialisée est étiqueté «céréales». Ils le faisaient devant le Senate Select Committee on Nutrition and Human Needs dont le président d'assemblée était le Sénateur George McGovern (D., S.D.). On apprit à ces auditions que certaines de ces céréales contenaient jusqu'à 50% de sucre raffiné, cet ingrédient étant souvent le premier ingrédient listé sur les boîtes et parfois même l'ingrédient majoritaire. Ceci fit dire à plusieurs que les céréales actuelles ne sont pas des céréales au sucre mais du sucre aux céréales.

Robert B. Choate, président du Council on Children, Media and Advertising à Washington, témoignait en 1970 devant le même comité. Il a affirmé que 40 à 60 des principales céréales sèches qu'il avait étudiées ne contenaient que des calories «vides» et avaient autant de valeur nutritive qu'une gorgée de liqueur forte. C'est à la suite des attaques répétées et fondées de Robert B. Choate que la majorité de ces produits ont été fortifiés avec divers minéraux et vitamines. Hélas, à travers une publicité tapageuse, biaisée, orientée vers les enfants, au coût moyen aux États-Unis, de 4 milliards de dollars par année pour la télévision seulement, l'industrie alimentaire continue à vendre ces produits qui ne sont plus qu'une décevante caricature d'un aliment sain et essentiel, la céréale en grain.

Lorsque l'on parle des céréales, il faut particulièrement se rappeler une loi du végétarisme qui est l'utilisation de toutes les variétés possibles d'aliments. Les céréales sont nombreuses et il est important de les consommer régulièrement, car chaque céréale a une composition particulière pour une action particulière dans le corps. Leur usage combiné permet une nutrition équilibrée et évite les carences. Par exemple, le maïs jaune est plus riche en magnésium que le blé, mais le blé a plus de calcium que le seigle. De plus, chaque céréale semble avoir une action différente sur le corps: Le blé permet le développement des tissus adipeux alors que le seigle encourage le développement des muscles.

Les céréales offrent généreusement une foule de minéraux et de vitamines. Dans leurs germes, elles ont des protéines de première qualité. Elles sont une source importante d'hydrates de carbone. Les hydrates de carbone sont composés de nutriments importants ainsi que de fibres non digestibles mais essentielles pour la santé des intestins. Les hydrates de carbone sont riches en amidons qui se transforment pendant la digestion en glucose. Le glucose est le véritable combustible de notre organisme. Il est pourvoyeur d'énergie et d'endurance.

Une expérience récente faite par un savant suédois a prouvé la valeur indubitable d'une alimentation riche en hydrates de carbone sous forme de céréales et de légumes-racines. Ce savant a fait passé à neuf athlètes le même test d'endurance sur une bicyclette. Cependant leur régime à trois reprises, avait été modifié: D'abord très riche en viande, puis moyennement riche en viande, il avait été enfin riche en céréales complètes mais totalement dépourvu de viande. Tous les athlètes étaient pendant trois jours à un des régimes prescrits puis ils passaient le test. Comme le test était chaque fois fait avec les mêmes athlètes, les différents résultats obtenus ne pouvaient être imputés qu'au changement d'alimentation. Ainsi, lorsque les athlètes consommaient une alimentation riche en protéines et en graisses (donc beaucoup de viande, d'œufs, de poissons, de fromage), leur endurance sur la bicyclette était de 57 minutes en moyenne. Lorsque pendant trois jours, ils consommaient une alimentation normale mixte (moins riche en protéines et en graisses), leur endurance était de 117 minutes en moyenne. Cependant, après trois jours d'une alimentation riche en céréales complètes et en légumes, leur endurance était de 167 minutes en moyenne. Ainsi une alimentation très près d'une alimentation végétarienne équilibrée, leur permettait une endurance trois fois plus grande qu'une alimentation carnée[2].

Voilà une fois de plus la preuve que l'énergie, l'endurance et la capacité de travail les plus intenses sont le résultat d'une consommation adéquate de céréales complètes et non de viande. Allons donc à la découverte des céréales et de leurs bienfaits.

L'orge est une céréale originale, non hybride. Les Grecs l'appréciaient particulièrement car elle avait la réputation de construire des corps robustes. En fait, elle est riche en calcium. L'orge est une céréale capable de produire énormément de chaleur dans le corps mais pas trop de graisses. L'orge est utile en hiver particulièrement, sous forme de soupe. Il est riche en sodium et semble très utile pour conserver la souplesse des articulations. Les Chinois, eux, considéraient l'orge comme un aliment du système nerveux, apte à le fortifier. Il est riche en phosphore et d'après certains auteurs, il favoriserait le rajeunissement. Les personnes à l'estomac faible digèrent l'orge beaucoup mieux que l'avoine ou le blé. Alors que j'avais des nausées et des vomissements assez sévères au cours d'une grossesse, la bouillie d'orge était le seul aliment que je tolérais sans difficulté.

L'orge naturel est l'orge mondé et non l'orge perlé. Il possède son germe et n'a été débarrassé que de son enveloppe extérieure le rattachant à l'épi. L'orge perlé a été poli et dégermé. Ce n'est plus un grain entier.

Le sarrazin s'appelle aussi le blé noir. Il fut la céréale du pauvre qui ne pouvait se procurer le blé, plus difficile à cultiver et moins résistant au froid. Au Québec, la tireliche de sarrazin a nourri bien des bouches et avec quels résultats! Cette graine est très riche en minéraux et en vitamines, particulièrement les vitamines E et B. Elle est également une source sans pareille de rutine, un élément qui accroît la résistance des capillaires et fortifie les parois artérielles réduisant ainsi la pression sanguine et permettant de prévenir ou de soulager les varices. Les anciennes mères québécoises, malgré de très nombreuses grossesses, n'étaient que peu affligées par les varices alors que leurs filles le sont généralement très jeunes. Je suis sûre que l'abandon généralisé de la galette de sarrazin y est pour quelque chose.

Le sarrazin épuise le sol. Il en tire toute la substance pour nous la rendre utilisable. C'est donc une céréale de force, efficace contre la fatigue, utile en période de convalescence et qui augmente la résistance aux infections.

Le sarrazin sous forme de grains, est le kasha des Slaves. Il se prête à de nombreux plats savoureux au goût caractéristique.

Le maïs est le blé d'Inde, le blé d'Amérique. Sa couleur jaune d'or ravit les yeux. Le maïs est riche en magnésium, en protéines, lipides et hydrates de carbone. À l'état frais, l'amidon du maïs est encore en sucre ce qui lui donne son goût délicieux. Il fournit de l'énergie. Une légende affirme que les tribus indiennes dont le maïs était l'aliment de base étaient les plus dures à conquérir. En Italie du Nord, les maçons et les terrassiers en avaient fait la base de leur alimentation. Or, ces travailleurs lourds étaient réputés pour leur grande endurance et leur résistance.

Le maïs en épi se consomme frais, cuit à la vapeur, au four ou encore cru. Essayez, c'est un délice. Séché, il se met en semoule et permet la fabrication de la polenta. La semoule de maïs ne doit pas être dégermée. Elle a alors perdu la plus grande partie de sa valeur nutritive.

Le millet, vous pensez peut-être que c'est pour les oiseaux. Il est vrai qu'en Amérique du Nord la plus grande partie de la culture du millet va aux oiseaux. Naturellement, ils prospèrent avec une telle alimentation, mais elle serait tout aussi utile à l'homme. Pythagore, au 6e siècle avant Jésus-Christ, recommandait chaudement le millet à ses disciples végétariens. Cette céréale, contrairement aux autres, est pauvre en hydrates de carbone, mais riche en protéines et contient tous les acides aminés essentiels. Elle n'est pas acidifiante mais permet d'alcaliniser le système. Comme elle ne comporte pas de gluten, elle ne cause pas de réactions d'allergie à ceux qui en ont avec le blé. Le millet est riche en fer et en riboflavine. Il permet la conservation des vitamines B dans le corps et ainsi contribue à la santé des nerfs. Il favorise une denture saine, empêche la chute des cheveux et rend les ongles moins cassants.

Le millet se mange en grains, en plats salés ou sucrés et se met en farine pour être incorporé aux biscuits, crêpes ou pains.

L'avoine, sous forme de flocons est la seule céréale complète, non raffinée que vous trouverez sans difficulté sur les étagères de toute épicerie. C'est une céréale de grande valeur et qui gagnerait à retrouver dans les menus quotidiens une place de choix. Les peuples qui en font la base de leur alimentation sont forts et robustes. Les Écossais, les Scandinaves ont été connus pour leur endurance physique et leurs nerfs solides. On prête à la viande chevaline des vertus extraordinaires, entre autres celle de donner de la force. On oublie que cette viande n'est pas destinée à la consommation humaine[3] et que pour avoir sa capacité énorme de travail le cheval ne mange pas de la viande mais une céréale entière. Pourquoi l'homme ne tirerait pas les mêmes bienfaits directement de l'avoine? Par quels raisonnements s'est-il convaincu qu'une céréale transformée en viande était plus saine, plus riche, plus assimilable que la céréale elle-même, voire qu'elle était indispensable? Il ne faut pas se leurrer, toute transformation alimentaire du végétal par l'animal se fait avec des pertes de la valeur nutritive et avec des gains en toxines et produits de déchets.

L'avoine est une céréale riche en minéraux indispensables pour le développement du cerveau, des muscles et des structures nerveuses. Elle se combine harmonieusement avec des légumes ou des fruits pour permettre une foule de mets savoureux dont les plus célèbres sont certainement le porridge écossais et le müesli. Chaque mère ferait un acte d'amour si elle prenait la peine, le matin, de servir à ses enfants un bol de gruau chaud sucré au miel. Ce serait là de l'amour pratique, de l'amour concret dont les fruits ne tarderaient pas à mûrir: santé, équilibre, vivacité apparaîtraient chez ses enfants pour sa joie et pour leur bonheur. Un bol de gruau chaud est le meilleur antidote du bol de céréales froides qui, d'après certains experts, tient plus du bonbon que de la céréale par la forme, la couleur et le contenu abusif en sucre raffiné.

L'avoine se prête à la fabrication d'une boisson reconstituante sans égal: l'eau d'avoine dont faisaient usage les nourrices d'autrefois. L'homme moderne au rythme de vie infernal aurait intérêt à en consommer abondamment pour constamment recharger ses batteries et éviter les carences en minéraux si dangereuses.

Choisissez de l'avoine à l'ancienne mode, en flocons bruts, non instantanés.

Le seigle est peu connu au Québec et en Amérique du Nord, en général. Pourtant, il forme la base de l'alimentation des peuples slaves, germaniques et nordiques. Le seigle a la réputation de bâtir les muscles sans favoriser l'accumulation de graisse. Il est très riche en vitamine E, cet élément si important pour le cœur, les muscles et le système reproductif. Il a également des bonnes proportions de phosphore et de magnésium, ainsi que des acides gras insaturés. Le seigle entier, non raffiné permet la fabrication d'un pain extrêmement savoureux et nourrissant.

Le blé est la céréale de la panification. Riche en gluten, il permet la fabrication de la base même de l'alimentation: le pain. Le blé est, de toutes les céréales, celle qui est la plus riche en hydrates de carbone. Il fournit une abondance de glucose indispensable pour tous ceux qui ont à soutenir de grands efforts physiques ou intellectuels. Il faudrait cependant ne pas oublier que son usage exclusif aux dépens des autres céréales n'est pas à recommander. Il est intéressant de noter que les parties du blé mises de côté par le raffinage ont un regain de popularité. Le germe de blé et le son retrouvent leur place sur la table, à côté des produits fabriqués avec la farine blanche. Cependant, ne serait-il pas plus sage de délaisser les aliments fractionnés pour revenir à l'aliment entier, le seul qui soit vraiment naturel?

Il serait bon de faire remarquer ici que bien des personnes peuvent présenter de sérieuses intolérances au gluten du blé.

L'habitude de donner aux bébés des céréales de blé, d'avoine et d'orge souvent insuffisamment cuites, et avant qu'ils aient la capacité de les digérer serait une des causes de l'allergie au gluten. Rarement soupçonnée, elle peut être à l'origine de nombreuses misères dont le rhumatisme articulaire[4], la maladie cœliaque[5] et certains désordres mentaux[6]. Un test d'allergie au gluten pourrait souvent épargner beaucoup de souffrance.

Le riz forme la base de l'alimentation de la moitié de la population du monde. Il est riche en protéines d'excellente qualité. C'est une très bonne source de vitamines B et des minéraux phosphore, potassium, magnésium, sodium et calcium. Le riz, si parfaitement adapté aux besoins des peuples qui le consomment, n'a pas échappé à la main destructrice de l'homme occidental. Le riz blanc ou poli est 3 fois moins riche en fer, 2 fois moins riche en calcium, 3 fois moins riche en phosphore et 5 fois moins riche en thiamine que le riz brun. N'est-ce pas triste de servir du riz blanc à sa famille alors que le riz complet est si nourrissant et plus savoureux? Mangeons donc du riz (c'est une céréale dont on ne se lasse pas), mais qu'il soit complet et utilisé en rotation avec les autres céréales.

Voilà une petite énumération des céréales. Il serait bon maintenant que vous alliez dans une meunerie afin de voir, de toucher, de sentir ces divers grains et de vous familiariser avec eux. Un bon magasin d'aliments naturels peut également vous les offrir. Les céréales s'emploient en grains, en flocons ou en farine afin de permettre la fabrication d'une très grande variété de plats et de mets. Il faut veiller à toujours très bien les cuire. Une cuisson prolongée à feu doux permet la libération de leurs nutriments et leur donne un goût sucré dépourvu de toute trace d'amertume.

Crêpes de sarrazin

1	tasse de lait de soja	1 œuf battu
1	tasse d'eau	une pincée de sel
1¾	tasse de farine de sarrazin	1 c. à s. de sirop d'érable
		2 c. à s. d'huile

Mélanger le tout et confectionner les crêpes.

La tireliche de sarrazin

½	tasse d'eau chaude	1½	tasse de farine de sarrazin
1	c. à s. de mélasse		sarrazin
1	tasse de lait de soja	1	c. à thé de sel
2	c. à s. d'huile	2	c. à s. de graines de lin
1	c. à s. de levure sèche		moulues

Mélanger les trois premiers ingrédients et laisser reposer 12 heures. Ajouter le reste des ingrédients, laisser reposer une heure puis cuire dans une poêle en fonte, en versant ¼ tasse du mélange chaque fois.

Le kasha

1	tasse de sarrazin grillé	½	tasse de champignons
1	œuf battu		hachés
2	tasses d'eau bouillante salée	1	gros oignon haché et légèrement sauté

Mélanger le sarrazin et l'œuf jusqu'à ce que chaque grain soit recouvert d'œuf. Verser le tout dans une poêle en fonte réchauffée. Rôtir légèrement les gros grains puis les recouvrir de l'eau bouillante salée. Laisser mijoter, couvercle fermé, environ 30 minutes ou jusqu'à ce que les grains soient tendres. Ajouter un peu d'eau si nécessaire. À ce moment ajouter les champignons. Cuire encore 10 minutes, puis, en fin de cuisson, ajouter l'oignon. Servir garni de persil frais et d'échalotes hachés, avec une salade de verdures.

L'œuf peut être remplacé par 2 c. à s. de beurre d'amande et 1 c. à s. de jus de citron. Lier alors le beurre d'amande et le jus de citron et y mélanger le sarrazin intimement jusqu'à ce que chaque grain en soit recouvert.

La bonne soupe à l'orge

¼	tasse d'orge mondé	½	tasse de chou de siam en cubes
1	tasse de carottes en cubes		cubes
½	tasse de céleri haché	½	tasse de poireaux hachés
¼	tasse d'oignons hachés	1	tasse de petits pois frais ou congelés

Cuire l'orge dans 6 tasses d'eau pendant 2 heures. Ajouter le reste des ingrédients et laisser mijoter le tout jusqu'à ce que les légumes soient tendres. Assaisonner avec 2 c. à s. d'huile, 3 c. à s. de sauce de soja, du sel, du thym. Garnir avec une poignée de persil frais haché.

Rôti d'orge

2	tasses d'orge	¼	tasse de graines de tournesol
2	tasses d'eau		
4	c. à s. d'huile	3	branches de céleri en cubes
2	oignons hachés		
1	gousse d'ail	1	poivron vert haché
2	grosses tomates en morceaux		basilic, sel, sauge, au goût

Faire tremper l'orge dans l'eau 24 heures puis faire mijoter environ 90 minutes jusqu'à ce que l'orge soit tendre. Ajouter de l'eau si nécessaire. Dans une poêle, faire revenir dans de l'huile l'oignon et l'ail, puis ajouter les tomates et cuire jusqu'à l'obtention d'une purée. Ajouter l'orge, les assaisonnements, le céleri, le poivron et les graines de tournesol liquéfiés dans ¼ tasse d'eau. Mélanger légèrement et verser dans un plat à gratin huilé. Brosser le rôti d'huile et cuire à 180°C (350°F) 50 minutes. Démouler et garnir de noix du Brésil hachées. Servir en tranches avec des crudités variées.

Pudding à l'orge

1	tasse d'orge	½	tasse de raisins secs
3	tasses d'eau	½	tasse de noix de Grenoble émiettées
1	tasse de fruits secs hachés		une pincée de sel

Faire tremper l'orge 24 heures ou plus dans l'eau. Lui donner alors un bouillon pendant 3 minutes. Mettre l'orge en purée dans le mélangeur. Le verser dans un plat à gratin huilé après y avoir incorporé le reste des ingrédients. Cuire à four chaud 90 minutes. Servir avec un peu de miel et de la crème de noix d'acajou.

Maïs en épi

Le maïs frais est excellent cuit au four dans son enveloppe. Le cueillir et sans attendre, le mettre dans un four chaud. Le cuire ainsi 20 à 30 minutes au maximum. Le débarrasser alors de son enveloppe et le croquer sans plus. C'est un délice. La cuisson à l'eau ou à la vapeur entraîne hors du maïs une grande partie de sa valeur nutritive et de son goût. On peut aussi le congeler dans son enveloppe. Lorsqu'on veut le manger, le mettre tel quel au four et le cuire. Il a une saveur de frais cueilli.

La polenta
(recette de base)

1 tasse de semoule de maïs du sel	3 tasses de bouillon de légumes

Délayer la semoule dans ¼ tasse de bouillon. Amener à ébullition le reste du liquide. Y verser, en remuant fortement, la semoule délayée. Utiliser de préférence une casserole très épaisse. L'ébullition doit reprendre et elle entraînera la formation de petits cratères. Régler le feu afin qu'ils ne vous brûlent pas en vous éclaboussant. Remuer constamment à la cuillère de bois afin d'éviter que la polenta attache. Il faut environ 60 minutes de cuisson. La polenta sera alors très épaisse mais pourra être versée lentement dans un plat. Ainsi, elle sert de base aux recettes suivantes.

Polenta grillée salée

Verser la polenta cuite dans un plat huilé large et peu profond, en une couche de 2 à 3cm d'épaisseur au maximum. Laisser refroidir environ 12 heures. Lorsqu'elle est dure, la découper en blocs de formes diverses et les griller dans de l'huile dans laquelle on a fait rôtir de l'ail et du persil. Servir accompagné de légumes verts ou d'oignons au four.

Polenta en gratin

À la polenta bien cuite, ajouter ½ tasse d'amandes moulues grossièrement, de la poudre d'oignon, du sel, une pincée de thym, 2 c. à s. d'huile. Faire gratiner à four chaud et servir avec une sauce aux tomates ou aux champignons.

Polenta grillée sucrée

Faire griller dans de l'huile sans ail ni persil, des blocs de polenta. Les saupoudrer ensuite de sucre de raisin ou les badigeonner de miel liquide. Servir avec une salade de fruits frais.

Millet aux tomates

Dans un plat à gratin huilé, faire revenir à feu vif des oignons hachés bien assaisonnés de sel, levure alimentaire, basilic. Retirer du feu et déposer sur les oignons des tomates en tranches, assaisonnées d'ail, de sel, de basilic. Verser 1 tasse d'eau. Donner un bouillon. Retirer du feu. Verser alors ½ tasse de millet cru. Recouvrir de tranches de tomates assaisonnées de sel, thym, laurier. Verser sur le tout un filet d'huile d'olive. Mettre dans un four chaud 60 minutes. Surveiller la cuisson et ajouter si nécessaire un peu d'eau. Ce plat est absolument délicieux et peut aussi se préparer avec des tomates en conserve.

Pudding au millet

1½	tasse de millet cuit et encore chaud	1	tasse d'abricots frais ou en conserve
1	banane mûre	¼	tasse de noix de coco râpée
4	dattes		
1	tasse d'ananas en morceaux avec son jus		

Mettre en purée tous les ingrédients au mélangeur. Remplir des coupes à dessert et réfrigérer. Délicieux en été pour un repas simple.

Le millet, à raison de 3 à 4 c. à s. de grains secs, épaissit n'importe quel potage.

Millet grillé

Cuire 1 tasse de millet dans 4 tasses d'eau légèrement salée. Faire partir à feu vif. Au premier bouillon, baisser le feu, couvrir et laisser gonfler 30 minutes sans mélanger. Après ces 30 minutes, mélanger de façon à remonter le millet du fond en surface. Continuer encore la cuisson 30 minutes. Verser le millet ainsi cuit sur une tôle et le laisser refroidir au réfrigérateur environ 12 heures. Le découper alors en tranches. Les tremper dans des graines de sésame moulues. Les placer au four et les griller jusqu'à ce qu'elles soient croustillantes. C'est un excellent substitut de pain pour ceux qui ne tolèrent pas le gluten. Pour un déjeuner nourrissant garnir chaque tranche de millet d'une tranche de tomate, de feuilles d'épinard et d'une échalote hachée.

Millet à la tibétaine

Prendre 1 tasse de millet et la mélanger intimement à un œuf battu. Verser le mélange dans une poêle en fonte sèche et très chaude. Remuer les grains jusqu'à ce qu'ils soient bien secs. Verser alors 2 tasses de bouillon chaud et cuire à feu doux 60 minutes, dans un plat bien fermé. Les grains doivent avoir absorbé l'eau et être gonflés. Ils se détachent alors bien les uns des autres. On peut réaliser avec du millet ainsi cuit, toutes les recettes de riz. Essayez de le servir avec des poivrons verts et rouges, des oignons et des champignons sautés. Ainsi cuit, le millet peut également remplacer très avantageusement le couscous dans ce plat arabe. Préparer les légumes de la façon traditionnelle ainsi que les pois chiches.

Crêpes à l'avoine

1½	tasse de flocons d'avoine en farine	2	c. à s. d'huile
2	tasses de lait de soja	1	c. à s. de miel
¼	tasse de graines de lin moulues		une pincée de sel

Bien mélanger et laisser reposer 2 à 3 heures. Mélanger à nouveau et confectionner les crêpes.

Carrés aux dattes et aux pommes

Pâte:

2½ tasses de flocons d'avoine	½ tasse d'amandes moulues
1 tasse de farine d'orge	½ c. à thé de sel
½ tasse de noix de coco râpée et moulue	1 tasse de jus d'orange frais

Mélanger tous les ingrédients secs. Étaler la moitié du mélange dans le fond d'un plat rectangulaire. Mouiller avec la tasse de jus d'orange.

Remplissage:

4 tasses de pommes râpées	½ tasse d'eau
½ tasse de dattes	1 tasse de jus d'orange

Cuire les pommes et les dattes dans l'eau. Mélanger et étaler sur la pâte. Recouvrir du reste de pâte. Arroser avec le jus d'orange. Cuire à 180°C (350°F) 30 minutes. Découper en carrés.

Les flocons d'avoine peuvent être mis en farine dans le mélangeur ou le moulin à café et servir de farine pour les pâtes à tarte, les gâteaux, les biscuits, les crêpes. C'est une farine complète, au goût de noisettes.

Croquettes de flocons d'avoine

Faire tremper 2 tasses de flocons d'avoine dans suffisamment de lait de soja ou autre. Ajouter 1 oignon râpé, ½ tasse de graines de tournesol moulues, du persil haché, de l'ail pilé, du sel, du thym, du laurier et du paprika. Laisser reposer 30 minutes avec 2 c. à s. de graines de lin moulues. Verser à la cuillère dans une poêle huilée et faire frire. C'est un excellent accompagnement de légumes verts cuits.

Pâté chinois
(pour 8 à 10 personnes)

2	tasses de flocons d'avoine	1	c. à thé de poudre d'ail
1	tasse de mie de pain déchiquetée	¾	c. à thé de sel
1	tasse de graines de tournesol moulues grossièrement	¼	c. à thé de thym
1	œufs légèrement battu	¼	c. à thé de basilic
4	oignons hachés finement	¼	tasse de levure alimentaire
		½	tasse de jus de tomate

Bien mélanger tous ces ingrédients en ajoutant un peu de liquide si nécessaire. Faire chauffer 4 c. à s. d'huile dans une poêle et y verser le mélange. Le faire rôtir complètement tout en le remuant avec une fourchette. Huiler un plat à gratin, y verser le mélange, le recouvrir de maïs en épi égréné et de purée de pommes de terre. Brosser très légèrement avec de l'huile d'olive. Faire dorer au four 10 à 15 minutes.

Le müesli
(spécialité suisse)

Pour une personne:

3	c. à s. de flocons d'avoine grillés	1	c. à thé de miel
3	c. à s. d'eau bouillante	1	pomme râpée
1	c. à s. de jus de citron	1	c. à s. d'amandes hachées
1	c. à s. de beurre d'amande		

Mélanger l'eau et les flocons et les laisser tremper une nuit. Le lendemain faire une bouillie homogène en ajoutant le reste des ingrédients. Les quantités peuvent être doublées ou triplées selon l'appétit de la personne. Les fruits peuvent être variés selon la saison: banane, fraises, dattes, figues. Une fois que vous aurez acquis l'habitude du müesli, vous fabriquerez votre propre recette. C'est le plat de régénération de la célèbre clinique Bircher-Benner de Zürich, en Suisse.

Petits flancs aux flocons d'avoine

Pour une personne:

3 c. à s. de flocons	1 c. à s. de beurre
3 c. à s. d'eau	d'amande
1 c. à s. de noix hachées	du miel selon le goût
5 dattes coupées en la-nières	

Faire griller légèrement les flocons dans une poêle sèche puis les faire tremper dans de l'eau bouillante environ 1 heure. Ajouter le reste des ingrédients et presser le tout dans une coupe à dessert. Tourner et garnir de quartiers de pomme, d'orange et de rondelles de banane.

Granola

3 tasses de flocons d'avoine	¼ tasse de graines de sésame entières
1½ tasse de noix de coco râpée	¼ tasse de miel
1 tasse de graines de tournesol entières	¼ tasse d'huile
	1 tasse d'amandes effilées
	1 tasse de raisins secs

Bien mélanger tous les ingrédients. Étaler en une mince couche sur une tôle à biscuits et laisser dorer en remuant de temps à autre dans un four à 180°C (350°F). Laisser refroidir et garder au sec dans une boîte bien fermée.

Riz aux petits pois

Pour une tasse de riz complet, préparer 2½ tasses de bouillon de légumes assaisonné. Verser dans une casserole 2 c. à s. d'huile. La réchauffer et y faire blondir le riz en le remuant constamment. Ajouter peu à peu le bouillon chaud et cuire dans la casserole couverte environ 90 minutes. Lorsque le riz est cuit, les grains doivent se détacher parfaitement les uns des autres. Ajouter 1 tasse de petits pois frais. Remuer légèrement et recouvrir la casserole. Laisser reposer 15 minutes au chaud. Assaisonner au goût et servir garni d'oignons frits. On peut employer pour cette recette des petits pois congelés.

Riz au naturel

1	tasse de riz complet	1	c. à thé de sel marin
2½	tasses d'eau	2	feuilles de laurier

Faire griller dans une poêle sèche le riz. Lorsque les grains commencent à éclater, les retirer du feu et les verser dans l'eau qui bout déjà. Donner un bouillon puis baisser le feu au minimum. Laisser cuire jusqu'à ce que toute l'eau soit absorbée, environ deux heures.

Pudding au riz brun

⅔	tasse d'eau	2½	c. à s. de beurre d'arachide
½	tasse de dattes		
2	c. à s. de poudre de caroube	⅛	c. à thé de sel
		1	tasse de riz cuit

Liquéfier les dattes et l'eau dans le mélangeur et les ajouter au reste des ingrédients. Donner un bouillon. Réfrigérer et servir.

Riz aux olives

1	tasse de riz brun	1	feuille de laurier
2	tasses d'eau		sel

Faire cuire le tout à feu très doux jusqu'à ce que le liquide soit absorbé. Faire revenir un oignon émincé et 3 gousses d'ail pilé dans un peu d'huile. Y ajouter le riz et ½ tasse d'olives noires en lanières. Faire cuire dix minutes et assaisonner de thym. Servir avec une salade d'épinards crus.

Froment en grains

1	tasse de blé	3	c. à s. de persil haché
5	tasses d'eau chaude	1	oignon haché
1	c. à thé de sel marin		

Placer le tout dans une jarre à fèves et la mettre dans un four chaud. Laisser cuire 20 minutes puis baisser le thermostat et laisser cuire lentement pendant 4 heures. Le blé sera alors gonflé, cuit à point et l'eau sera absorbée. Incorporer à ce plat un peu d'huile d'olive; corriger l'assaisonnement et servir accompagné d'une sauce tomate à l'ail, de légumes verts cuits à l'étuvée. Le blé ainsi cuit est très savoureux et il peut remplacer le riz dans de nombreuses recettes.

1. E. G. White, *Conseils sur la nutrition et les aliments*, pages 370-371.

2. Astrand P., Something old and something new, *Nutrition Today* 3: N° 2, 9-11, 1968.

3. Lévitique 11 et Deutéronome 15.

4. Dr R. Shatin, *Medical Journal of Australia*, 1er août 1964.

5. Drs Weijers, Vanderkamer et Dicke, *Advances in Pediatrics*, (9: 277-318, 1957).

6. Dr Marshall Mandell, *Roche Image of Medecine and Research*, février 1972.

12

Le pain quotidien

Le pain quotidien... Comprenez-vous cette expression? Elle pénètre dans mon cœur et l'émeut. J'ai de la pâte collée aux doigts, l'odeur du levain aux narines et sous mes yeux, le pain lève! Une vie mystérieuse est née sous mes mains. Avec des grains de blé écrasés sous la meule, j'ai fait de la farine. Un peu de sel, un peu de miel, un peu de levain, un peu d'eau claire, et cette farine douce, tiède, légère, aux tons de brunante s'est transformée en pâte élastique, frémissante, impatiente d'éclater de joie. Une fois, deux fois la pâte s'est gonflée et dans un gémissement s'est affaissée. Maintenant elle est maîtrisée. Modelée en miches, en baguettes, en tresses, elle prend son dernier élan. Le four chaud l'attend. Enfournons! Bientôt sortiront miches dorées, baguettes croustillantes. Ah! cette odeur de pain qui soudain envahit la maison. Qu'on est bien chez soi. Je suis heureuse. La journée a été bien remplie. Demain, sur la nappe blanche, le pain aura la plus grande place.

Vous rappelez-vous de cette prière: «Notre Père, donne-nous aujourd'hui notre pain quotidien»?... La dites-vous encore, et si oui, qu'est-ce que pour vous le pain quotidien?

Pour les Hébreux, le pain était la nourriture fondamentale. L'expression «manger du pain» était synonyme de prendre un repas. On en mangeait *chaque* jour. On ne le laissait pas tomber. On ne le jetait pas. On ne le donnait pas aux animaux. On ne le coupait pas mais on le rompait. On le consommait avec application puis les actions de grâces jaillissaient des cœurs rassasiés. Pour eux, le pain était véritablement le soutien de la vie... Ne devrais-je pas dire *leur* pain était véritablement le soutien de la vie? Il avait, ce pain, une couleur de vie, une odeur de vie, une consistance de vie. En fait, pour que ce pain soit réclamé dans une prière par le Sauveur du monde, il fallait qu'il soit important. Non, il fallait qu'il soit essentiel.

J'étais cette semaine au magasin. J'ai vu le pain tranché, enveloppé, entassé. Il avait l'air mort, si pâle, si léger. Les gens le prenaient du bout des doigts et le jetaient dans leur panier. Il y tombait avec un son mat. C'est drôle, les acheteurs ressemblaient à leur pain: sans éclat, sans couleur, sans sourire. Quelle uniformité! Quelle irréalité! Quelle tristesse! J'ai le souvenir d'un marché où le pain embaumait l'air, faisait frémir les narines et briller les yeux. Le pain donnait de la joie. On le prenait à pleines mains. Avant de le rompre, on priait dessus...

Le pain moderne se compresse en une boule collante et de nombreux nutritionnistes n'ont pu, depuis près d'un siècle, s'empêcher de le dénoncer, souvent avec véhémence. En 1970, après une expérience dramatique, le docteur Roger J. Williams[1] de l'Université du Texas, Austin, E.U., a déclaré que le pain d'aujourd'hui avait à peu près la même valeur nutritive que la sciure de bois. Il avait nourri des rats uniquement avec du pain blanc enrichi. Après 90 jours, les 2/3 des rats étaient morts de malnutrition; le tiers des rats encore vivants étaient sévèrement handicapés et malades. Les rats témoins, nourris exclusivement d'un pain additionné de nombreux minéraux et vitamines essentiels, étaient sains et vigoureux. Heureusement, vous ne mangez pas que du pain. En fait, les statistiques semblent indiquer que les gens en mangent de moins en moins. Il semble n'être plus bon qu'à pousser les aliments ou à essuyer l'assiette.

Disons-le, le pain moderne raffiné n'est plus, car il ne peut plus l'être, le soutien de la vie. Il a d'une part perdu la presque totalité de sa valeur nutritive et d'autre part il a gagné une foule de substances chimiques dont plusieurs ont été dénoncées comme étant extrêmement dangereuses par plusieurs savants[2].

Le Collège de l'Agriculture de l'Université de la Californie a donné les chiffres suivants: Le raffinage du blé enlève 80% de la thiamine, 60% de la riboflavine, 75% de la niacine, 50% de l'acide pantothénique, 50% de la pyridoxine, la presque totalité des vitamines E, A et D, 50% du calcium, 70% du phosphore, 80% du fer, 98% du manganèse, 75% du magnésium, 50% du potassium, 65% du cuivre, les trois-quarts des protéines, la moitié des graisses. Le docteur J.-A. Leclerc du Département de l'Agriculture aux États-Unis a dit la même chose en d'autres mots: Le blé possède de 10 à 12 vitamines que le raffinage enlève dans des proportions de 50 à 95%. (L'enrichissement en redonne trois). Le blé possède également de 15 à 20 minéraux que le raffinage enlève dans des proportions de 50 à 98%. (L'enrichissement en redonne un. L'enrichissement ne redonne pas les protéines ni les graisses perdues). Quel commerce! Tronquer la vie pour la chimie et se trouver enrichi!

Certes, vous n'êtes pas mort d'avoir mangé ce pain blanc enrichi, mais quelle est la qualité de votre vie? Vous le savez, il y a exister et il y a vivre. Il ne suffit pas d'ajouter des années à la vie, il faut aussi et surtout ajouter de la vie aux années.

Si vous avez le goût de découvrir le véritable pain, suivez-moi. Pas à pas, je vous amène dans ce voyage au cœur de l'essentiel.

Pour faire du pain, il faut du blé. Ce blé doit être dur, riche en gluten, bien minéralisé. Les bons cultivateurs appellent ce blé, «un blé de force». Il y a quelques générations il se cultivait ici. Un vieux paysan m'a dit comment: On prenait un morceau de forêt, d'érablière. On le défrichait. Ce travail était dur et demandait de la détermination. Les arbres s'abattaient à la force des bras. Une fois jetés à terre, on y mettait le feu car le bois ne se vendait pas. Souvent pendant des semaines entières on observait la fumée grise qui lentement s'élevait au-dessus de ces amoncellements de cendres. On labourait alors ce morceau de terre neuve pour y semer du sarrazin. Encore des labours, venait le printemps et on semait enfin du blé. La récolte était belle et abondante. Ce blé avait une valeur inégalée de nos jours car il était cultivé dans une terre riche, équilibrée, sans engrais ni insecticides chimiques. Les hommes qui le produisaient avec sagesse et amour n'en étaient certainement pas conscients. Un jour, ils se lassèrent.

Quelle perte! «Les cultivateurs ne savent pas encore assez qu'ils sont dans une large mesure les détenteurs de la santé publique, santé morale autant que physique. Je voudrais leur donner une haute conscience de ce rôle éminent[3]», s'exclamait le professeur Delbet il y a une vingtaine d'années. Quel privilège de trouver de nos jours un homme avec une telle conscience et produisant un tel blé! Fabriqué avec une céréale de qualité, le pain est équilibré, pourvoyeur de robustesse et de vitalité. Je vous souhaite de trouver un blé de force. Encouragez quelqu'un à le cultiver ou faites-le vous-même, si cela est possible. N'est-ce pas là une façon utile d'occuper des loisirs?

Un ancien texte stipule: «On ne prendra point pour gage les deux meules, ni la meule du dessus; car ce serait prendre pour gage la vie même[4].» Il semble nous rappeler une réalité oubliée à notre époque. Il associe la meule à la vie elle-même. Pourquoi? La meule, voyez-vous, fait la farine, la farine fait le pain et le pain entretient la vie... Comment alors prendre pour gage un objet en l'absence duquel l'homme est destiné à être privé de sa nourriture fondamentale? Pour la majorité d'entre nous, cela peut paraître étrange. Notre vie d'homme moderne ne tient plus à une meule, n'est-ce pas? Elle semble être beaucoup plus liée à une télévision, une voiture, une caisse de bière ou un paquet de cigarettes. Ah! passer une semaine, même une journée, peut-être une heure sans ces objets et la vie semble insupportable. C'est presque l'agonie... Mais une meule! Il est étrange de voir comment une société entière peut se couper de la vie, s'en dissocier, pour ne mener qu'une existence privée de racines, artificielle.

La véritable farine se fait sur meules de pierre. La mouture est alors intégrale, douce, lente, sans échauffement excessif des grains. De plus, la mouture sur meules de pierre ne tolère pas du grain non mûri, humide et donc de piètre qualité. Elle exige un blé très mûr, très sec donnant une farine légère et souple.

C'est vers la fin du siècle dernier, en 1883, que les moulins à cylindres d'acier venus de Hongrie, envahirent le marché européen puis américain et qu'ils remplacèrent nos vieilles meules. Ces moulins à cylindres d'acier tournent en sens contraire à des vitesses différentes. Ils permettent de séparer les constituants du grain de blé et de fabriquer une farine fractionnée. Le rendement naturellement est beaucoup plus grand et entraîne des stockages importants et prolongés qui exigent le rejet du germe et des enveloppes internes du blé si riches en vitamines et minéraux utiles, car ces derniers à la longue font rancir la farine et attirent une foule d'insectes et de rongeurs. La farine blanche ne rancit pas et n'attire pas de parasites.

Alexis Carrel écrivait, il y a déjà vingt ans: «Notre vie est influencée dans une très large mesure par les journaux. La publicité est faite uniquement dans l'intérêt des producteurs et jamais des consommateurs. Par exemple, on a fait croire au public que le pain blanc est supérieur au brun. La farine a été blutée de façon de plus en plus complète et privée ainsi de ses principes les plus utiles. Mais elle se conserve mieux et le pain se fait plus facilement. Les meuniers et les boulangers gagnent plus d'argent. Les consommateurs mangent sans s'en douter un produit inférieur. *Et dans tous les pays où le pain est la partie principale de l'alimentation, les populations dégénèrent.* Ainsi des quantités de produits alimentaires et pharmaceutiques, inutiles et souvent nuisibles, sont-ils devenus une nécessité pour les hommes civilisés. C'est ainsi que l'avidité des individus assez habiles pour diriger le goût des masses populaires vers les produits qu'ils ont à vendre, joue un rôle capital dans notre civilisation[5].»

Si vous possédez un vieux moulin ou si quelqu'un dans votre entourage en a un, remettez-le en état de fonctionnement. Vous pourrez ainsi participer au relèvement de l'humanité. Noble tâche, n'est-ce pas? et combien urgente! Une petite investigation dans la campagne vous permettra peut-être d'en situer un encore à l'œuvre. Apportez-y votre blé et faites-le moudre. Ce sera un retour à l'essentiel et peut-être un jour, dans l'odeur de la farine empoussiérant les vieux murs, dans ce bruit régulier des meules antiques serez-vous saisi, enlacé par cette vie qui est si simple, si belle, si concrète, si vous tendez un tant soit peu l'oreille à ses besoins fondamentaux.

Vous pouvez également vous procurer un moulin à meules de pierre domestique. Il en existe plusieurs marques. Ils sont électriques ou manuels ou les deux. Ce sont de véritables chefs-d'œuvre et toute personne consciente de la valeur du véritable pain ne devrait pas hésiter à introduire dans sa cuisine «la vie même». Vous aurez alors une farine tout à fait fraîche, selon vos besoins.

Si vous portez votre blé au moulin, conservez votre farine dans des sacs à l'abri de la lumière, au frais. La farine fraîchement moulue devrait être utilisée immédiatement. C'est à ce moment qu'elle a sa valeur nutritive maximale. Si vous ne l'utilisez pas en deux jours il faut alors la laisser vieillir environ deux semaines. Pendant cette période intermédiaire, le pain ne réussira pas aussi bien que de coutume.

Un dernier mot au sujet du son. Il a été de bon ton dans tous les milieux depuis le début du siècle de mépriser le son et de lui trouver de nombreux défauts, celui d'être irritant et pour le moins inutile et indigeste. C'est donc sans remords que même les plus fervents adeptes d'un régime naturel le mettaient de côté. À l'heure actuelle, grâce aux travaux scientifiques des docteurs Denis P. Burkitt, A.R.P. Walker, N.S. Painter, toute personne informée doit reconnaître le rôle essentiel du son dans la santé du système digestif en particulier, et de tout notre système en général. Entrer dans ces détails dépasserait le cadre de ce livre mais je vous invite une fois de plus à renouveler votre confiance dans la nature et plus particulièrement dans son Auteur. Dieu savait ce qu'il faisait quand il créait le grain de blé et qu'il inspirait au cœur de l'homme tous les gestes des semailles, de la moisson et de la préparation même de ce chef-d'œuvre, le pain. Acceptez ce grain de blé tel que Dieu vous le donne et savourez-le avec la certitude qu'il répond exactement aux besoins de cette autre merveille du même Auteur, votre corps.

Le pain se panifie de préférence au levain. Le levain est un morceau de pâte aigrie qui, mêlée à la pâte, la fait lever et fermenter. Vous rappelez-vous le geste de nos grand-mères quand elles «cuisaient»? Une fois la pâte bien pétrie, elles en prélevaient un morceau qu'elles gardaient pour la prochaine fois. Le levain était la promesse du pain à venir et il était précieux. C'est au début du siècle que ce geste se perdit. Les mères de famille apprirent à utiliser la levure, champignon unicellulaire qui produit la fermentation alcoolique de la pâte en produisant du gaz carbonique à partir de l'amidon. Puis bientôt, elles cessèrent tout simplement de faire du pain... Cet art antique, la fabrication du pain quotidien, venait de mourir, enseveli sous la poussée du modernisme.

Le véritable pain se fait au levain. Il a alors une odeur, une texture, un goût distinctif et il présente certains avantages sur le pain à la levure. Il exige cependant une technique particulière. Il est, à mon avis, difficile à réaliser pour qu'il soit exempt de toute acidité. Persévérons cependant car il est des conquêtes qui illuminent la vie, qui la transforment, qui lui donnent une saveur unique et la rendent si belle. Une vie peut avoir besoin de cette conquête: la fabrication du pain quotidien...

Le pain au levain se fait avec lenteur, patience et douceur. Ce pain travaille. Il lui faut du temps pour élaborer toutes ces substances qui délecteront le palais et nourriront le corps. Il faut compter 8 à 12 heures pendant lesquelles le mystère de cette œuvre nous pénètre de son charme et marque la journée d'une paix joyeuse. Le pain au levain se cuit à feu vif puis moyen pendant une heure et demie. Bientôt un arôme extraordinaire nous avertit que le pain est cuit.

Je vous souhaite de fabriquer votre pain quotidien, et lorsque vous l'aurez fait, je vous souhaite de rendre grâces pour ce pain, de le rompre et de le partager avec vos enfants, vos amis les plus intimes, avec le sentiment de toute l'importance de votre don. Alors ces paroles:

> «*Le pain de Dieu, c'est celui qui descend du ciel et qui donne la vie au monde. Ils lui dirent: Seigneur, donne-nous toujours ce pain. Jésus leur dit: Je suis le pain de vie*[6].»

Oui, ces paroles peut-être perceront votre esprit et l'illumineront. Votre vie ne sera plus jamais la même.

La fabrication du pain

Il demande quelques ustensiles faciles à réunir: un grand bol en vitre ou en terre, une grosse cuillère en bois, un comptoir solide, un bon four.

Le pain se fabrique en ambiance tiède, à l'abri des courants d'air, dans le calme. Il est bon de réunir tous les ingrédients nécessaires à la fabrication du pain sur le comptoir avant de commencer, afin de ne rien oublier. Il est triste de constater, une fois le pain dans le four, que l'on a oublié de le saler!

Il est important, lorsque l'on fait du pain, d'apprendre à fouetter la pâte semi-liquide vigoureusement afin de développer le gluten. Lorsque la pâte est élastique, il faut la pétrir avec application, à pleines mains. Plus elle est pétrie, plus le pain est léger. La meilleure façon d'apprendre à faire du pain est d'en faire avec un ami ou un parent qui en fabrique déjà.

Il y a trois sortes de pain: le pain sans levain qui est le véritable pain antique, le pain au levain et le pain à la levure. Chaque variété de pain a un goût, des qualités et des avantages particuliers. Il est bon, chaque fois que possible, de mélanger plusieurs grains afin d'obtenir un pain véritablement complet et nourrissant. Le mélange céréale-légumineuse est excellent et remonte aux temps anciens. Un texte biblique donne cette recette de pain: «Prends du froment, de l'orge, des fèves, des lentilles, du millet, de l'épeautre, mets-les dans un vase et fais-en du pain[7].» Cet ordre, donné avec sagesse, peut s'exécuter encore à notre époque et certainement avec le plus grand profit. Il est également bon de faire des petits pains plutôt que des gros. La cuisson du pain sera plus facile. Elle sera plus uniforme et complète.

> *«Il faut du soin et de l'intelligence pour faire du bon pain. Il y a plus de religion dans un bon pain qu'on ne le pense généralement[8].»*

Voici maintenant quelques recettes qui vous aideront à fabriquer votre pain quotidien.

Le levain domestique

Mélanger:

2½ tasses de farine très fraîche	2½ tasses d'eau pure chaude
	2 c. à thé de miel

Laisser fermenter le tout dans un endroit chaud à 28°C (80°F) pendant 5 jours. Le levain doit être dans un plat en terre ou en vitre et remué chaque jour avec une cuillère en bois. Une fois prêt, le levain se garde indéfiniment dans le réfrigérateur, pourvu qu'il soit renouvelé chaque semaine. Le levain a une odeur caractéristique de fermenté et a la consistance d'une boue épaisse.

Le pain au levain

En commencer la préparation le soir:

5½	tasses de farine de blé dur	1	tasse de levain
		4	tasses d'eau tiède

Verser le levain sur la farine puis ajouter petit à petit l'eau jusqu'à la formation d'un mélange épais. Le battre vigoureusement. Le laisser reposer dans un endroit chaud, 21°C (70°F).

Le matin, retirer 1 tasse du mélange, l'ajouter au levain et réfrigérer ce dernier. (Ne jamais oublier ce geste afin de conserver le levain).

Ajouter:

¼	tasse d'huile	5 à 6 tasses de farine de blé
1	c. à s. de sel	

Pétrir la pâte avec force, pendant 5 minutes jusqu'à ce qu'elle soit souple. La diviser en 2 et la former en pains. La placer dans des plats huilés. Laisser lever 2 heures. Badigeonner le pain avec de l'eau et l'enfourner dans un four chaud 220°C (425°F) pendant 20 minutes puis à 180°C (350°F) pendant une heure et demie environ. Le démouler et le laisser sur une grille, à l'air ambiant. Ce pain sera meilleur vieilli d'un ou deux jours.

Ce pain est délicieux lorsque l'on substitue aux 5 à 6 tasses de farine de blé que l'on ajoute le matin, 5 à 6 tasses de farine de seigle.

Le pain sans levain

Bien mélanger:

½	tasse d'eau tiède	½	c. à thé de sel
¼	tasse d'huile	1	c. à thé de miel

Ajouter peu à peu en battant vigoureusement:

2   tasses de farine

Lorsque la pâte ne colle plus aux doigts, la pétrir environ 5 minutes. Laisser reposer 1 heure près d'une source de chaleur douce. La retravailler puis la diviser en petites boules que l'on aplatit entre les paumes des mains. Piquer le dessus avec une fourchette et poser les galettes sur une tôle huilée. Laisser reposer encore 30 minutes et cuire à four très chaud 200°C (400°F).

Cette recette de base se multiplie facilement par deux pour obtenir des quantités plus importantes. On peut y ajouter ½ tasse de graines de sésame. Elle se fabrique avec de la farine d'orge, d'avoine ou de seigle avec succès ou encore 1 tasse de farine de blé et une tasse de farine de pois chiches.

Le pain à la levure

Il est simple à réaliser. Il ressemble par sa texture et son volume au pain auquel la majorité des gens sont habitués. Je vous recommande de vous habituer à ce pain avant de chercher à réaliser le pain au levain ou le pain sans levain.

5	tasses d'eau	1	c. à s. de sel marin
2	c. à s. de levure	10	tasses de farine de blé
¼	tasse de miel	2	tasses de farine de soja
¼	tasse d'huile		

Tiédir l'eau. Y ajouter la levure. Laisser reposer 5 minutes. Ajouter le miel, l'huile et le sel. Mélanger les deux farines. Les ajouter tasse par tasse au liquide tout en fouettant. Après 6 tasses, battre 200 coups pour développer le gluten. Continuer à ajouter la farine jusqu'à l'obtention d'une pâte malléable. La laisser reposer 5 minutes puis la pétrir 10 minutes. La mettre dans un grand plat huilé et laisser lever 2 heures. Abaisser, former en 4 pains ou en 16 boules. Les placer dans des moules ou sur des tôles huilés. Laisser lever 1 heure puis cuire dans un four chaud environ 45 minutes à 180°C (350°F). Le pain doit être doré. Le laisser refroidir. (Il est très mauvais de manger du pain chaud). Ce pain se conserve bien au réfrigérateur si vous aimez un pain mou, ou dans une corbeille en osier recouverte d'un linge dans un endroit frais, si vous aimez «casser la croûte».

Petits pains mollets au germe de blé
(muffins)

1¼	tasse d'eau chaude	1	tasse de farine de blé
2	c. à s. de miel	½	c. à s. de farine de soja
2	c. à thé de levure	¾	tasse de raisins secs
1	tasse de germe de blé	1	c. à thé de sel

Mélanger l'eau, le miel et la levure. Laisser travailler 10 minutes. Mélanger tous les ingrédients et remplir des moules à petits gâteaux au ⅔. Laisser lever 10 minutes. Réchauffer le four à 160°C (325°F). Cuire 10 à 20 minutes. Surveiller la cuisson étroitement. Les petits pains ont tendance à brûler.

Petits pains mollets aux dattes
(muffins)

2	c. à s. de levure	3	tasses de farine de blé entier
½	tasse d'eau chaude		
1	c. à s. de miel	½	c. à thé de sel
2¼	tasses d'eau bouillante	2	tasses de flocons d'avoine
1½	tasse de dattes hachées		
		½	tasse de noix hachées

Mélanger l'eau chaude, la levure et le miel. Laisser reposer environ 10 minutes. Verser l'eau bouillante sur les dattes afin de les ramollir. Ajouter le liquide avec la levure au liquide avec les dattes. Saupoudrer la farine et le sel. Fouetter le tout avec une mixette électrique. Ajouter les flocons et les noix. Mélanger. Verser le mélange dans des moules à petits pains. Les remplir au ¾. Laisser lever dans un endroit chaud 30 minutes. Cuire à 180°C (350°F) 20 minutes.

Le pain d'orge

5	tasses de farine d'orge	2	c. à s. de levure
2	tasses de lait de soja chaud	1	c. à s. d'huile
1	c. à s. de miel	1	c. à thé de sel

Dissoudre la levure avec le miel dans le lait chaud. Laisser travailler 5 minutes puis ajouter le sel et l'huile. Ajouter environ 2½ tasses de farine et battre vigoureusement. Ajouter le reste de la farine et faire une pâte élastique. Bien la pétrir. La diviser en deux et la modeler en miches rondes. Laisser lever au double sur une tôle à biscuits. Cuire à 180°C (350°F) pendant 1 heure.

Pain de seigle aux oignons

2	tasses de lait de soja	1	gros oignon haché
¼	tasse de miel	2	c. à s. d'huile
1	c. à s. de sel	3	c. à s. de graines de carvi
2	c. à s. de levure	4½	tasses de farine de seigle
1	tasse d'eau	4	tasses de farine de blé

Réchauffer l'eau. Ajouter le miel puis la levure. Laisser reposer. Ajouter le lait tiédi, l'huile et le sel.

Ajouter l'oignon, le carvi, la farine de seigle. Mélanger et battre. Ajouter la farine de blé. Faire une pâte élastique. Bien pétrir. Laisser lever. Abaisser. Laisser lever à nouveau. Abaisser.

Huiler 3 plats et y placer la pâte formée en trois pains. Laisser lever et mettre à cuire au four, 1 heure à 180°C (350°F).

Le pain d'Ezéchiel

4	tasses d'eau chaude	1	tasse de lentilles germées
1	c. à s. de miel	1	tasse de farine de soja
2	c. à s. de levure	1	tasse de farine de seigle
1	c. à s. de sel	1	tasse de farine d'avoine
3	c. à s. d'huile	4	tasses de farine de blé

Mettre la levure et 1 c. à s. de miel dans une tasse d'eau chaude et laisser reposer. Liquéfier dans le mélangeur les lentilles, l'huile et le sel avec une tasse d'eau chaude. Ajouter à ce mélange 2 tasses d'eau chaude et les farines d'orge, de seigle, de soja et d'avoine. Battre avec vigueur et ajouter la levure. Battre à nouveau et laisser reposer dans un endroit chaud 15 minutes. Ajouter le reste de la farine et fabriquer une pâte élastique. Pétrir avec vigueur 10 minutes. Diviser la pâte en 4 pains et laisser lever dans un endroit chaud 15 minutes. Mettre dans un four à 180°C (350°C) et cuire environ 1 heure. Ce pain a une texture humide. Il ressemble au «pumpernickel» allemand.

La bouillie de blé

Pour une personne:

4	c. à s. de farine de blé fraîche	½	tasse d'eau une pincée de sel

Diluer la farine dans un peu d'eau et verser le mélange dans l'eau prête à bouillir. Remuer vigoureusement pour éviter la formation de grumeaux. Cuire jusqu'à consistance épaisse. Retirer du feu et ajouter du miel ou du malt, des raisins secs et des amandes grossièrement moulues.

Cette bouillie se prépare également avec de la farine d'orge, d'avoine ou de millet. C'est un petit déjeuner très nourrissant.

Galettes de blé aux bananes

2	tasses de lait de soja	1	c. à s. de miel
1½	tasse de farine de blé	1	œuf battu
	une pincée de sel	2	bananes râpées
2	c. à s. d'huile		

Bien mélanger. Laisser reposer 1 heure puis confectionner les galettes en versant ¼ tasse du mélange dans une poêle huilée.

Pain de fruit

½	c. à thé de sel	2	tasses de lait de soja chaud
3	c. à s. d'huile	1	c. à s. de levure
5	tasses de farine de blé	1	c. à s. de miel

Dissoudre la levure dans le lait. Ajouter l'huile, le sel et le miel. Ajouter 2 tasses de farine et battre vigoureusement. À ce moment ajouter:

1	tasse de dattes hachées	1	c. à thé de vanille
1	tasse de raisins secs	1	c. à thé de coriandre moulue
1	tasse d'amandes effilées		
1	tasse d'abricots hachés		
1	tasse de figues hachées		

Bien mélanger et ajouter le reste de la farine. Fabriquer alors une pâte élastique. Bien la pétrir et la laisser lever. Abaisser la pâte. La diviser en 2 pains. Les mettre dans des moules huilés et laisser lever encore 1 heure. Cuire à 180°C (350°F) environ 45 minutes.

Pâte à tarte facile

1	tasse de farine	¼	tasse d'huile
	une pincée de sel	3	c. à s. d'eau

Verser la farine et le sel dans un plat à tarte moyen et l'étaler avec une fourchette. Bien émulsifier l'eau et l'huile ensemble et verser le liquide aussi également que possible sur la farine. Mélanger très intimement le liquide et la farine. Étaler avec les doigts. Cette pâte se fait directement dans le plat et évite l'emploi du rouleau. Elle ne durcit pas.

1. Williams J. Roger, *Nutrition Against Disease*, Bantam Books, New York.

2. There is Poison in the Bread You Eat, article publié dans le *National Examiner*, Montréal, Canada, le 18 janvier 1971.

3. Professeur Delbet, *L'agriculture et la santé*, p. 55.

4. Deutéronome 24 (6).

5. Alexis Carrel, *L'homme, cet inconnu*, 362e mille, p. 22.

6. Jean 6, (33-35).

7. Ezéchiel 4 (9).

8. E. G. White, *Conseils sur la nutrition et les aliments,* p. 374.

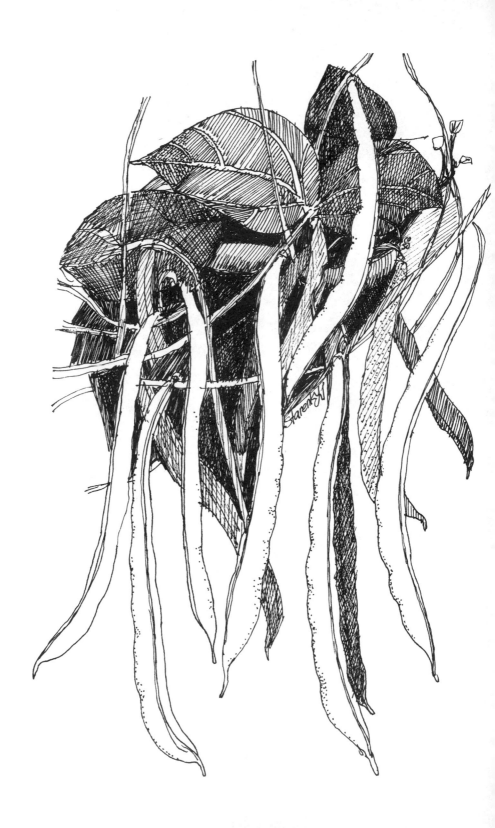

13

Les légumineuses

*« Alors Jacob donna à Esaü du pain
et du potage de lentilles¹. »*

Les légumineuses sont peu prétentieuses,
discrètes. Elles aiment garnir la table du pauvre et du sage
de tous les pays. Elles savent, en retour de l'intérêt qu'on leur
porte, offrir généreusement leurs bienfaits. Elles ont malheureusement été peu à peu et de plus en plus négligées et même
méprisées au profit de la viande. Pourtant ce changement de
goût s'est fait aux dépens de la santé de l'homme.

Les légumineuses ont toujours été considérées comme une
source protidique végétale de première qualité. L'expérience
de nombreux peuples dont elles sont la base de l'alimentation
le prouve. Les légumineuses, quelles qu'elles soient, ont su
bâtir des hommes et des femmes robustes. La France a ses
haricots blancs, l'Angleterre a ses fèves rognons, l'Espagne
et l'Amérique latine ont leurs flageolets, les Arabes ont leurs
pois chiches, l'Inde a ses multiples variétés de lentilles, la
Chine et le Japon ont leurs fèves de soja. Chacun de ces peuples
a instinctivement associé à ces légumineuses une céréale qu'il
a appris à manger simultanément. Ainsi les Français et les
Anglais mangent du pain brun avec leurs fèves, les Espagnols

et Américains latins du maïs sous forme de polenta et de tortillas, les Arabes du coucous (blé concassé ou en semoule), les Indiens, les Chinois et les Japonais du riz.

Cette association légumineuse-céréale est non seulement égale à la viande sur le plan des protéines mais en tant qu'aliment de base, elle lui est très supérieure. Voici comment:

— Les légumineuses sont des aliments cultivés à peu de frais et qui n'entraînent pas un appauvrissement du sol. Au contraire, elles l'ameublissent et l'enrichissent en azote, en particulier. Elles sont les aliments les plus abondants de la nature et les moins chers. Elles sont dépourvues, en général, de produits chimiques et toxiques. Par contre la viande coûte cher à produire, elle est chère à acheter et est chargée de toxines animales et médicamenteuses. Il faut grosso modo trois fois plus de terre pour produire de la viande que pour produire des végétaux.

— Les légumineuses sont idéales pour ceux qui surveillent leur poids. 100 grammes de légumineuses fournissent seulement 118 calories alors que 100 grammes de steak grillé en donnent 465. De plus, cent grammes de légumineuses savent calmer la faim et nourrir alors que cent grammes de viande peuvent à peine le faire. Elles sont donc doublement économiques: elles le sont à l'achat et à la consommation. On ne peut en dire autant de la viande.

— Les légumineuses amènent avec leurs protéines des hydrates de carbone complexes qui assurent une énergie constante et soutenue pendant plusieurs heures. La viande n'a pas d'hydrates de carbone. Elle n'est donc pas une source d'énergie directe. Elle est plutôt stimulante à cause des nombreux excitants qu'elle contient.

— Les légumineuses sont pauvres en graisses. La plupart d'entre elles en ont moins de 2%. Elles sont peu saturées et riches en acides linolénique et linoléique. La viande est très riche en graisses qui sont largement saturées.

— Les légumineuses accompagnent leurs protéines, leurs hydrates de carbone et leurs graisses de nombreux minéraux, en particulier le calcium, le phosphore, le magnésium et le

fer et de vitamines, en particulier les vitamines B. La viande
est un aliment déficient en vitamines et en minéraux.

— L'immense variété des légumineuses permet une cuisine
dont la monotonie est bannie. Variété de formes, de couleurs,
de goûts, de présentations!... Il n'y a qu'à avoir un peu
d'imagination.

— Les légumineuses sont faciles à stocker, prennent peu
de place et se conservent très bien pendant un an. (Plus vieilles,
elles perdent de leur valeur nutritive). Elles sont particulièrement jolies dans des pots de vitre bien fermés et placés dans
un endroit frais et sombre. Elles ne nécessitent ni congélation
ni réfrigération et permettent ainsi de sauver de l'énergie et
donc de l'argent.

— Les légumineuses sont utiles dans le traitement des
maladies du métabolisme des sucres comme le diabète et l'hypoglycémie. Leur richesse en fibres (½ tasse de haricots secs
cuits fournit 11 g de fibres alors que ½ tasse de son ne fournit
que 7,9 g de fibres) permet une conversion extrêmement lente
des hydrates de carbone en glucose et n'entraîne pas d'élévation
des taux sériques de glucose et d'insuline. Le docteur J.W.
Anderson[2] a démontré que le contrôle du diabète était énormément facilité par un régime riche en céréales complètes et
en légumineuses. De nombreux diabétiques qui devaient recevoir entre 20 et 30 unités d'insuline par jour, pouvaient
abandonner cette médication après quatre semaines d'un régime dont 70% des calories étaient sous forme d'hydrates de
carbone complexes riches en fibres (céréales intégrales, légumineuses, pois, légumes-feuilles).

— Les légumineuses lorsqu'elles forment la base du régime
ont aussi la capacité de réduire les taux de cholestérol sériques
de 20% en trois semaines[3].

Cependant malgré tous ces avantages, la majorité des
gens hésitent à les employer pour deux raisons principales:
elles sont longues à cuire, dit-on, et difficiles à digérer. Qu'en
est-il?

La durée de cuisson des légumineuses dépend a) de la
variété employée, b) de la méthode de cuisson, c) de la forme
sous laquelle on les emploie.

a) Les lentilles cuisent très vite et sont un aliment par excellence pour la personne moderne pressée. Elles cuisent en 60 minutes et ne nécessitent pas de trempage au préalable. Les pois chiches demandent plusieurs heures de cuisson après plusieurs heures de trempage.

b) Pour cuire les légumineuses plus rapidement il faut les tremper au préalable. Si l'on oublie de les faire tremper on peut encore les préparer assez rapidement en employant la méthode suivante: Les laver et les jeter doucement dans quatre fois autant d'eau bouillante. Veiller à ce que l'eau ne cesse pas de bouillir. Une fois que toutes les légumineuses ont été versées, les mettre à mijoter à feu doux afin d'éviter que leurs protéines ne durcissent. Ne jamais ajouter de bicarbonate de soude car ce produit détruit un certain nombre de vitamines B. Les matières grasses recouvrent les légumineuses et empêchent l'eau d'y pénétrer. L'acidité présente dans la mélasse et les tomates les durcissent. Le sel cherche à attirer l'eau hors des légumineuses. Il faut ajouter ces éléments seulement en fin de cuisson.

c) Les légumineuses, sous forme de farine ne demandent que quelques minutes de cuisson et permettent la préparation rapide d'une foule de plats savoureux.

Les difficultés qu'ont les gens à digérer les légumineuses tiennent en partie aux méthodes de préparation. Les grandes quantités de gras (lard) employées sont responsables de nombreuses indigestions. La cuisine végétarienne emploie de l'huile ajoutée en fin de cuisson. Les gaz dont souffrent certaines personnes peuvent être évités. Il faut rejeter l'eau de trempage puis recouvrir les légumineuses d'eau bouillante, cuire 30 minutes et rejeter également cette eau. Après avoir ajouté à nouveau de l'eau fraîche on termine la cuisson. Cette méthode élimine les trisaccharides responsables de la flatulence mais elle entraîne aussi une certaine perte de quelques vitamines B. On les remplace en ajoutant deux cuillères à soupe de levure alimentaire, avant de servir. D'autre part, le fait de consommer les légumineuses sous forme de farine ou de purée, évite ce problème. Les graines de cumin ou de fenouil incorporées aux plats de légumineuses les parfument et empêchent la flatulence.

Finalement, le mal que l'on dit des légumineuses, (comme des noix), tient au fait qu'on en mange généralement trop (elles sont tellement bonnes!) et en mauvaises combinaisons. Il faut garder à l'esprit que ces légumineuses sont des aliments très concentrés. Il faut donc les manger avec modération. Il faut également éviter de manger à un même repas des légumineuses et d'autres aliments protidiques concentrés tels que les œufs, le fromage, la viande. Il faut associer les légumineuses aux céréales et aux légumes. Allez-y! retrouvez le fumet des plats d'autrefois: ragoûts ou soupes, on y trouvait toujours des fèves.

Les lentilles sont brunes, ou rouges. Ces dernières cuisent en quinze minutes environ et sont délicieuses en soupe. Les lentilles brunes cependant sont plus nourrissantes et permettent une grande variété de plats. Elles sont particulièrement riches en fer (9 mg%) et en vitamines B. Pour éviter que la cuisson ne rendent les lentilles trop foncées, on peut faire cuire en même temps une pomme de terre entière moyenne et pelée.

Les haricots secs ou blancs sont les plus communément employés, avec les fèves rognons, dans notre pays. Le docteur Schneider souligne à leur égard: «Le véritable intérêt diététique du haricot blanc réside dans sa haute teneur en amide de l'acide nicotinique (3 à 7,5 mg %). On sait que l'acide nicotinique constitue un composant obligatoire d'une série d'enzymes nécessaires à l'hydrolyse des hydrates de carbone, des acides gras et des alcools; de plus il stimule les jeunes hématies (réticulocytes), d'où son utilité dans les anémies, et l'on a également observé qu'il favorisait les fonctions normales des organes digestifs, de la peau et du système nerveux[4].» Trève de grands mots! Le haricot sec mérite de figurer régulièrement au menu. Il saura favoriser votre santé.

Les pois chiches sont des légumineuses versatiles qui permettent la fabrication d'une foule de plats très riches en protéines (17 à 23%) et en minéraux, particulièrement en magnésium, fer, calcium et phosphore. Sa coriacité décourage en général les fins gourmets, mais sous forme de purée ou de farine, il est délicieux. «Les anciens attribuaient aux pois chiches une action diurétique, emménagogue et aphrosidiaque. Il servait aussi de cosmétique. Au Moyen Âge, on l'administrait contre les calculs.»

Les fèves de Lima sont délicieuses. Leurs protéines sont d'une haute valeur biologique. Voilà une analyse de leur valeur nutritive: 30g de fèves cuites fournissent: 30 U.I. de vitamine A; 23,1mg de calcium; 104,1mg de phosphore; 2,1mg de fer. Elles sont très riches en vitamines B. Elles ne nécessitent pas beaucoup de trempage et cuisent relativement vite.

Les fèves de soja: Nous leur consacrons un chapitre. Ces fèves sont appelées par Adelle Davis «un véritable substitut de viande». En effet, contrairement à toutes les autres légumineuses, elles sont pauvres en hydrates de carbone sous forme d'amidon mais très riches en protéines (35 à 40%). Elles sont délicieuses sous forme de croquettes, pâtés faits à partir de la fève trempée et mise en purée. Les fèves de soja vertes sont aussi délicieuses que de frais petits pois.

Les fèves mung et azuki nous viennent de l'Asie. Les fèves mung se consomment particulièrement germées. Les fèves azuki se préparent comme des lentilles et ont un goût très agréable.

Les arachides sont des légumineuses. Elles sont riches en calories, protéines, phosphore, thiamine et niacine. Le beurre d'arachide est un excellent produit pourvu qu'il soit pur, exempt de sel, de sucre et d'huiles hydrogénisées. Sous forme de farine, l'arachide remplace très bien la farine de blé dans les biscuits, bouillies et gâteaux. L'arachide ne doit pas être consommée crue mais rôtie à sec sans huile ni sel. Il ne faut pas dédaigner la peau brune car elle aurait la propriété de prévenir la carie.

Soupe aux lentilles

1	tasse de lentilles brunes	4½	tasses d'eau bouillante
¼	tasse de riz complet	2	feuilles de laurier
1	oignon haché	4	gousses d'ail
2	carottes en cubes	2	c. à s. de sauce de soja
½	tasse de chou de siam en cubes		sel, basilic, au goût

Mélanger tous les ingrédients excepté l'huile et la sauce de soja. Faire cuire, après avoir donné un bouillon, à feu doux pendant environ 60 à 90 minutes. Juste avant de servir, ajouter l'huile, la sauce de soja et du persil frais haché ou des germes de luzerne.

Salade de lentilles

Faire gonfler 1 tasse de lentilles brunes dans 2 tasses d'eau froide pendant une nuit. Les mettre à cuire à l'eau froide non salée. Les laisser cuire à doux bouillonnements. Ajouter en cours de cuisson ¼ tasse de céleri haché très fin et saler à la fin de la cuisson. Égoutter les lentilles et garder l'eau pour un potage ou un consommé. Les arroser d'un peu d'huile d'olive et de jus de citron. Les saupoudrer de persil frais et d'échalotes hachées.

On peut garnir le plat de tranches de tomates mûres assaisonnées à l'ail. Servir accompagné de verdures et de pain de seigle à l'oignon. C'est un repas complet et économique.

Cette recette se confectionne de la même manière avec des pois chiches.

Pâté de lentilles

2	tasses de lentilles cuites	½	tasse d'oignon haché fin
¼	tasse de millet cuit	½	tasse de céleri haché fin
½	tasse de graines de tournesol moulues	½	c. à thé de sauge
			sel, basilic, au goût
¼	tasse de levure alimentaire	2	c. à s. de farine de riz

Faire revenir l'oignon et le céleri dans un peu d'huile. Les incorporer aux autres ingrédients. Bien mélanger le tout et le verser dans un plat en pyrex huilé. Cuire au four à 180°C (350°F) 20 à 30 minutes. Servir garni d'amandes effilées et grillées, accompagné d'une sauce aux tomates.

Fèves de soja vertes

Cueillir des gousses de soja vertes et les jeter dans de l'eau bouillante 5 minutes. Drainer l'eau. Écaler les fèves en pressant le contenu comme on presse un tube de dentifrice. Les cuire alors dans une petite quantité d'eau. La cuisson varie de 15 à 30 minutes. Les fèves restent fermes. Les apprêter comme des petits pois, en salade, en soupe, en sauce.

Soufflé de soja

1	tasse de fèves de soja sèches	2	c. à thé de sel
3	tasses d'eau	½	tasse de persil frais haché
3	c. à s. d'huile	½	tasse de céleri haché
1	c. à s. de sauge		

Faire tremper les fèves environ 2 jours dans le réfrigérateur. Les liquéfier dans le mélangeur avec 3 tasses d'eau. Ajouter au mélange le reste des ingrédients. Verser le tout dans un plat en pyrex de peu de profondeur. Cuire à 180°C (350°F) environ 1 heure. Servir avec une sauce aux tomates ou des légumes cuits à la vapeur.

Gourganes aux carottes

Mettre les gourganes trempées la veille sur le feu dans de l'eau tiède et cuire doucement avec un bouquet de persil, de thym et de sariette, jusqu'à ce qu'elles soient tendres.

Vers le milieu de la cuisson, ajouter 1 ou 2 oignons coupés en gros morceaux et 5 à 6 carottes débitées en tranches. Laisser cuire encore 30 à 40 minutes. Saler en fin de cuisson. Retirer du feu et arroser d'huile.

Haricots secs à la maître d'hôtel

Cuire dans l'eau pendant environ trois heures, les haricots secs trempés la veille. Saler et retirer du feu. Égoutter l'eau si nécessaire et la garder pour un bouillon. Verser chaud dans une cocotte avec:

1	c. à s. d'huile		le jus de ½ citron
2	c. à s. de beurre de sésame	2	c. à s. de levure alimentaire

Mélanger délicatement. Garnir de persil haché et servir immédiatement.

Haricots secs aux tomates

Mettre dans une cocotte:

2	c. à s. d'huile	3	gousses d'ail
1	oignon haché		du thym, de la sarriette, du
2	feuilles de laurier		persil

Faire revenir légèrement le tout.

Ajouter 4 grosses tomates bien mûres coupées ou à défaut, 2 c. à s. de pâte de tomate. Verser alors les haricots secs trempés la veille après les avoir rincés. Ajouter de l'eau fraîche. Faire partir à feu vif puis laisser mijoter pendant environ 3 heures. Saler en fin de cuisson. Ajouter un peu d'huile, du persil frais. Les haricots doivent être tendres mais ne pas se briser.

Ces deux dernières recettes se confectionnent très bien avec des fèves de Lima.

Soupe aux haricots et au sarrazin

½	tasse de haricots secs	1	c. à thé de basilic en
½	tasse de sarrazin en		poudre
	grains	1	c. à thé de persil séché
4	oignons moyens hachés	8	grosses tomates
2	poivrons verts hachés	1	feuille de laurier
5	gousses d'ail pilé	1	c. à thé de sel

Faire tremper les haricots et le sarrazin, la veille, et les cuire ensemble dans 4 tasses d'eau. D'autre part faire revenir dans une grande casserole les oignons, le poivron et l'ail avec un peu d'huile. Ajouter le basilic, le persil et continuer à faire sauter. Ajouter les tomates, la feuille de laurier. Couvrir et laisser mijoter quelques minutes. Ajouter un peu d'eau de cuisson des fèves et du sarrazin si le mélange devient trop épais. Ajouter 2 tasses de verdures coupées en lanières, les haricots et le sarrazin avec leur eau de cuisson. Cuire 5 minutes. Ajouter le sel et encore des échalotes hachées juste avant de servir. C'est un repas complet dans un seul pot.

Purée de pois chiches

Faire tremper ½ tasse de pois chiches la veille. Les faire cuire dans suffisamment d'eau pour les couvrir. Les amener à ébullition puis laisser mijoter jusqu'à ce qu'ils soient tendres. (Environ 5 heures). Rajouter de l'eau si nécessaire afin de garder les pois recouverts de liquide.

Liquéfier dans le mélangeur:

½	tasse de jus de citron	1	c. à thé de sel
3	gousses d'ail		

Ajouter:

1½	tasse de pois chiches cuits	½	tasse d'eau de cuisson

Passer en purée graduellement. Ajouter 4 c. à s. de graines de sésame moulues et mélanger. Verser la purée sur un plat peu profond et garnir de persil haché frais, de quelques pois entiers et de graines de sésame entières. Bon chaud ou froid.

Crêpes aux pois chiches

⅔	tasse de farine de pois chiches	2	c. à s. d'huile
¾	tasse d'eau		une pincée de sel

Bien mélanger. Laisser reposer 1 heure et confectionner les crêpes. Servir avec du riz aux olives noires et une salade de verdure.

Pâté de pois chiches

2	tasses de pois chiches trempés	1	tasse de champignons hachés
1½	tasse de fèves de soja trempées	2	c. à s. sauce de soja
1	gros oignon haché	¼	tasse de levure alimentaire
			sel, sauge, basilic

Liquéfier les pois chiches (trempés la veille) dans le mélangeur avec ¾ tasse d'eau. Liquéfier les fèves de soja (trempées la veille) avec ½ tasse d'eau. Mélanger les pois chiches et les fèves de soja. Faire sauter l'oignon et les champignons. Ajouter la levure, les assaisonnements et la sauce de soja. Mélanger tous les ingrédients et verser dans un plat en pyrex rectangulaire. Cuire au four environ 40 minutes à 180°C (350°F).

Tranches rôties aux pois chiches

4	tasses de farine de pois chiches	1	c. à thé de persil séché
6	tasses d'eau	1	c. à thé de graines de fenouil
1	c. à thé de sel		

Mélanger l'eau et le sel, le persil et les graines et verser le tout dans une casserole. Sur un feu doux, tiédir le liquide. Incorporer graduellement et délicatement la farine tout en remuant continuellement afin d'éviter que le tout n'attache ni ne forme des grumeaux. Continuer à remuer jusqu'à épaississement de la farine et jusqu'à ce que le mélange devienne épais et commence à former une masse qui se décole des bords de la casserole. Verser alors immédiatement dans des plats à pâté en pyrex et mettre au réfrigérateur pour que la masse prenne forme.

Après 6 à 12 heures, démouler et couper en tranches très minces. Les rôtir dans une poêle huilée jusqu'à ce qu'elles soient dorées. Servir chaud et saupoudrer de graines de sésame moulues.

Fèves de Lima aux noix

1½	tasse de fèves de Lima sèches	¾	tasse de noix hachées
2	oignons hachés très finement	6	gousses d'ail
			sel, persil, paprika

Faire tremper les fèves de Lima la veille. Les cuire ensuite dans suffisamment d'eau jusqu'à ce qu'elles soient tendres. À ce moment ajouter le reste des ingrédients. Laisser mijoter encore 5 minutes. Ôter du feu et laisser reposer 5 à 10 minutes avant de servir.

Fèves de Lima et carottes

6	carottes moyennes	3	c. à s. de persil haché frais
2	c. à s. de farine		
2	c. à s. d'huile	1	tasse de mie de pain assaisonnée
1	tasse de fèves de Lima		
			sel, basilic, au goût

Faire tremper les fèves de Lima la veille. Leur donner un bouillon dans 2 tasses d'eau. Couvrir et laisser reposer. Cuire les carottes entières à la vapeur. Les mettre en purée avec la farine, l'huile et les assaisonnements. Terminer la cuisson des fèves. Les écraser lorsqu'elles sont tendres. Les assaisonner. Mélanger les carottes et les fèves dans un plat allant au four. Les recouvrir de mie de pain assaisonnée et laisser griller quelques minutes au four.

Burgers aux fèves rouges

2	tasses de fèves rouges cuites	2	c. à s. d'huile
⅔	tasse de graines de tournesol moulues	4	c. à s. de pâte de tomate
		½	tasse de gruau cuit
¼	tasse d'oignons grillés		sel, thym et laurier

Mettre les fèves en purée. Ajouter le reste des ingrédients. Former en pâtés et les rôtir au four 20 minutes à 180°C (350°F).

Servir entre des tranches de pain à burgers (de blé entier) avec des rondelles d'oignons et des tranches de tomates.

Biscuits au beurre d'arachide

½	tasse de beurre d'arachide non hydrogéné	½	c. à thé de vanille
			une pincée de sel
¼	tasse de miel	1¼	tasse de farine de blé
¼	tasse d'huile	¼	tasse d'eau

Bien mélanger tous les ingrédients. Les verser à la cuillère sur une tôle. Les aplatir à la fourchette. Cuire à 180°C (350°F) 10 minutes.

Bouillie à la farine d'arachide

2½ tasses d'eau
½ tasse de farine de blé
¾ tasse de farine d'arachide

½ tasse de raisins secs
3 c. à s. de miel
une pincée de sel

Mélanger sans faire de grumeaux l'eau et les farines. Cuire à feu doux en remuant continuellement, environ 20 minutes. En fin de cuisson, ajouter les raisins, le miel et le sel. Servir chaud avec un peu de lait si désiré.

1. Genèse 25 (34).

2. Anderson J. W., *Can. Med. Assoc. J.*, 123: 975-979, 1980.

3. Ibidem.

4. Dr E. Schneider, *La Santé par les aliments*, p. 103.

14

Une vache dans votre cuisine

Notre chèvre s'appelait Mourka. Nous l'avions achetée pour cent dollars avec ses deux petits qui devaient être des chevrettes mais qui, plus tard se révélèrent être deux boucs. Notre naïveté de citadin en mal de vie campagnarde avait été bien exploitée. Peu importe, nous ne perdîmes pas courage et c'est avec beaucoup d'admiration et d'espoir que nous passions de longs moments à la regarder brouter et gambader. En effet, Mourka devait nous fournir quantité de lait frais qui se transformerait en fromages succulents, en beurre doux, en crème et que sais-je encore? Pour le moment, il semblait que ses deux petits lui prenaient tout son lait et c'est avec peine et misère que j'arrivais à lui traire une tasse de lait par jour. Mourka était une véritable chèvre: capricieuse, orgueilleuse, têtue, indomptable. Elle développa très vite une préférence très nette pour mon mari et refusa de se faire traire par moi. J'avais beau la supplier, la caresser, la menacer, pleurer devant elle, elle restait résolument assise sur son derrière et refusait de se lever. Mon mari prit alors la relève. Ah! la malicieuse petite chèvre! Elle se laissait faire sans dire un mot, la tête penchée sur son épaule. Cependant elle ne donnait pas plus de lait. L'hiver vint. Elle tarit. Pour cette année on ne connaîtrait pas beaucoup le véritable goût du fromage de chèvre de fabrication maison ... Peu importe, le printemps viendrait, et avec lui de nouveaux petits (cette fois ce serait certainement des chevrettes) et naturellement il y aurait beaucoup de lait.

Oui, le printemps vint et notre cauchemar commença. Mourka n'aimait plus l'herbe. Il lui fallait de tendres pousses d'arbres, nos fleurs, nos magnifiques plants de choux, nos laitues. Nous avions beau l'attacher, elle arrivait toujours à se détacher et nous la retrouvions paisible, ruminant au milieu de notre jardin. Les yeux mi-clos, l'air si innocent, elle tournait fièrement la tête en direction de nos cris, insultée de voir chez nous tant d'émoi... Nous pleurions et pris de panique nous resemions laitues, carottes, choux... Nous ne voulions pas l'avouer mais nous commencions à en avoir assez. Nous avions alors un gros bouc, Mourka, deux petites chevrettes, Bambi et Princesse, et trois nouvelles chèvres blanches; une tasse de lait par jour; une propriété qui, à ce rythme-là, ressemblerait bientôt à un désert; des soucis, des angoisses et un esclavage quotidien.

Un matin après une nuit d'orage nous trouvâmes Mourka pendue à sa chaîne... Quelque temps plus tard nous amenions tout ce troupeau à la ferme de mes beaux-parents. Il a grandi, s'est fortifié et produit maintenant une bonne quantité de lait que ma belle-mère transforme allègrement en fromage et beurre. Mais les soucis et l'esclavage sont là: 8h00, 17h00, il ne faut jamais dévier de cet horaire et vivre à travers les chèvres et entre leurs besoins... Pour nous qui avions une vie publique et sociale importante, cela était intolérable. De plus, quel rituel pour aller à la grange: il fallait changer de vêtements, en revêtir d'autres, se changer à nouveau et anxieusement se laver et se parfumer. Vous le savez très bien: sentez le tabac, le gin ou l'essence à plein nez et cela ne posera pas de problème mais que l'on détecte sur vous la moindre odeur de grange (ou d'ail) et vous voilà stigmatisé... Cela n'est pas permis. Non, non. Oh! l'horreur de tous ses sourcils froncés, de ces nez dédaigneusement relevés... Décidément il nous fallait une autre solution. Une solution simple, économique, moins encombrante, peu exigente. Une solution sans bruit, sans odeur, sans horaire, sans saison. Une solution saine, délicieuse et nourrissante. Une solution pour la campagne mais aussi pour la ville: car le citadin peut posséder le plus gros chien connu mais pas la moindre petite chèvre, tous les chats qu'il veut mais pas une seule petite poule...

Un jour, au hasard de mes lectures, je la découvris: le soja. Cette petite légumineuse jaune, toute insignifiante eut sur moi l'effet d'une bombe. J'en tirai un lait au goût agréable, de la crème, du fromage, du beurre, sans compter d'innombrables pâtés, pains, biscuits... J'avais maintenant l'assurance d'être vraiment indépendante, et du magasin et de la grange: j'avais une vache dans ma cuisine.

Qu'est-ce que le soja?

Le soja ou soya est une légumineuse (glycine hispida soja) en provenance des régions chaudes de la Mandchourie. Il semble y être cultivé depuis plusieurs millénaires. Le soja, appelé aussi pois chinois, est étroitement associé à l'histoire de ce peuple. Il est en Chine depuis toujours, la légumineuse la plus cultivée et ainsi presque l'unique source de protéines de ce peuple qui ne consomme ni œufs, ni lait, ni fromage, ni viande. Il n'est pas surprenant de lire que certains historiens attribuent l'existence et la survivance de ce peuple à l'utilisation du soja. Le docteur A. A. Howath n'a pas hésité à écrire que «la nation chinoise existe aujourd'hui grâce à l'utilisation du soja comme aliment».

Le premier Européen à s'intéresser à cette légumineuse fut, en 1705, un botaniste anglais Dole, et la première étude scientifique sur le soja a été faite en Allemagne en 1712 par Englebert Kampfer. En 1873, le professeur Frederich Habenlandt s'occupait sérieusement d'introduire cette culture en Autriche. Aux États-Unis, l'implantation de la fève de soja eut lieu en 1804 mais ce n'est qu'à partir de 1880, que ce pays entrevit l'utilité de cette légumineuse dans l'alimentation humaine. Aujourd'hui, la production annuelle du soja atteint des millions de kilogrammes. La majeure partie de cette récolte est destinée aux aliments concentrés pour animaux; une autre partie l'est à l'industrie et une autre à l'alimentation humaine (substituts de lait animal pour bébés, farines, huile). Des autorités américaines n'hésitent pas à nommer le soja «l'or du sol», «la fève miraculeuse»[1].

En fait pourquoi tant d'enthousiasme de la part du monde occidental, tant de vénération de la part du monde oriental? Une analyse de la valeur nutritive de cette légumineuse répond immédiatement à cette question.

Les protéines de la fève de soja

Les protéines du soja sont très importantes et se retrouvent dans une proportion variant de 34% à 46%, la valeur moyenne étant de 40%. Quantitativement la fève de soja fournit deux fois plus de protéines que la viande et le poisson, trois fois plus que les œufs, et onze fois plus que le lait. Si les nutritionnistes admettent que le soja contient une très grosse proportion de protéines, ils n'ont pas toujours accepté que la *qualité* de ces protéines était adéquate, capable de promouvoir une croissance optimale et possédant tous les acides aminés nécessaires à la croissance. Or les études récentes faites à ce sujet ne permettent plus de doute. Le Département américain de l'Agriculture l'affirme: la fève de soja possède tous les acides aminés indispensables dans l'alimentation humaine et cela dans des proportions presque maximales[2]. Théoriquement et pratiquement dans le cas de la race chinoise, la fève de soja peut, à elle seule, entretenir et promouvoir la vie et la croissance pendant une longue période de temps. L'association d'une céréale (blé, riz, avoine) au soja rend sa valeur protidique biologique encore plus forte et au-dessus de tout soupçon. La fève de soja, dans le cadre d'un régime végétarien, peut obtenir une place de choix. Cependant il faut se méfier d'une tendance possible à ne voir une source de protéines végétales que dans le soja et à faire du soja *la* source protidique végétarienne comme la viande est la source protidique du régime omnivore. N'oubliez pas qu'un principe de base du végétarisme équilibré est la *variété* dans l'utilisation des aliments. Certes le soja et le riz ont suffi à soutenir un peuple nombreux et fort pendant et depuis des millénaires, mais pour nous Occidentaux, habitués à la variété, à la diversité, ne nous privons pas indûment. Répétons que la fève de soja est extrêmement nutritive. De ce fait, une consommation excessive et souvent exclusive de cet aliment peut être nuisible.

Les Chinois consomment essentiellement le soja sous sa forme hydrolysée: Les fèves sont toujours longuement trempées et amorcent ainsi un début de germination ou elles sont carrément germées. Elles sont ensuite cuites avec soin et préparées en une variété de mets souvent très compliqués. Ce procédé est essentiel car il détruit le facteur antitrypsine propre aux légumineuses crues qui bloque la trypsine, cette enzyme pancréatique assurant la transformation des protides en acides aminés fondamentaux qui serviront à la construction des protéines spécifiques de l'individu.

Les Occidentaux préfèrent employer le soja sous forme de farine. Ainsi il peut être incorporé à presque n'importe quel plat, pain ou biscuit et l'enrichir subtilement à peu de frais. Un kilogramme de farine de soja dégraissée égale en contenu protidique 2 kg de viande sans os, 6 douzaines d'œufs, 16 litres de lait, 2 kg de fromage[3].

Dans un monde menacé par la famine, il est intéressant de noter que les protéines du soja sont faciles à obtenir en abondance. Sur un hectare de terre, on peut produire 50 fois plus de kilogrammes de protéines de soja que de protéines de bœuf. Il faut 100 heures de travail pour produire 20 kg de protéines de bœuf alors que dans le même temps on produira plus d'une tonne de protéines de soja[4]. Or, répétons-le ces protéines ont une bonne valeur biologique s'apparentant très étroitement aux protéines animales et sont capables, lorsqu'elles sont correctement germées et cuites, de promouvoir une croissance harmonieuse chez l'enfant.

Les hydrates de carbone de la fève de soja

Comparé aux céréales et aux autres légumineuses, le soja est pauvre en hydrates de carbone. Il ne peut donc remplacer les céréales dans un régime équilibré. Cette pauvreté fait du soja une source inadéquate de glucose.

Les vitamines et minéraux de la fève de soja

Les minéraux sont abondants et particulièrement le potassium, le calcium, le phosphore, le fer et le magnésium. Il y a 20 fois plus de calcium dans le soja que dans les pommes de terre, 12 fois plus que dans la farine de blé, 5 fois plus que dans les œufs et 26 fois plus que dans le bœuf[5]. Le soja contient aussi beaucoup de fer utilisable dans une proportion de 80% (à titre d'exemple le fer des épinards n'est utilisable qu'à 20%). Par contre le sodium et le chlore sont peu abondants, ce qui compte dans un régime sans sel.

Les vitamines dans la fève de soja sont présentes en bon nombre et selon le degré de maturité de la fève, verte ou sèche, on les retrouve toutes. La fève fraîche ou verte contient les vitamines A et C que la fève sèche n'a pas. Cependant chez la fève sèche toutes les vitamines B sont abondantes. Par exemple, le livret N° 8 du Département de l'Agriculture des États-Unis énumère environ 700 aliments et en donne la composition. Au niveau de la vitamine B_1 seuls deux aliments dépassent la fève de soja: le germe de blé et la levure alimentaire. La germination de la fève sèche permet d'accroître sensiblement le taux de vitamine A, des vitamines B, et développe les vitamines C et E. La fève de soja est une source végétale de vitamine B_{12}. De plus, une étude conduite par le docteur Wolfang Tiling a démontré que les enfants nourris exclusivement de lait de soja excrétaient dans leurs urines et dans leurs matières fécales de la vitamine B_{12}. Ils devaient donc la synthétiser dans leurs intestins.

Les graisses de la fève de soja

La graisse du soja est dépourvue de cholestérol et forme 20% de son poids. Elle est riche en acides gras non saturés (vitamine F) et comporte 3% de lécithine. Le soja est l'aliment le plus riche en cette substance, juste après le jaune d'œuf. On sait que la lécithine nourrit la cellule nerveuse et prévient la dégénérescence de la cellule hépathique.

Pour terminer, le soja provoque dans le corps une réaction alcaline. On sait qu'un excès de bases dans l'organisme favorise la rétention des protéines et est un facteur antifatigue puissant.

En résumé, la valeur nutritive de la fève de soja est incontestable; et maintenant au travail, découvrons quelques usages du soja.

Le lait de soja: La vache chinoise

Oui, c'est ainsi qu'il s'appelle en Chine où on le fabrique depuis des millénaires. La majorité des enfants chinois ont toujours eu droit au lait de leur maman mais le lait de soja fut et est employé dans les orphelinats pour les nourrissons et devient après le sevrage, qui arrive environ vers la troisième année, un aliment important dans le régime des enfants chinois. Les docteurs Hamilton Jeffries et James L. Maxwell dans leur livre *Diseases of China* affirment que le rachitisme est extrêmement rare en Chine et que celui que l'on y rencontre n'en présente que les formes les plus atténuées. De nombreuses études ont démontré que le lait de soja était un aliment qui permettait à l'enfant une croissance harmonieuse. En l'absence du lait maternel, il a sur le lait animal de sérieux avantages.

Il est peut-être plus facile maintenant de parler librement du lait de soja car la mystique du lait de vache est sévèrement attaquée à la suite de nombreuses études scientifiques démontrant clairement qu'il comporte des défauts pouvant entraîner chez l'homme de graves désordres de santé.*

Le lait animal est-il véritablement cet aliment parfait, indispensable à l'enfant de l'homme au point que dans l'esprit de bien des gens il soit supérieur au lait maternel? Combien de professionnels de la santé ne s'objectant nullement à ce qu'un enfant soit privé de lait maternel s'inquiètent vivement lorsqu'une mère annonce que son enfant ne boit pas de lait de vache? Comment une civilisation entière a-t-elle pu arriver à de tels raisonnements voulant qu'un lait animal, celui de la vache en l'occurrence, soit un aliment supérieur pour l'être humain? Certains y voient des raisons économiques. Mais il doit y avoir des causes plus profondes, plus variées que je vous laisse le soin de découvrir.

Voici donc quelques raisons qui amènent de nombreuses personnes à abandonner l'usage du lait animal et à trouver dans le lait de soja un aliment de remplacement sain.

A) **De nombreuses personnes sont allergiques au lait animal**. Timidement en 1973, un jeune médecin danois, le docteur Eivind Gudmand-Hoejer dévoilait le résultat de ses recherches[6]. D'après lui 5 à 6% des adultes de race blanche sont complètement allergiques au lait, alors que les habitants du reste du monde (Asiatiques, Africains, Indiens des Amériques, Groënlandais et Finlandais) le sont dans une proportion qui va de 70 à 100%. Pourquoi cette intolérance? Parce que

---

* Voir *Les hommes malades des bêtes*, ORION, 1984.

ces centaines de millions d'hommes et de femmes ne possèdent pas dans leur système digestif les enzymes qui leur permettraient d'assimiler le lactose après le sevrage. Depuis, on affirme que la race blanche elle-même est plus allergique qu'on ne le pense, particulièrement, les descendants de la race juive, les Slaves et les Caucasiens de l'Est. Comment se manifeste cette allergie? 1) Par de sérieux troubles gastro-intestinaux, incluant les gaz, la diarrhée aiguë et chronique, les crampes. 2) Par des réactions dites d'allergie se manifestant par de l'eczéma, des infections d'oreille à répétition, des congestions nasales, l'irritabilité, l'asthme, la fatigue, des douleurs aux articulations, un gonflement intestinal. Dans ces cas la suppression du lait animal et son remplacement par le lait de soja, amène le soulagement souvent immédiat des symptômes.

B) **Le lait animal est une cause d'anémie**. Jusqu'à tout récemment, on pensait que lorsqu'un enfant nourri de lait animal était anémique, cela dépendait du fait que l'enfant consommait de grandes quantités de lait au détriment d'une alimentation solide, variée, pouvant fournir du fer en quantité adéquate. Maintenant cependant, des recherches sérieuses démontrent que non seulement le lait animal ne fournit pas de fer, mais qu'en fait il entraîne une carence en fer en infligeant aux intestins de toutes petites blessures, qui produisent un saignement obscur et une perte continue de globules rouges chargés de fer dans les selles.

Le docteur Calvin W. Woodruff M.D., explique dans le *Southern Medical Journal* (mai 1975) que ce serait les protéines *fraîches* du lait qui seraient responsables de ce phénomène. En lui substituant du lait de soja ou du lait stérilisé (le point de cuisson doit être plus élevé que pour la pasteurisation) le phénomène cesse ou ne se produit pas. Cela est consolant, car l'enfant nourri d'une formule commerciale évite ce trouble pour quelque temps. Cependant bien des enfants, dès l'âge de cinq mois, boivent du lait frais et leurs troubles commencent à ce moment-là. À moins qu'ils n'aient une alimentation très variée et riche en fer, ils risquent fort d'être anémiques aux alentours de leur premier anniversaire. C'est un fait absolu, démontré par l'expérience: un enfant né à terme, d'une mère saine et nourri au lait maternel, et cela pendant de longs mois (jusqu'à neuf mois), n'est pas et ne devient pas anémique.

C) **Le lait animal peut être une cause d'infection des voies urinaires, particulièrement chez les enfants**. C'est ce que déclarent les médecins P. Z. Newman, I. I. de Domenico et M. B. Nogrady dans la revue *Pediatrics* d'août 1973. Je dirai en quelques mots ce qu'ils ont bien documenté: la consommation excessive ou même modérée de lait pour certains sujets susceptibles, est une cause commune de constipation. La constipation entraîne un blocage du rectum, ce dernier causant une pression constante sur la vessie. La vessie ainsi comprimée retient et refoule l'urine, cette condition étant idéale pour la multiplication des bactéries. Dans chacun des cas traités, la suppression du lait et son remplacement par des légumes verts et des céréales complètes a résolu le problème et enrayé définitivement les infections à répétition des voies urinaires .

D) **Le lait animal est pollué**. «Le temps viendra où il sera dangereux de consommer du lait» écrivait en 1901 une éducatrice de santé. Depuis, de nombreuses voix se sont levées pour prouver, étayer, affirmer la même chose. Ces voix se retrouvent dans tous les milieux et particulièrement dans les milieux médicaux. En fait il ne faut pas oublier que 1) la qualité du lait de vache dépend de la santé de la vache, de la qualité de son alimentation, de l'air qu'elle respire et de l'eau qu'elle boit; 2) le lait est un émonctoire, i.e. la vache excrète dans le lait tous les médicaments et produits chimiques qu'elle reçoit d'une façon ou d'une autre. Ainsi du fait des méthodes d'élevage actuelles, élevage forcé en étables closes à base d'aliments concentrés souvent déséquilibrés, le lait produit est lui-même déséquilibré. La maladie augmente chez les animaux d'élevage rendant la qualité du lait de plus en plus suspecte, car on y retrouve de nombreux résidus d'antibiotiques utilisés pour lutter contre les infections de plus en plus fréquentes du bétail[7].

Si la pasteurisation (mais de plus en plus on recommande la stérilisation) détruit un grand nombre de germes elle ne détruit pas les antibiotiques et les pollutions d'ordre écologique affectant le lait: strontium 90, D.D.T., pesticides, insecticides.

Par contre le lait de soja est hypo-allergique et il est recommandé depuis près de deux décennies, en pédiatrie, pour les nourrissons affectés d'eczéma et de divers troubles démontrant une intolérance au lait animal, avec des résultats immédiats et positifs. (Il existe cependant des exceptions et certains cas d'intolérance aux protéines du soja ont été enregistrés.)

Dans les expériences[8] citées plus haut le lait de soja était employé pour enrayer les hémorragies intestinales causées par une hypersensibilité aux protéines du lait animal. De plus, le lait de soja est riche en fer.

Le lait de soja est dépourvu d'antibiotiques, de polluants atmosphériques ou agricoles. C'est un lait propre, hygiénique et pur.

Voici maintenant sa valeur comparée à celle du lait de vache.

	Lait de soja 100 grammes	Lait de vache 100 grammes
eau	92,5 g	87,0 g
protéines	3,4 g	3,5 g
gras	1,5 g	3,9 g
hydrates de carbone	2,1 g	4,9 g
cendres	0,5 g	0,7 g
calcium	21,0 mg	118,0 mg
phosphore	47,0 mg	93,0 mg
fer	0,7 mg	0,1 mg
thiamine	0,09 mg	0,04 mg
riboflavine	0,04 mg	0,17 mg
niacine	0,3 mg	0,1 mg

P.S. Chen, Ph.D., *Soybeans*, p. 75

D'après ce tableau comparatif on peut voir que le lait de soja est pauvre en matières grasses, mais ces dernières sont insaturées et ne comportent pas de cholestérol; il est pauvre en hydrates de carbone, calcium, phosphore et riboflavine mais riche en fer, thiamine et niacine. Le taux de protéines est sensiblement le même et on le sait, ces protéines ont une bonne valeur biologique et permettent une croissance en tout point harmonieuse. L'ajout de miel au lait de soja augmente son taux d'hydrates de carbone. La pauvreté en calcium du lait de soja n'en est pas une lorsqu'on le compare au lait maternel. En effet, le lait maternel et le lait de soja ont la même teneur en calcium. Il est connu qu'un enfant nourri au lait de vache non dilué développe un squelette beaucoup plus gros et épais qu'un enfant nourri au lait maternel. Cela se comprend. Un veau est adulte en deux ans, un enfant le sera en vingt ans. On ne peut nier la finalité dans la nature et la spécificité du lait de chaque espèce en vue de la croissance de ses petits. La haute teneur en calcium du lait de vache nuit au bébé de l'homme et oblige celui-ci à excréter du calcium dans ses urines et ses selles. Elle impose à ses organes un surcroît de travail et une usure prématurée.

Il est un fait d'observation courante que les bébés nourris au lait de soja se développent très bien et sont sains et vigoureux. De nombreuses mères ont remarqué qu'un bébé nourri au sein puis au lait de soja ne présente pas de modification de la couleur et de la consistance des selles. Cette observation démontre que le lait de soja, contrairement au lait de vache, est très assimilable et ne perturbe pas la flore bactérienne intestinale propre à l'enfant nourri au sein. Son alcalinité est à peu près la même que celle du lait maternel.

À l'heure actuelle, les mamans adoptent pour leur bébé un lait de soja de marque commerciale. Il est alors adapté aux besoins connus de l'enfant et enrichi de divers vitamines et minéraux. Sa fabrication cependant n'est pas des plus naturelles, ce lait se faisant à partir des protéines isolées de la fève. Les hydrates de carbone, vitamines, minéraux et matières grasses ajoutés, sont généralement d'origine étrangère à la fève de soja. Il serait à mon avis préférable, plus nutritif, plus économique et plus naturel de nourrir l'enfant d'un lait de soja préparé selon la méthode ancestrale chinoise, à partir de la fève entière trempée, moulue et cuite, puis tamisée. Il faut cependant bien souligner:

1) que rien ne remplace le lait maternel. Il reste le droit sacré et inaliénable de l'enfant. Seul le lait maternel est adapté aux véritables besoins de l'enfant et satisfait ses exigences connues et inconnues, tant physiques que psychologiques.

2) le lait de soja n'est pas un aliment complet. Il manque de vitamines A et C. Il ne fournit pas suffisamment d'hydrates de carbone et de graisses. Il faut donc y ajouter du miel et de l'huile et le compléter avec des aliments solides.

Pour ce qui est de l'adoption du lait de soja par des grands enfants ou des adultes il faut souligner que le lait de soja est *du lait de soja* et non du lait de vache. Il a donc un goût particulier, quoique agréable et la consistance d'un lait écrémé plutôt que celle d'un lait entier. Il serait sage pour s'y habituer de le mélanger dans diverses proportions au lait habituellement employé. Commencez par substituer à votre lait ¼ de lait de soja, puis ⅓, puis la moitié, les ¾, pour finalement, le temps venu, employer le lait de soja pur. Vous n'aurez ainsi aucune difficulté à le faire accepter, comme boisson fraîche ou chaude. Cependant ce lait passera inaperçu et donnera exactement les mêmes résultats que le lait de vache dans tous les plats cuisinés: soupes, crèmes, sauces, puddings, gâteaux, biscuits, crêpes, etc. De plus, c'est un fait à ne pas négliger, il est extrêmement économique, plus économique même que le lait en poudre. Voici un moyen sûr de combattre l'inflation.

La fabrication du lait de soja

Recette pour deux litres de lait de soja

a)   Faire tremper 24 heures 1 tasse de fèves[9] sèches dans 3 tasses d'eau légèrement salée. (Garder au réfrigérateur). 1 tasse de fèves sèches donne 2 tasses et demie de fèves trempées.

b)   Prendre 1 tasse de fèves trempées et la pulvériser dans 4 tasses d'eau bouillante dans un mélangeur. Réchauffer auparavant le verre sous l'eau chaude. Obtenir un liquide onctueux et répéter jusqu'à l'épuisement des fèves.

c)   Verser dans une casserole, préférablement dans un bain-marie, et cuire à feu doux vingt minutes.

d)   Refroidir et tamiser dans un coton à fromage. Bien exprimer le lait de la pulpe.

e)   Assaisonner comme suit chaque litre de lait:

1	c. à thé de vanille	1 c. à s. d'huile de soja ou
1½	c. à s. de miel	de tournesol
		une pincée de sel marin

f)   Réfrigéré, le lait se gardera frais environ 5 jours.

Si vous désirez l'employer dans la cuisson, l'assaisonnement proposé n'est pas nécessaire.

Voyez-vous, ce n'est pas très compliqué! Mais, croyez-moi c'est vraiment plus simple que d'aller à la grange... quand j'y pense!

La crème fouettée

On obtient la crème fouettée selon le principe de la mayonnaise en versant dans le lait fouetté un filet d'huile très lentement. (Elle se rate assez facilement aussi, comme la mayonnaise. Alors ne vous inquiétez pas si vous n'obtenez pas la consistance désirée. Utilisez-la quand même avec des fruits ou des céréales).

a)   Mettre dans le mélangeur:

½   tasse de lait de soja   1   c. à thé de vanille
une pincée de sel
1   c. à s. de miel

b)   Faire tourner votre mélangeur sur la vitesse «fouetter».

c)   Ajouter très lentement presque goutte à goutte:

½   tasse d'huile de tourne-
     sol ou autre

Arrêtez au moment où vous avez une crème blanche et épaisse.

d)   Quelques gouttes de jus de citron donnent une consistance très ferme.

Cette crème peut être parfumée à la caroube en y ajoutant à la première étape 2 c. à thé de poudre de caroube. Pour des quantités plus grandes, multipliez tous les ingrédients par deux.

La mayonnaise sans œuf

½	tasse de lait de soja non assaisonné	¼	c. à thé de graines de céleri
⅔	tasse d'huile de soja	1	c. à thé de miel
¼	c. à thé de sel	½	c. à thé de paprika
½	c. à thé de poudre d'oignon	2	c. à s. de jus de citron

Mélanger le lait et les assaisonnements. Ajouter doucement l'huile en filet jusqu'à épaississement. Finalement incorporer le jus de citron. Réfrigérer.

Le yaourt de soja

Les bactéries (acidophilus) cultivées dans le lait de soja seraient plus vigoureuses et vivraient plus longtemps que celles cultivées dans le lait de vache. Elles seraient plus grandes et plus nombreuses. Elles auraient donc une action plus efficace.

Le yaourt de soja se prépare exactement comme n'importe quel autre yaourt avec une culture et du lait de soja.

a)   Faire bouillir 8 tasses de lait de soja.

b)   Refroidir à 43°C (110°F), ajouter des lactobacilles.

c)   Mettre dans des pots en vitre et garder dans l'eau chaude à 46°C (115°F) au maximum pendant 4 à 6 heures.

d)   Réfrigérer. On peut alors ajouter les saveurs désirées.

La viande sans os: le tofu

Le soja sous forme de tofu est depuis des millénaires la véritable «viande» des pays orientaux largement végétariens. C'est certainement le produit le plus fascinant fait à partir de la fève. Alors que le végétarien occidental consomme en général beaucoup trop d'œufs et de fromages, l'Oriental pense au tofu: une fermentation naturelle du lait de soja le transformant en une masse blanche et molle qui ressemble au fromage blanc.

Le tofu a une grande valeur nutritive et peut être considéré comme un véritable substitut de viande, d'œufs et de produits laitiers. Il présente sur ces derniers produits des avantages précieux.

Tout d'abord le tofu est un aliment protidique par excellence: 327 grammes de tofu fournissent 11,5 grammes de protéines utilisables, i.e. 27% des besoins d'un homme adulte (besoins estimés à 43 grammes). Combiné avec une céréale, sous une forme quelconque, il permet d'obtenir plus de protéines utilisables. Contrairement aux autres sources de protéines animales, le tofu est pauvre en calories et en gras saturés et totalement dépourvu de cholestérol.

Il est riche en minéraux, particulièrement en calcium. C'est une bonne source de fer, phosphore, potassium et sodium, de vitamines B et de vitamine E.

De plus, c'est un point à ne pas négliger, le tofu est économique: 250g de tofu ne coûtent qu'une fraction du même poids de viande, qu'il soit acheté ou fabriqué à la maison. Il ne faut pas oublier que 250g de tofu sont 250g de tofu: ils n'ont ni gras, ni os!

Valeur nutritive du tofu

	par 100 g de tofu	
eau	85,1	g
protéines	7,0	g
gras	4,1	g
hydrates de carbone	3,0	g
cendres	0,8	g
calcium	100,0	mg
phosphore	95,0	mg
fer	1,5	mg
thiamine	0,06	mg
riboflavine	0,05	mg
niacine	0,40	mg

P.S. Chen, *Soybeans*, p. 78

La fabrication du tofu

Il est très facile de fabriquer du tofu dans une cuisine familiale. Je fabrique mon tofu (fromage de soja) en laissant tout simplement cailler deux à trois litres de lait de soja dans un endroit chaud: vous pouvez choisir la proximité d'un radiateur ou si vous en avez le privilège l'arrière ou le dessus du poêle à bois. En quelques ou plusieurs heures, selon la saison, vous aurez obtenu une masse solide. Il s'agit alors de la briser en gros morceaux avec un couteau, de la recouvrir d'eau et de faire bouillir le tout dans un plat approprié. Dès que le point d'ébullition est obtenu, fermer le feu. Il vous reste à passer le tout à travers un coton à fromage. Le tofu restera dans le coton et vous recueillerez dans un plat le «petit lait», liquide jaune contenant des protéines solubles, des minéraux et des vitamines. Ce liquide est précieux et ne devrait pas être jeté. Assaisonnez-le avec du sel d'ail ou d'oignon, de la poudre de céleri et un peu de levure alimentaire et servez-le comme un bouillon; ou utilisez-le comme base pour vos soupes ou sauces ou encore pour faire votre pain. Vous pouvez aussi le donner à vos animaux domestiques ou en arroser vos plantes d'appartement. Tout et tous en profiteront.

Cependant, la fabrication du tofu réussira d'une façon plus régulière et plus rapidement si vous employez un agent de précipitation: nigari, sulfate de magnésium (sel d'Epsom) ou jus de citron. Voici comment procéder:

Dissoudre 1 cuillère à soupe de sel d'Epsom dans ¼ tasse d'eau chaude. Verser le mélange dans 5 litres de lait de soja très chaud. Remuer doucement mais très peu. Laisser reposer 5 à 10 minutes jusqu'à ce que le lait soit bien caillé. Ramasser la caille dans un coton à fromage et laisser égoutter 2 à 3 heures. Si vous employez du jus de citron, utilisez-en 3 c. à s. par litre de lait de soja, que vous versez directement dans le lait très chaud. Ensuite procédez de la même manière qu'avec le sel d'Epsom.

Une fois bien égoutté, vous pouvez préparer votre fromage de diverses manières:

1)   soit le placer dans une forme (une boîte en bois sans couvercle ni fond est idéale) et exercer sur la masse une pression

avec un poids afin d'obtenir un fromage très ferme que vous pourrez découper en cubes ou en tranches.

2)   soit le placer dans un plat, l'égrainer avec une fourchette, l'assaisonner et obtenir ainsi un fromage à tartiner succulent. (Garder au réfrigérateur)

Voici maintenant quelques recettes nullement exhaustives. Le tofu se prête à mille et une combinaisons. La seule limitation est le manque d'imagination.

Filets de tofu

Découpez des tranches de tofu de 2cm d'épaisseur environ. Les saler et les saupoudrer de poudre d'ail ou d'ail bien éminncé. Les faire frire à la poêle ou les faire gratiner au four. Servir avec persil et jus de citron.

Steaks de tofu

Découper des tranches de tofu de 2cm d'épaisseur. Les saler et les arroser de sauce de soja. Garnir chaque tranche d'huile et griller au four.

Les tranches de tofu se servent également recouvertes de sauce tomate piquante à l'ail ou de sauce aux champignons veloutée.

Tofu brouillé

Mettre dans une poêle:

3	c. à s. d'huile	1	à 2 c. à s. de sauce de soja
½	tasse d'oignons hachés et sautés	½	c. à thé de sel

Ajouter 2 tasses de tofu égraîné. Bien mélanger, griller légèrement. Servir avec de la ciboulette ou du persil comme des œufs brouillés, sur du pain rôti. C'est un petit déjeuner nourrissant et délicieux.

Tranches de tofu panées

Tremper chaque tranche dans le mélange suivant:

3	c. à s. de farine	3	c. à s. de levure alimen-
½	tasse de lait de soja		taire
			sel, ail et persil

Frire, puis servir les tranches saupoudrées de graines de sésames rôties.

Le tofu est aussi bon froid que chaud et chacune de ces préparations peut se servir sous forme d'entrée avec amuse-bouche (olives noires, radis roses, bâtonnets de céleri ou de carotte).

Pâte à tartiner au tofu

Le tofu se prête particulièrement bien à la fabrication de pâtes à tartiner, avec lesquelles vous pouvez garnir des sandwichs, ou fourrer des olives, du céleri, des tomates, des oignons, des champignons, des poivrons verts, etc.

Pour le préparer, il s'agit de bien l'égrainer avec une fourchette dans un plat puis de l'assaisonner à votre goût. En fait traitez-le comme du fromage blanc. Ma recette de base est la suivante:

Pour une tasse de tofu, mettre:

3	c. à s. d'huile	1	c. à thé de sel marin
2	c. à s. de levure alimentaire		

Bien mélanger, puis selon l'usage désiré vous pourrez y ajouter ail, persil, ciboulette, échalote, paprika, cerfeuil, champignons frits émincés, olives noires, jus de citron, sauce de soja.

Un dernier mot sur le tofu: d'une part, c'est un produit fractionné, donc très concentré. En effet, le tofu n'a pas de fibres et il comporte un taux très élevé de protéines en l'absence presque totale de graisses — ce qui est heureux — mais aussi en l'absence totale — ce qui est moins heureux — d'hydrates de carbone. C'est donc un produit qui ne peut pas être utilisé comme un aliment de base. Il doit toujours être consommé avec modération comme le font les Orientaux. Ils utilisent un peu de tofu dans beaucoup de riz. Veillons à ne pas faire avec le tofu ce que l'on a fait avec la viande. Les mêmes résultats négatifs ne tarderont pas à se manifester; d'autre part c'est un produit naturel, donc fragile. Conservez-le dans le réfrigérateur immergé dans de l'eau fraîche que l'on change chaque jour, mais pas trop longtemps. Il est préférable d'en préparer au fur et à mesure de vos besoins.

La pulpe de soja

Je ne peux terminer ce chapitre sans répondre à cette question que vous allez certainement vous poser: Que faire avec toute la pulpe de soja obtenue comme résidu de la fabrication du lait et du fromage de soja? La pulpe de soja, ce sont les fibres de cette fève et elle comporte encore bien des nutriments. Voilà plusieurs suggestions:

1) employez la pulpe comme les flocons d'avoine dans toutes les recettes en demandant: biscuits, pâtes, croquettes.

2) préparez-en un pâté délicieux dont voici la recette:

Pâté à la pulpe de soja

1	tasse de tomates en conserve	4	c. à s. de beurre d'arachide
4	c. à s. de sauce de soja	3	c. à thé de poudre d'oignon
1	c. à thé de sel		
1½	tasse de pulpe de soja		

Bien mélanger tous les ingrédients excepté la pulpe. Ajouter à ce mélange homogène la pulpe. Cuire au four à 180°C (350°F), 35 à 40 minutes.

3) prenez 2 tasses de pulpe de soja assaisonnée de 5 c. à s. de sauce de soja, mélangez et faites griller le tout au four jusqu'à consistance sèche.

Cette préparation peut s'employer comme substitut de viande hachée dans la préparation des sauces.

4) nourrissez-en les animaux domestiques. Les poules la consommeront tel quel. Les chats et les chiens en raffoleront si vous y ajoutez de la levure alimentaire et de l'eau. Faites-en une bouillie, elle ne restera pas longtemps dans le plat. Les chevaux l'aiment aussi. C'est économique et vraiment nourrissant.

5) ajoutez la pulpe à la pile de compost.

Beurre de soja

Griller légèrement 1 tasse de farine de soja dans une poêle sèche. Ajouter 2 tasses d'eau, bien mélanger et cuire 15 minutes. Refroidir, prendre la moitié du mélange et la mettre dans un mélangeur. Ajouter du sel selon le goût, puis ajouter environ ½ tasse d'huile jusqu'à ce que le beurre devienne blanc et épais. Faire la même chose avec l'autre moitié du mélange. Garder au réfrigérateur.

1. C. E. Clinkard, *Soya, The Wonderfood*, p. 4.

2. *Food and Home Notes*, U.S. Dept. of Agriculture, mars 1970.

3. D. Van Gundy Jones, *The Soybean Cookbook*, p. 9.

4. C. E. Clinkard, *Soya, The Wonderfood*, p. 5.

5. P. S. Chen, *Soybeans*, p. 16.

6. *Science et Vie*, septembre 1972, no 672.

7. Voir le livre des docteurs Thrash, *Les hommes malades des bêtes*, ORION, 1984.

8. Expérience menée par un groupe de rechercheurs de l'Utah, E.U.: J.F. Wilson, D.C. Heiner, M.E. Lahey, et réétudiée par le Docteur Calvin W. Woodruff, Child Health Department, University of Missouri, School of Medecine.

9. Il existe plusieurs dizaines de variétés de soja. Celle qui est utilisée ici en Amérique du Nord pour la consommation est la fève «yellow mammoth», un gros pois jaune.

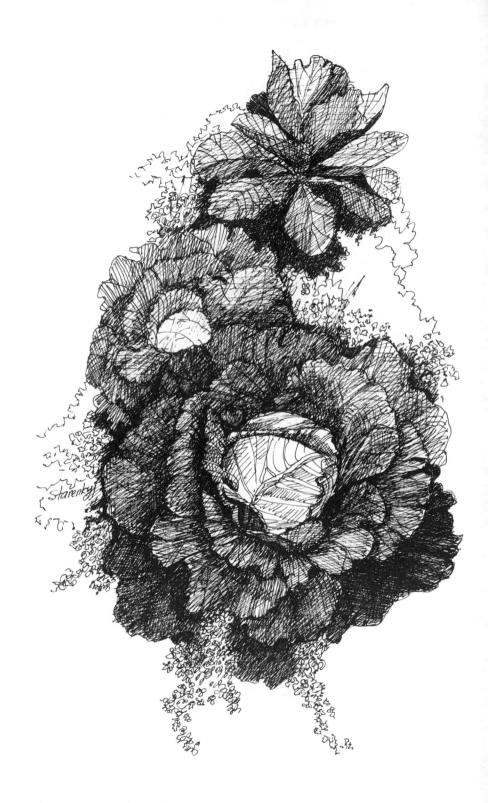

15

Les légumes-feuilles

Regardez la campagne... partout domine le vert: vert tendre et émouvant du printemps; vert foncé et brillant de l'été; vert brave et obstiné de l'automne. La verdure est la première végétation à apparaître, la dernière à disparaître. Elle s'enhardit au premier bruit de la sève qui monte et brave les premières gelées. L'animal en connaît l'appel et tôt et tard, il s'en délecte. Nos ancêtres recherchaient avec impatience ces premières verdures de la toute fin de l'hiver qui effaceraient l'encrassement des mois froids et renouvelleraient les forces et la vigueur. Bientôt ils étaient saisis de cette fièvre du printemps faite de joie, de rires et d'espérance sans raison apparente. Dans leurs corps pénétrait la vie... Oui, la verdure sauvage et cultivée était pour eux un aliment de choix, indispensable et quotidien. Ils y puisaient la fraîcheur du teint, la vivacité de l'œil, le caractère courageux et le bon fonctionnement de leurs intestins.

Ces verdures étaient autrefois infiniment variées. Depuis le Moyen Âge nous avons éliminé de notre alimentation plus de cinquante espèces de plantes potagères. Sous Napoléon 1er, on avait régulièrement le choix entre quinze différentes variétés de salades vertes. Aujourd'hui, je souffre de ces étalages où ne figurent au plus qu'une dizaine de fruits et légumes et une seule sorte de verdure bien pâle et anémique: la laitue «iceberg»...

De toutes nos catégories d'aliments celle qui a été la plus méprisée est certes la feuille verte et plus particulièrement, la feuille *vert foncé*. Pourtant à y réfléchir un petit peu, on ne peut qu'être frappé par le fait que la feuille est «la partie la plus merveilleuse de la plante. Elle renferme un véritable laboratoire de biochimie qui réalise des transformations et des synthèses des plus complexes. La plante respire et élimine ses déchets par la feuille; celle-ci est principalement le siège de l'assimilation chlorophylienne, processus par lequel les minéraux du sol se combinent au gaz carbonique atmosphérique en donnant naissance à des sucres néçessaires pour la vie de la plante. Cette magnifique synthèse, non encore imitée dans nos laboratoires, se fait sous l'influence des rayons solaires et de la chlorophylle, pigment présent dans toutes les plantes vertes. L'assimilation chlorophylienne conditionne à elle seule toute la vie de la plante[1].»

Oui, sans soleil, sans lumière, pas de vie possible et la feuille verte s'évertue à capter cette énergie, à la transformer pour nous la rendre assimilable. La verdure, c'est du soleil dans votre assiette. Laissez-la transformer votre vie.

Plusieurs auteurs ont analysé et étudié la valeur nutritive de l'aliment feuillu vert foncé et voici quelques-unes de leurs déclarations.

Le professeur Heupke de Francfort, Allemagne, a dit: «La feuille verte, pauvre en substances nutritives proprement dites, contient en abondance sels minéraux, vitamines, oligo-éléments et chlorophylle. Ses protéines (1 à 2%) possèdent la plus forte valeur biologique; ne sont-elles pas à l'origine de toutes les matières protéiques animales et végétales? On comprend ainsi la haute valeur nutritive des feuilles crues, donc des salades cultivées et sauvages.»

N. W. Pirie a déclaré: «La protéine de la feuille est du point de vue nutritif, supérieure à la plupart des protéines des graines, aussi bonne que bien des protéines animales et peut être présentée à table de façon appétissante. La protéine de la feuille est probablement un des nutriments qui sera utilisé, particulièrement dans les tropiques humides, pour améliorer la carence en protéines actuelle[2].»

E. V. McCollum et N. Simmonds ont comparé et mis sur un pied d'égalité dès 1929, la valeur vitaminique et minérale de la feuille verte et celle du lait: «Le lait et les feuilles des plantes occupent des positions uniques parmi les aliments utilisables, car ils peuvent, lorsqu'ils sont introduits dans l'alimentation en quantité suffisante, combler les carences des céréales, des tubercules et de la viande[3].» (Le lait, rappelons-le, c'est de la verdure transformée.)

En 1948, Werner Schuphann a affirmé que la protéine de la feuille vert foncé a une valeur biologique aussi élevée que la protéine animale du muscle. Elle est capable de promouvoir la croissance chez l'enfant[4].

P. Srinivasa Rao et B. V. Ramasatri ont insisté sur les valeurs adéquates en riboflavine (vitamine B_2) de la verdure et de l'importance de son utilisation lorsque l'usage du lait est limité. «Les légumes-feuilles semblent être une riche source de riboflavine malgré leur haute teneur en eau. Excepté pour le chou, le contenu en riboflavine de ces légumes est au-dessus de 0,3 mg par 100 g[5].» De plus, la feuille verte est une excellente source de fer, de calcium, de magnésium. Elle est riche en vitamines A et C.

Voici maintenant une description de ces nombreuses variétés de verdures. Il vous sera peut-être difficile de les obtenir dans votre magasin d'alimentation. Cependant demandez-les à votre gérant: n'oubliez pas que la demande crée l'offre. Mais l'on n'est jamais mieux servi que par soi-même. La feuille verte est facile à cultiver et elle est si économique! Pour quelques centimes de graines, vous êtes assurés d'une récolte abondante et prolongée. Feuilletez le catalogue d'un bon grainetier, vous serez surpris d'y voir tant de légumes-feuilles pouvant se cultiver dans le jardin familial.

Les laitues cultivées

Plus les laitues seront vert foncé, plus elles auront de valeur nutritive. Elles sont de deux sortes: les feuillues et les pommées. Ces dernières sont nécessairement moins valables car la lumière ne pénètre pas dans leur cœur qui reste pâle et dépourvu de chlorophylle, ce pigment si valable, chimiquement voisin de l'hémoglobine mais contenant du magnésium.

La laitue proprement dite est d'un vert tendre et dans nos marchés elle est un des premiers signes du printemps. Elle est calmante et prise le soir, elle favorise le sommeil. Son jus obtenu à l'aide d'un pressoir, serait un soporifique naturel. Cette laitue est saisonnière, fragile et n'est vraiment bonne que très fraîchement cueillie.

La scarole est une laitue à la feuille plus coriace allant du vert très foncé à l'extérieur et à l'extrémité, au jaune beurre vers le centre et à l'intérieur. Son goût est légèrement amer et correspond à son effet bénéfique sur le foie dont elle stimulerait la production de bile. La scarole est une laitue d'automne et d'hiver, très résistante au froid et se conservant longtemps.

La chicorée est une scarole frisée, vert foncé, moins amère que la scarole et très agréable à l'œil. On tend à la bouder car elle est difficile à laver, la terre se logeant dans ses nombreuses frisettes. Elle se gâte plus rapidement que la scarole et doit être consommée bien fraîche.

L'endive fait également partie des chicorées. Elle est aussi appelée endive de Bruxelles ou Witloof, ou chicorée-endive. Elle se cultive généralement en cave et est pauvre en chlorophylle. Sa valeur nutritive n'est donc pas élevée mais elle est valable car elle contient des produits amers ayant une action positive sur l'appétit et sur le flux biliaire.

La mâche est peu connue au Québec mais elle est très prisée en Europe où elle remplace facilement toutes les variétés de laitue. Elle a un goût agréable, est d'un vert pomme, et se cultive mieux dans le froid. Elle est riche, car 100g de mâche contiennent 42mg de vitamine C, 0,4g de graisses, 3,6g d'hydrates de carbone et 2g de protéines.

Le cresson de jardin ou le cresson de fontaine appartient à la famille des crucifères. Il est frais, tendre, pétillant et ouvre l'appétit le plus blasé. Il est riche en vitamines A et C et en fer. Il combat l'anémie. Le cresson est un remarquable dépuratif. Les Romains recommandaient la consommation du cresson afin d'acquérir plus d'esprit et d'humour.

La capucine... c'est une fleur! Oui, elle a aussi une excellente feuille très foncée, piquante et délicieuse entre deux tranches de pain. Le docteur Schneider affirme à son sujet: «elle possède une vertu quasi méconnue: son action bactériostatique à l'encontre non seulement des cocci et des bactéries intestinales mais même du bacille typhique et des bacilles dysentérique et dyphtérique. Le professeur Winter a dépisté le produit actif dans les urines du sujet neuf heures après l'ingestion de feuilles de capucines[6].»

Chaque printemps j'ensemence, tout près de la maison, une plate-bande en capucines. À l'heure du repas, je n'ai pas loin à aller pour trouver une nourriture saine et utile et une décoration pour ma table. Quelques fleurs de capucines sont belles sur une assiette blanche et croyez-moi elles sont également bonnes à manger. La fleur de capucine est très sucrée et comporterait des hormones féminines. Merveilleuse nature!

La romaine est une laitue à tête allongée et aux feuilles allant du vert foncé au blanc crème munies d'une côte rigide. Sa saveur est douce et elle se garde bien.

Les laitues Boston et Bibb sont des merveilles de douceur et de tendresse. Leurs feuilles ne sont pas croquantes mais délicates et huileuses au toucher. Ces laitues sont très périssables et doivent être consommées très fraîches.

La laitue «iceberg» est une laitue à cœur ferme et compact. Sa couleur va du vert clair au blanc crayeux. Elle se conserve bien mais à mon avis, elle est difficile à digérer. Pourquoi? Je n'en sais rien. Mais je ne peux la consommer sans en être incommodée pendant de longues heures, ce qui ne m'arrive nullement avec toute autre laitue.

Les légumes-feuilles

a) **Les fanes** de divers légumes-racines sont de la verdure de première qualité. Elles ne s'emploient pas sous forme de laitue car elles sont coriaces et ont un goût prononcé. Mais elles sont excellentes cuites et servies comme légumes verts. Combattez l'inflation... ne rejetez pas la partie la plus nourrissante de vos légumes. De plus, les légumes garnis de leurs fanes se conservent mieux et plus longtemps en été.

Les fanes de navet sont particulièrement valables. Une tasse de fanes cuites fournit suffisamment de calcium et de riboflavine pour le repas, plus de vitamines A et C que nécessaires pour toute la journée, des vitamines B et des protéines de bonne qualité qui améliorent considérablement les autres protéines du repas[7].

b)   Les feuilles vertes telles que les épinards, le chou frisé et la moutarde *se consomment aussi bien crues, en salade, que cuites.*

Les épinards, depuis «Popeye le vrai marin», sont bien connus. Cependant la publicité a certainement exagéré leur richesse en fer car ce dernier est peu utilisable, particulièrement dans les épinards cuits. Cependant ils sont riches en calcium, en vitamines A et C et en acide folique. Leurs protéines sont abondantes et de très bonne qualité. Pour moi, peu de choses battent en saveur un salade d'épinards frais cueillis et crus, bien assaisonnée à l'ail et à l'huile d'olive.

Les feuilles de moutarde se cultivent ou se trouvent à l'état sauvage. Leur saveur est prononcée et il faut s'y habituer en les mélangeant à d'autres feuilles à la saveur moins forte.

Une tasse de feuilles de moutarde cuites fournit plus de vitamines A et C, plus de calcium et de fer que nécessaires pour le repas, ainsi qu'une protéine qui améliorera les protéines déjà présentes[8].

Le chou frisé ne se trouve pas sur nos marchés mais il peut se cultiver très facilement dans le jardin potager ou même dans la plate-bande de fleurs. Il fera une magnifique bordure décorative (et utile). Sa feuille est jolie, finement dentelée et sera là encore après la disparition de vos fleurs. Le chou frisé est une nécessité pour chaque famille, car une tasse de chou frisé cuit fournit plus de vitamine A que nécessaire pour toute la journée, plus de vitamine C que nécessaire pour le repas, suffisamment de niacine (B_3), de fer et de riboflavine (B_2) pour le repas, plus de la moitié du calcium que nécessaire pour le repas et autant de protéines qu'une demi-tasse de lait. Des études faites à l'Université du Connecticut ont permis de trouver dans le chou frisé de grandes valeurs en thiamine[9] (vitamine B_1).

Le persil est beaucoup plus qu'une garniture. C'est un aliment important fournissant en abondance vitamine C et fer. (100 g de persil frais fournissent 172 mg de vitamine C et 6,2 mg de fer).

c) **Les légumes verts proprements dits** comportent la famille des choux, les échalotes, les poireaux, le céleri, le fenouil, l'asperge.

Parmi les choux, il convient de nommer tout particulièrement le brocoli, le chou rouge, les choux de Bruxelles et le chou chinois. Il ne faut pas oublier les feuilles extérieures des choux qui sont très concentrées en vitamines et en minéraux. Elles peuvent être utilisées pour faire des bouillons.

Le brocoli devrait être consommé au moins une fois par semaine. C'est vraiment un minimum pour un légume si important, d'autant plus que maintenant on peut le trouver très facilement sur de nombreux marchés. Une tasse de brocoli cuit vous offre autant de calcium, de riboflavine et de protéines que ⅔ de tasse de lait, autant de vitamine C qu'une orange et autant de provitamine A qu'une carotte, ainsi que des quantités appréciables de fer, de thiamine et de niacine[10].

Le chou rouge est riche en minéraux et en vitamines et avait, chez les vieux, la réputation d'être bon contre la pâleur. Il se cultive très facilement et semble être plus résistant aux chenilles que les autres variétés de chou. De plus, il se conserve bien dans une cave en terre, entouré de trois épaisseurs de papier-journal. Il reste dur et ferme. Seules les deux premières feuilles du chou se fanent. Il y a donc très peu de perte. Il conserve également sa belle couleur, contrairement au chou vert qui jaunit et perd ainsi sa chlorophylle. C'est vraiment un légume nordique!

Le chou vert est un légume bien connu et consommé assez régulièrement par la plupart des gens. Il est excellent en salade et gagne à être préparé sans vinaigre ni poivre. Le chou a la réputation d'être indigeste. En général, cela n'est vrai que du chou cuit. Le chou cru est facile à digérer et s'il est bien mastiqué, il ne causera pas d'indisposition. Le chou est une bonne source de vitamine C. Il contient du calcium et sera d'autant plus sain qu'il sera plus foncé. Le jus de chou a la réputation de guérir les ulcères d'estomac en trois semaines. Le médecin américain Carnett-Cheney (de l'Université de Stanford) a publié, depuis 1949, plusieurs travaux sur le traitement des ulcères gastro-duodénaux par le jus de chou. Il donne quatre à cinq fois par jour 200 à 250cc de jus, obtenu par centrifugation du légume frais. Il aurait, dans un grand nombre de cas, supprimé les crises douloureuses en cinq jours et obtenu la guérison après quinze jours de ce traitement. L'auteur attribue cette action à la vitamine «U» ou «facteur antiulcéreux», substance encore inconnue, qui serait contenue dans les lipides du chou[11]. Le chou vert est également un légume ancien dont l'usage remonte à l'antiquité. Hippocrate le recommandait aux malades du cœur alors que Caton l'Ancien le conseillait, en cataplasmes, sur les éruptions impétigineuses, les blessures, les ulcères, les arthrites. Manger du chou ne peut donc pas nuire. Économique et disponible toute l'année, le chou est un légume indispensable.

Le chou de Bruxelles est une plante vigoureuse et très résistante au froid; on peut laisser les choux dehors jusqu'en décembre. Ces petits choux sont délicieux avec des pommes de terre. Ils sont très riches en vitamine C et devraient apparaître plus souvent au menu.

Le fenouil de Florence pousse comme le céleri en branches. Il est très doux au goût, sucré et aromatisé. Il a goût d'anis.

Le céleri en branches a beaucoup de valeur dans ses feuilles qui ne devraient jamais être jetées mais conservées soigneusement et ajoutées à la soupe, par exemple. Ces feuilles peuvent être séchées puis mises en poudre. C'est un excellent assaisonnement. Choisissez du céleri bien foncé et non blanchi.

Les poireaux et les échalotes ont une plus grande valeur nutritive dans leur queue vert foncé. Ne la jetez pas. Elle est riche en vitamine C et en fer organique.

Voilà, ainsi s'achève un petit tour qui pourrait être encore plus grand. Il ne faut pas oublier l'asperge au taux d'acide folique élevé, l'artichaut riche en minéraux. Apprenez à manger l'herbe verte des champs et à en tirer profit. Une abondance de verdure permet à de nombreuses populations de vivre saines et fortes sans produits laitiers car elle fournit du calcium et de la riboflavine (éléments abondants dans le lait) en quantité suffisante et procure des protéines qui complètent très bien les protéines des céréales ou des légumineuses. Dans le cadre d'un régime végétarien équilibré, la verdure est indispensable et doit pouvoir être consommée quotidiennement. Sous notre climat rigoureux, les graines germées donnant de la verdure, particulièrement la luzerne, permettent de passer l'hiver en bonne forme et de ne pas se priver de cette bénédiction.

Comment choisir la verdure?

Si vous la cultivez vous-même, vous n'avez aucun problème. Cueillez-la juste avant de la préparer et juste en quantité nécessaire. Elle aura alors son maximum de valeur nutritive. Si vous l'achetez, voici quelques exigences à avoir:

- n'acceptez que de la verdure fraîche, croquante, dépourvue de feuilles brisées, fanées ou brunies.

- demandez à votre gérant de magasin quel est le jour de livraison afin de l'acheter dès son arrivée.

- insistez pour qu'elle soit réfrigérée et fréquentez de préférence un magasin qui conserve ses légumes et particulièrement la verdure, sur un étalage réfrigéré. L'air ambiant et la lumière détruisent les vitamines B et la vitamine C. Des haricots verts laissés à la température ambiante perdent 50% de leur vitamine C en une seule nuit.

- arrivé chez vous, lavez-la soigneusement à l'eau toute tiède. *Ne la laissez pas tremper.* Essuyez-la immédiatement et complètement entre des serviettes-éponges puis gardez-la au réfrigérateur dans la partie la plus froide.

Adoptez la consigne suivante et tenez-y: «Manipuler avec soin! ce n'est pas du verre, c'est périssable.»

Comment servir la verdure?

En règle générale, la verdure est délicieuse crue en salade bien assaisonnée de sel, d'ail, de citron et d'huile. Elle devrait être consommée en bonne quantité, en tête de repas comme crudité. Varier ce plat à l'infini en mélangeant plusieurs herbes vertes, cultivées et sauvages. Cependant certaines verdures, de par leur goût ou leur texture coriace ont intérêt à être cuites.

Préparation de la verdure

Les pertes en valeur nutritive sont minces si les feuilles vertes sont refroidies avant de les couper, placées dans un plat hermétiquement fermé au réfrigérateur (si vous devez préparer votre repas à l'avance), cuites juste avant de les consommer dans très peu d'eau et servies immédiatement. Ne les mettez à cuire que lorsque le repas est servi. Coupez les feuilles avec des ciseaux et mettez de côté les tiges qui augmentent le temps de cuisson. (La plus grande valeur nutritive se trouve dans la feuille.)

Les salades vertes

Elles sont si simples à faire qu'il est dommage de s'en passer. On peut utiliser une seule sorte de laitue ou plusieurs à la fois et les arroser d'une sauce à salade bien relevée. Les laitues peuvent être agrémentées de divers autres légumes: radis, céleri, carottes râpées, ou encore tomates, olives, avocat. Voici quelques exemples.

Salade no 1

2	têtes de laitues déchiquetées	2	branches de céleri coupées en dés
2	échalotes hachées	2	gousses d'ail écrasées
2	carottes râpées		

Mélanger le tout et arroser d'huile, du jus d'un ou deux citrons, de sel et d'une pincée d'origan.

Salade no 2

Mélanger en parties égales, des épinards, du chou frisé, des fanes de radis déchiquetées avec soin. Ajouter 3 tomates coupées en quatre et 2 œufs cuits dur écrasés à la fourchette. Saupoudrer de levure alimentaire, de sel et d'huile.

Salade no 3

1	tête de laitue déchiquetée	¼	tasse de persil haché
2	concombres coupés en tranches minces	8	radis coupés en tranches
½	poivron vert coupé en dés	2	branches de céleri coupées en dés

Bien mélanger et arroser de 4 c. à s. d'huile, du jus d'un demi-citron, de 2 c. à s. de levure alimentaire, de poudre d'ail et d'oignon, de sel.

Salade no 4

1	tête de laitue bien tendre (Boston, Bibb)	1	tasse de petits oignons en rondelles
2	tasses d'épinards	½	tasse de radis découpés en lamelles
1	bouquet de cresson		

Arroser d'une demi-tasse de sauce à salade et mélanger.

Salade no 5

1	tête de laitue scarole déchiquetée	½	tasse de chou rouge râpé finement
		3	échalotes émincées

Arroser avec 4 c. à s. d'huile et le jus d'un demi-citron. Saupoudrer avec du sel et du basilic. Mélanger le tout. Servir garni avec une couronne de tomates en tranches.

Salade no 6

1	tête de laitue déchiquetée	1	tasse de fanes (betterave ou navet) déchiquetées
		1	oignon coupé en dés

Ajouter 4 c. à s. d'huile, le jus d'une demi-citron et du sel. Mélanger le tout. Garnir le plat avec des lanières de poivrons rouge et vert. Saupoudrer de paprika.

Sauce à salade saine

Cette préparation vous permet d'avoir sous la main une sauce toujours prête.

1	tasse d'huile	2	c. à s. de levure alimen-
2	citrons en jus		taire
2	gousses d'ail écrasées	½	c. à thé de sel

Mélanger le tout et garder au réfrigérateur dans un bocal fermé. (Agiter avant d'utiliser)

Les légumes-feuilles

Vous savez certainement apprêter les épinards de diverses manières: en sauce blanche, en gratin, en soufflé, en soupe. Toutes ces recettes s'adaptent très bien à tout autre légume-feuille.

Recette de base de légumes-feuilles

8	tasses de légumes-feuilles hachés	½	tasse de bouillon de légumes (ou d'eau)
5	c. à s. d'huile	1	oignon haché
3	c. à s. de farine de blé	1	poireau haché
½	tasse de lait de soja		

Faire revenir dans l'huile le poireau et l'oignon. Ajouter la verdure hachée puis recouvrir avec le bouillon. Mélanger la farine avec le lait et verser sur le légume. Laisser mijoter jusqu'à ce que le légume soit tendre. Assaisonner avec du sel et de la levure alimentaire.

Les légumes-feuilles hachés finement s'incorporent facilement aux pâtes, aux crêpes, aux beignets, aux céréales (riz, sarrazin, millet), pour donner des plats très appétissants et savoureux.

Plus ils seront servis simplement mieux cela vaudra. Assaisonnez-les avec du citron et du yaourt de soja frais.

Brocoli au citron

Prendre une tête de brocoli très ferme et bien verte.
Laver à grande eau et laisser les branches de brocoli
entière. Placer les branches dans une casserole et
recouvrir d'une demi-tasse d'eau bouillante ou les
cuire à la vapeur. Cuire dans une casserole non couverte environ 10 minutes. Il restera ainsi vert foncé.
Le brocoli doit être tendre mais encore croquant. Placer les branches de brocoli sur un plat et arroser
d'huile d'olive, de jus de citron, de sel et de poudre
d'ail.

Salade de chou chinois

4	tasses de chou chinois coupé	½	tasse d'olives noires dénoyautées
		2	échalotes émincées

Arroser avec 4 c. à s. d'huile et le jus d'un demi-
citron. Saupoudrer avec du paprika et du sel. Mélanger
et servir garni de persil frais haché.

Salade de chou rouge

3	tasses de chou rouge râpé cru	1	oignon haché
1	citron en jus	3	c. à s. d'huile

Mélanger le tout et ajouter du sel selon le goût.
Servir garni de persil frais haché.

Salade de chou-fleur cru

2	tasses de chou-flour râpé finement	⅛	c. à thé de sel
1	tasse de tomates cou- pées en morceaux	¼	tasse de mayonnaise sans œuf

Bien mélanger le tout. Réfrigérer et servir très frais.

Choux de Bruxelles et pommes de terre

Dans une poêle bien huilée, faire revenir trois oignons émincés.

Ajouter quatre grosses pommes de terre en cubes et y coucher une quinzaine de choux de Bruxelles coupés en deux. Verser sur le tout ½ tasse d'eau chaude. Couvrir la poêle et laisser mijoter environ 20 minutes. Saler et saupoudrer de levure alimentaire et de persil haché.

Crème d'asperge

1	botte d'asperges	½	c. à thé de poudre d'ail
4	tasses d'eau ou de bouillon	2	c. à s. de poudre de marante (arrowroot)
1	c. à thé de poudre d'oignon	½	c. à thé de sel

Attendrir les asperges à la vapeur. Mettre tous les ingrédients au mélangeur et les liquéfier. Cuire jusqu'à épaississement. Servir chaud avec des croûtons de pain frottés à l'ail. Garnir de persil frais.

Artichaut à la vinaigrette

On compte un artichaut par personne. Bien les laver. Couper la tige à 2 cm de la base. Éliminer toute feuille décolorée. Jeter dans l'eau bouillante. Couvrir et cuire environ 40 minutes jusqu'à ce que les feuilles s'ôtent facilement. Égoutter. Servir avec une sauce à salade simple. N.B. On ne mange que le bout charnu de chaque feuille et le cœur après l'avoir débarrassé du «foin».

1. Dr E. Schneider, *La santé par les aliments*, p. 123.

2. *Science* 152; 1705, 1966.

3. E. V. McCollum and N. Simmonds, *The Newer Knowledge of Nutrition*, p. 438, 506.

4. *Eiweiss Forschung*, 1:32 janvier 1948, p. 20.

5. *Journal of Nutrition and Dietetics* 6:192, 1969.

6. Dr E. Schneider, *La santé par les aliments*, p. 125.

7. Analyses données par Edyth Y. Cottrell, Research nutritionist, *Eat to Live Series*, Loma Linda School of Health, California.

8. Ibidem.

9. Ibidem.

10. Ibidem.

11. Dr E. Schneider, *La santé par les aliments*, p. 93.

16

La verdure sauvage

Vous n'avez pas de jardin. Votre magasin d'alimentation ne vous offre que des pommes de terre et des carottes. Qu'allez-vous faire? La verdure la plus verte, la plus saine, la plus nutritive, la plus délicieuse pousse toute seule, humblement, le long des chemins, dans le moindre terrain vague, dans votre pelouse (ou celle de votre voisin), dans les champs, dans les bois. Elle attend qu'on vienne la prendre, elle est inépuisable. Je me rappelle avec émotion mes premières expériences dans ce domaine. C'était sur un terrain vague dans un vieux quartier de Sillery. J'avais quitté mon appartement pour en fuir le bruit: radio, télévision, chasse-d'eau, portes claquantes, machines à laver, cris, sonneries... J'étais dans la rue et un camion-citerne montant laborieusement la côte m'enveloppa de son ronronnement sonore et m'étourdit de ses effluves de gaz carbonique. J'écrasai avec rage une larme et je compris ce que pouvait être le jaillissement soudain de la folie: c'était l'éclatement désordonné d'une âme privée de silence, coupée de la terre, projetée dans le tintamarre grinçant et acide de la société... J'étouffais... Alors jaillit en mon cœur un vieux chant.

«*Je lève mes yeux vers les montagnes...*
D'où me viendra le secours?
Le secours me vient de l'Éternel,
Qui a fait les cieux et la terre.»

Ma mère nous récitait ce psaume, appelé cantique des degrés, quand tout semblait noir autour de nous. Il affirmait en nous l'assurance de jours meilleurs et c'est comme si, soudain, au rythme de ces mots simples mais profonds, notre esprit levait l'ancre.

> «*Il ne permettra point que ton pied chancelle,*
> *Celui qui te garde ne sommeillera point.*
> *L'Éternel est ton ombre à ta main droite.*
> *L'Éternel te gardera de tout mal,*
> *Il gardera ton âme;*
> *L'Éternel gardera ton départ et ton arrivée*
> *Dès maintenant et à jamais*[1].»

Un autre camion-citerne s'essoufflait en montant la côte et juste derrière lui, un autre encore... Un motocycliste pétaradant s'arrêta au casse-croûte du coin. J'étais toujours là, attristée mais le désespoir ne me gagnerait pas aujourd'hui. En fait, il ne me gagnerait plus jamais. Je levai les yeux au-delà de la rue et de ses camions-citernes, de ses voitures à huit-cylindres, de ses motos à double tuyaux d'échappement et j'aperçus pour la première fois un terrain vague. Il me sembla être un havre de paix avec ses criquets, ses moineaux, ses chats, son herbe et ses fleurs. «Le secours me vient de l'Éternel, Qui a fait les cieux et la terre.» Je me mis à courir, à sauter sur cette terre qui maintenant me donnait tant de joie. L'homme qui ne connaît que le vinyl de ses fauteuils et l'acrylique de ses tapis ne peut comprendre cette ivresse combien plus enchanteresse que celle des boissons frelatées, ivresse aux lendemains clairs et brillants, pleins de force, d'équilibre et de certitude. Je me penchai sur cette terre et mon éducation commença. Mes maîtres furent les criquets, les vers de terre, les oiseaux, les fleurs, les herbes, la poussière, les cailloux, les fourmis et malgré le brouhaha de la ville, tout près, trop près, ils surent faire silence en moi... Cet après-midi, je ne reconnus que le trèfle dont je suçais la fleur et le pissenlit dont je cueillis la fleur et la feuille. Ce soir là, le repas fut une fête: bouquet de fleurs sur la table et salade de pissenlit géante. Nous nous endormîmes dans le halètement poussif d'un camion-citerne qui montait la côte. Rien n'avait changé et pourtant, tout était différent.

L'été se passa à fûreter sur ce terrain vague que j'appelai bientôt ma prairie et peu à peu aux fleurs et aux feuilles de pissenlit s'ajouta toute une gamme de verdures riantes que nous mangions religieusement. Nous avions vaincu la ville et son aliénation.

J'aimerais partager avec vous ces découvertes et j'aimerais qu'elles élargissent votre cœur et votre esprit comme elles l'ont fait pour moi. Jésus, il y a déjà deux mille ans enseignait en pointant les oiseaux du ciel et l'herbe des champs. C'est donc que la nature peut nous parler si nous prenons la peine de l'écouter... Son message est simple mais combien est-il important pour nous de le saisir, de le croire, de le vivre...

Le pissenlit

(taraxacum officinale)

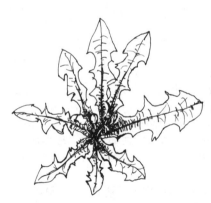

Vous connaissez certainement le pissenlit. Si c'était la seule verdure sauvage que vous pouviez identifier et si vous l'utilisiez régulièrement vous seriez déjà assuré de bien des joies. Le pissenlit, pour certaines personnes, est une peste. Elles aiment des pelouses toute vertes et font la chasse aux pissenlits comme à la sorcière. Leurs armes sont manuelles ou chimiques, hélas. Pourtant, moi je trouve ça très joli toutes ces fleurs jaunes au printemps, puis ces millions de petits parachutes jouant dans le vent...

Pour cueillir votre pissenlit, allez sur une pelouse non traitée avec les merveilles de la chimie, et éloignée d'un voisin utilisant ces armes; les cimetières sont de bonnes réserves de verdure sauvage; les terrains vagues, les prairies, les champs fournissent des pissenlits en abondance.

Le pissenlit s'utilise du printemps à l'automne, de la racine à la graine en passant par la fleur. Cependant c'est la feuille qui est le plat de résistance de cette plante car elle est quatre fois plus nourrissante que la laitue (poids pour poids). Elle fournit 25 fois plus de vitamine A que le jus de tomate — 14,000 u.i. par 100 g ainsi que 0,19 mg de thiamine, 0,26 mg de riboflavine et 35 mg de vitamine C. Elle contient également de bonnes quantités de calcium, phosphore, fer, sodium et potassium. La qualité de ses protéines est bonne et son calcium et phosphore sont plus assimilables que dans les épinards ou la laitue[2].

Les connaisseurs affirment que le pissenlit est d'un appoint merveilleux dans les dérangements du foie et des voies biliaires. Il «draine» utilement les maladies de la nutrition et est un dépuratif hors-pair.

Le pissenlit est délicieux en salade. Il a du goût et nécessite peu d'assaisonnement: jus de citron, ail, sel et huile d'olive suffisent à en faire un mets de gourmet. Il y a quelques printemps je gardais un petit garçon de trois ans. Ses parents m'avaient averti qu'il était très difficile à nourrir et qu'il ne mangeait avec plaisir que des nouilles au fromage. Je ne m'occupai pas de cette mise en garde et le servis comme nous: au menu, naturellement, prônait une salade de pissenlit. Il n'en voulut pas mais accepta d'y goûter. Chaque midi, je l'amenais avec moi cueillir le pissenlit. Un jour, que j'envisageais autre chose pour le menu, je l'entendis me demander avec insistance «de la salade de dehors». J'obéis et ce plat devint pour lui un régal. N'hésitez pas à servir à tous de la salade de pissenlit.

Cette plante étant très abondante, voici une recette qui vous permettra d'en faire bon usage.

Pâté de pissenlit

1	tasse de pissenlit haché		1	c. à thé de sauce de soja
1½	tasse de pain émietté		¾	c. à thé de sauge
2	c. à s. de farine de riz		sel	
1	oignon haché		2	c. à s. d'huile
1	branche de céleri en cubes		¾	tasse de lait de soja

Faire revenir quelques minutes les oignons et le céleri. Puis mélanger tous les ingrédients. Verser dans un plat à gratin huilé et cuire au four à 180°C (350°F) environ 45 minutes.

L'ortie piquante
(urtica dioica)

Lorsque nous étions enfants, un de nos mauvais tours (jusqu'à ce que ce soit notre tour) était de jeter un copain dans une touffe d'ortie. Il en ressortait furieux, irrité et plein de cloques brûlantes. Les personnes plus âgées, munies de gants, en cueillaient les feuilles une à une et en préparaient des décoctions, salades, lotions, tisanes et soupes variées. Elles nous disaient avec de la tristesse dans les yeux que nous étions de mauvais galopins de mépriser ainsi une herbe si bénéfique. En effet, l'ortie piquante fraîche est riche en protéines (6,9%), en hydrates de carbone (7,8%) et en calories (65 par 100 g) ce qui est la valeur la plus élevée pour les verdures tant cultivées que sauvages. Elle est très riche en minéraux et en vitamines[3].

On lui reconnaît les vertus suivantes:

- action diurétique puissante
- excitation de l'ensemble des glandes digestives et de la motricité du tube digestif
- action spécifique dans l'anémie (elle est riche en fer et en chlorophylle)
- action antidiabétique comparable à celle des feuilles de bleuets (airelles-myrtilles)
- action antihémorragique
- action galactogène (permet la montée laiteuse)

L'ortie, utilisée régulièrement, est également un excellent tonique du cuir chevelu[4]. Il est bon, pour conserver ou ramener la couleur naturelle des cheveux, d'en utiliser une forte infusion comme eau de rinçage. Pour lutter contre les pellicules, on peut en fabriquer une lotion en faisant bouillir dans une tasse de vinaigre de cidre une cuillère à thé de feuilles d'ortie. On trempe les doigts dans la lotion et on masse le cuir chevelu du bout des doigts.   Avoir une chevelure saine est un signe de santé et un atout pour la beauté. L'ortie n'est pas à craindre. Elle ne pique que lorsqu'elle est fraîche.

Les feuilles d'ortie piquante se sèchent à l'air pour se conserver l'hiver et servir de tisane, en infusion, ou pour fortifier de nombreux plats comme le persil séché. Les toutes jeunes feuilles sont excellentes en salade, mélangées à d'autres verdures. L'ortie se sert tout l'été en sauce blanche dont voici la recette.

Orties à la sauce blanche

Mélanger 2 tasse d'orties hachées et cuites à la vapeur à 3 tasses de sauce blanche épaisse, assaisonnée d'ail. Servir bien chaud sur du pain grillé. C'est un délice économique et nourrissant.

L'oseille

(Rumex Acetosella)

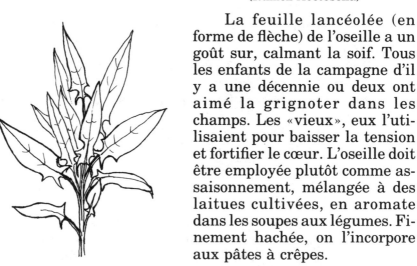

La feuille lancéolée (en forme de flèche) de l'oseille a un goût sur, calmant la soif. Tous les enfants de la campagne d'il y a une décennie ou deux ont aimé la grignoter dans les champs. Les «vieux», eux l'utilisaient pour baisser la tension et fortifier le cœur. L'oseille doit être employée plutôt comme assaisonnement, mélangée à des laitues cultivées, en aromate dans les soupes aux légumes. Finement hachée, on l'incorpore aux pâtes à crêpes.

Voici une recette de limonade extrêmement rafraîchissante et tout à fait originale. On vous en demandera la recette.

Limonade à l'oseille

8	tasses de feuilles d'oseille fraîches (450 grammes)	8	tasses d'eau pure
		1	tasse de miel liquide

Amener l'eau à ébullition puis ajouter le miel en veillant à ce qu'il se mélange bien. Ajouter les feuilles d'oseille hachées et laisser bouillir encore 3 minutes. Retirer du feu et laisser reposer 3 heures. Passer au tamis. Réfrigérer et servir bien froid.

L'oseille est extrêmement riche en potassium et est une bonne source de calcium, phosphore, fer, thiamine, riboflavine et niacine. On admet qu'elle contient un bon taux de protéines.

Soupe à l'oseille

Faire revenir 3 oignons émincés dans une casserole huilée. Lorsqu'ils sont dorés ajouter 4 tasses d'eau bouillante et 4 pommes de terre coupées en cubes. Après dix minutes de cuisson ajouter 3 tasses d'oseille hachée, du sel, 3 c. à s. de sauce de soja. Cuire jusqu'à ce que les pommes de terre soient tendres. Servir chaud avec de la mayonnaise sans œuf.

Le chou gras

(Chenopodium album)

Cette plante se retrouve partout et est une «mauvaise herbe» des jardins. On l'appelle aussi «la poulette grasse». Elle se reconnaît facilement car sa feuille est grasse et elle est recouverte par en-dessous d'une poudre blanche. Sa tige est striée de rouge. Elle atteint jusqu'à soixante centimètres de hauteur et ressemble à maturité à un sapin touffu. Ses graines se récoltent à l'automne. On peut les faire germer l'hiver ou en faire une farine nourrissante que l'on utilise mélangée à une farine de blé, moitié-moitié, dans les biscuits, gâteaux, crêpes, bouillies.

Le chou gras est une plante importante car elle contient des protéines très similaires à celles de l'œuf, un taux exceptionnellement élevé en vitamine A (11,600 u.i.), de la vitamine C (80 mg), du fer (1,2 mg), du potassium, du calcium (309 mg), et elle est une bonne source des vitamines B_1, B_2,B_3. (Valeur par 100 g de plante fraîche)[5].

Le chou gras remonte à la nuit des temps et se consomme encore aussi bien en Europe qu'au Mexique, en Australie, au Pérou, en Bolivie, au Chili. Dès le printemps, cueillez les feuilles et tard l'automne n'oubliez pas les graines.

Le chou gras est délicieux en salade. Il a une texture caoutchoutée plaisante et il est très juteux. Toute petite, ma fille courait au jardin et allait en cueillir. Elle revenait la bouche pleine, toute barbouillée de jus vert. Bonbons, chocolat et gâteaux sucrés n'avaient et n'ont aucun attrait pour elle. «C'est bonne santé, ça, maman» me disait-elle en riant. Je ne pouvais m'empêcher de la couvrir de baisers.

Cette plante est si abondante que vous aimerez peut-être la préparer ainsi.

Chou gras en escalope

3	tasses de chou gras cuit	2	c. à s. de farine de riz
2	c. à s. d'huile	3	tasses de lait de soja
	sel, ail, et oignon en poudre	3	tasses de miettes de pain
	à volonté		grillé

Mélanger le lait et la farine, le chou gras et les miettes de pain grillé. Ajouter l'huile et les assaisonnements. Verser dans un plat à gratin et recouvrir de miettes de pain. Cuire à feu doux environ 20 minutes.

Le plantain

(plantago)

Le plantain pousse tout près des maisons à la campagne, sur les pelouses à la ville, dans les endroits désaffectés, les arrière-cours. Sa feuille est ligneuse et ovoïde. Plus tard, l'été il a une tige nue qui à l'automne porte des graines, qui, une fois mûres, sont aussi riches en thiamine (B_1) que les polissures de riz. La médecine populaire dit que le plantain est extrêmement dépuratif et est un remède énergique dans le rachitisme.

Seule la toute jeune feuille est agréable en salade. Au cours de l'été, le plantain peut se consommer en crème de légume.

Crème de plantain

250 g de feuilles hachées cuites dans 4 tasses d'eau environ 30 mn	1 c. à s. de farine de blé
	1 tasse de lait de soja
3 poireaux	2 bouillons cube de soja ou 4 c. à s. de sauce de soja.
2 c. à s. d'huile	
	sel

Faire revenir les poireaux dans l'huile. Y ajouter la farine, 1 tasse de l'eau de cuisson du plantain et les bouillons cube ou la sauce de soja. Faire bouillir. Mélanger le plantain cuit et son eau à ce premier mélange puis passer en purée. Réchauffer en ajoutant le lait. Servir chaud.

La violette bleue, blanche ou jaune

(violacae)

«Promenons-nous dans le bois...» nous y trouverons la violette humble, cachée, au parfum délicat et combien douce à l'œil. Elle est un signe sûr du printemps. Depuis toujours les amoureux en ont fait des bouquets auxquels ils confiaient leurs espoirs les plus tendres. La violette m'émeut. Tant de beauté si près du sol, tant de délicatesse si souvent foulée aux pieds de ceux qui ne prennent pas la peine de se pencher...

Cette plante ajoute à ses qualités le fait qu'elle soit comestible. Sa feuille d'un vert tendre est la plus grande source connue de vitamine C parmi la verdure. Elle contient des valeurs très appréciables de vitamine A et de nombreux minéraux. Les herboristes lui reconnaissent des propriétés médicinales incontestables: elle serait un excellent dépuratif et agirait puissamment dans les maladies de la peau; elle calmerait la toux.

Les Indiens en font de magnifiques salades printanières, délicieuses au palais et agréables à l'œil: ils y mélangent les fleurs qui contiendraient des hormones bénéfiques.

La violette offre un sirop délicat et précieux dont voici la recette.

Sirop de violette

Remplir un pot de la grandeur désirée de fleurs de violette. (Cette recette réussit également avec des pétales de roses). Couvrir d'eau bouillante. Fermer le pot et laisser reposer à la température ambiante 24 heures. Passer au tamis. Recueillir le jus de fleurs et pour chaque tasse de ce jus ajouter le jus d'un demi citron et ½ tasse de miel. Amener à ébullition et verser dans des pots stérilisés et hermétiquement fermés.

Ce sirop est une délicatesse sur des crêpes de blé entier. Il peut être bu dans de l'eau à raison de 2 c. à s. de sirop pour un verre d'eau.

La tête de violon

(matteuccia struthiopteris)

Les fougères sont la dentelle des sous-bois. Il est merveilleux de s'y coucher par une chaude journée d'été et de se laisser pénétrer de leur parfum. On y est à l'abri des moustiques et mouches noires et l'on ressort de cette sieste renouvelé. Les vieux campagnards européens faisaient des litières de fougères et ils leur devaient selon eux, un corps libre de rhumatismes, de crampes et un sommeil profond et régénérateur.

Au printemps la fougère se déroule délicatement, sans trop de hâte et nous offre joyeusement à manger sa tige ou crosse. Juteuse et croquante elle a un goût sauvage qui nous lie au printemps et nous donne l'envie de boire à la coupe du vent. Les têtes de violon se trouvent sans difficulté. Elles se consomment alors qu'elles sont encore enroulées et n'atteignent pas plus de 20 cm de hauteur. Elles se préparent comme les asperges après avoir été débarrassées des écailles brunes qui les recouvrent, en sauce hollandaise ou en sauce blanche. Ces crosses se congèlent très bien et constituent un légume tout à fait économique.

La consoude

(Symphytum officinale)

En Angleterre, on l'appelle l'herbe qui ressoude les os. Sous d'autres latitudes, les femmes la considèrent comme une herbe de beauté, puissamment anti-ride. Aux États-Unis, elle soulage le rhume des foins, nourrit avec succès les animaux et fournit un compost rapide et de première qualité. Avec une telle réputation, il faut la consommer régulièrement, sinon pour guérir, du moins pour prévenir. Crue, elle est coriace et piquante mais cuite, elle surpasse en saveur les épinards. Séchées, les feuilles donnent une tisane puissante contre la toux, la sinusite et les troubles respiratoires. La tisane peut servir à faire des fomentations qui, appliquées sur les membres soulagera les enflures et les fractures.

Pâté à la consoude

1	tasse de consoude hachée	1	c. à thé de sauce de soja
1½	tasse de pain émietté	1	c. à thé de persil haché
2	c. à s. de farine de millet	2	c. à s. d'huile
1	oignon haché fin	¾	tasse de lait de soja
		sel	

Faire revenir pendant quelques minutes les oignons. Mélanger tous les ingrédients. Verser dans un plat à gratin huilé et cuire au four à 180°C (350°F) pendant 45 minutes.

La nature est un livre ouvert. Qu'y lisons-nous? Aucun oiseau ne fend les airs, aucune bête ne se meut sur le sol sans servir à entretenir quelque autre vie. La plus simple feuille, le plus humble brin d'herbe exerce un ministère. Chaque arbre, chaque bourgeon, produit un élément vital sans lequel aucun homme, aucune bête ne pourrait vivre. Les fleurs émettent leur parfum et déploient leur beauté tout simplement pour le bonheur de l'humanité. Le soleil répand sa clarté pour la joie du monde, bon ou méchant. L'océan lui-même, ne reçoit l'eau de tous les fleuves que pour la restituer en ondées fécondantes. Quelles leçons! À part le cœur égoïste, il n'est rien dans la nature qui ne vive pour soi-même. Donner, et non prendre, est sa loi. Mais au-delà de la nature, il y a son Auteur. La nature ne fait que révéler son caractère et elle dévoile qu'Il est plein d'amour, d'un amour qui ne cherche pas son intérêt[6]. Je le crois.

1. Psaume 121.

2. Jack and Miriam Darnell, *Wild Plants To Eat No. 1*, p. 6.

3. Ibidem p. 28.

4. Dr E. Schneider, *La santé par les aliments*, p. 131.

5. Jack and Miriam Darnel, *Wild Plants To Eat No. 1*, p. 16.

6. Jean 3 (16).

17

Un jardin dans votre cuisine

Il neige. J'ai le vague à l'âme. Nos jardins dorment depuis plusieurs semaines déjà. Notre serre est figée dans le froid. Elle aussi nous a livré ses derniers fruits, voilà quelques jours. Certes, notre cave est bien remplie d'honnêtes légumes et de belles pommes rouges de notre vieil arbre, mais j'ai le goût du frais, du vert, du vivant. Oui, il neige et pour longtemps... Allons, mon âme, pourquoi t'abats-tu au dedans de moi? Je regarde mes fenêtres que grignote le givre, puis je souris. J'ouvre mes placards. Là se trouvent une série de pots contenant diverses graines. Elles sommeillent depuis le printemps. N'est-il pas temps de les réveiller? Un peu d'eau, de la lumière et la chaude chaleur du poêle à bois, et bientôt mes graines éclateront de vie. Quelle force, quelle vigueur, quel mystère dans une simple graine. D'où vient sa vie? Pourquoi est-elle si généreuse, si désireuse de rire au soleil, verte, tendre, émouvante. Tout près de moi se presse ma fille. Elle aussi, elle était si petite... Et maintenant, combien nous est-elle précieuse sa vie, toute brillante de rires (et de pleurs).

Oui, je vais jardiner dans ma cuisine. Je veux y cultiver mes graines mais aussi mon cœur. Je veux au cours de l'hiver toucher au miracle de la vie se déroulant sous mes yeux, à la portée de ma main. Qu'elle me transforme. Qu'elle m'enseigne ses leçons et que la récolte soit abondante.

Qu'est-ce que la germination?

La germination est le processus par lequel l'énergie potentielle d'une graine se transforme en énergie active. C'est le réveil sous l'action de l'eau, l'air et la lumière, de sa vie latente et son éclatement. Ce processus est mystérieux, étonnant. Voici un grain de blé, tout sec qui peut avoir deux ans ou dix ans. Soudain il se réveille et produit l'herbe, l'épi et trente, soixante ou cent autres grains. Tout cela n'était-il pas au départ dans ce seul grain de blé? La germination est l'observation du miracle de la vie, chaque fois renouvelé, chaque fois généreux. La germination pratiquée dans votre cuisine vous fournira une abondance de nourriture matérielle mais aussi spirituelle. En effet si vous vous arrêtez un peu, ces images éternelles de la semence germant et portant du fruit, parleront à votre cœur et vous répéteront leur message pressant.

Pourquoi la germination?

La germination est une grâce pour le citadin conscient de la nécessité d'une alimentation fraîche et crue. Il est impossible d'espérer une santé florissante sans une alimentation parfaitement fraîche. La sagesse populaire a toujours enseigné la supériorité de l'aliment frais cueilli à même le jardin, l'arbre ou la vigne sur l'aliment transporté, entreposé, réfrigéré. La science a donné raison au paysan: dès la cueillette, un fruit ou un légume commence à perdre de sa valeur nutritive, donc de sa saveur. Les pertes en vitamine C particulièrement, sont très rapides. Toutes les vitamines hydrosolubles, les vitamines B par exemple, et les minéraux peuvent être largement diminués si l'aliment a été lavé sans être immédiatement et complètement séché. Ces éléments, particulièrement chez la feuille verte (laitues, verdures) sont fragiles et demandent pour être conservés, un soin tout spécial.

Je suis convaincue de la nécessité absolue d'un jardin potager pour chaque famille, mais je suis aussi réaliste. La vie citadine a privé la majorité des hommes et des femmes de ce droit fondamental et simple: le droit à un lopin de terre. Ce qui était normal il y a quelques années est devenu un luxe. Ce qui allait de soi doit maintenant être recherché. Certes, même en ville bien des maisons ont quelques mètres carrés de terre, hélas, la plupart du temps, en pelouse qu'il faut tondre avec bruit et entretenir à force d'engrais chimiques. Le gazon n'est pas comestible. En fait, ce système des pelouses que l'on voulait embellissant contribue à dégrader l'environnement et à gâcher la vie de banlieue que l'on voulait paisible. (Vous le savez il y a toujours une pelouse à tondre et personne ne s'accorde pour le faire en même temps). Si vous avez une pelouse, convertissez-en une partie en jardin potager. Il vous demandera à peine plus de soin que le gazon et il vous rapportera au centuple. Mais à côté de ces privilégiés de la ville, il y a les locataires de maisons à appartements. Ils ont tout au plus un balcon, s'ils ont de la chance, et pour tout le monde sous notre climat, jardin de ville ou jardin de campagne, pendant six mois, il dort et nous en sommes tous au même point. Où trouverons-nous de la verdure fraîchement cueillie, où trouverons-nous des aliments débordant d'une valeur nutritive maximale? La solution à ce problème est tout simplement la germination.

La germination d'un grain de blé par exemple, provoque plusieurs transformations. L'amidon composé de grosses molécules, se transforme en petites molécules de glucose directement assimilable. Les protéines, elles aussi, composées de grosses molécules dans le grain sec, se transforment en petites molécules plus facilement absorbées. La chlorophylle, riche en minéraux et en vitamines s'élabore dans le germe. Les vitamines déjà présentes dans le germe du grain sec, se multiplient. Voici à ce sujet quelques exemples qui vous démontreront que la germination fournit une mine d'or.

Le docteur Paul Burkholder de l'Université Yale (E.U.) a mesuré l'augmentation des vitamines B dans l'avoine germée. Les résultats sont les suivants:

	augmentation
Acide nicotinique (B_3)	500%
Biotine	50%
Acide pantothénique	200%
Pyridoxine (B_6)	500%
Acide folique	600%
Inositol	100%
Thiamine (B_1)	10%
Riboflavine (B_2)	1350%

Les auteurs anglais R.H.A. et V. Plummer ont mesuré le taux de vitamine C de l'avoine, des pois secs et du soja avant la germination et après 2 ou 3 jours de germination.

	heures de germination	Vitamine C par 100 g
Avoine entière		11 mg
	96 heures	20 mg
	120 heures	42 mg
pois secs		pas de vitamine C
	24 heures	8 mg
	40 heures	69 mg
	86 heures	86 mg
soja	24 heures	108 mg
	72 heures	706 mg

Il n'est pas exagéré d'affirmer que la germination permet de transformer sa cuisine en un véritable laboratoire vitaminique. L'utilité première des germes consiste en leur richesse en nutriments qui sont souvent perdus entre le jardin et la table par des délais importants et une manutention qui n'est pas toujours soignée. Les germes fournissent une source immédiatement utilisable d'aliments frais.

La germination d'autre part, accomplit biologiquement certaines transformations dans la graine, transformations semblables à celles qu'exercent la mouture ou la cuisson sur l'aliment: les liens chimiques qui gardent captifs les nutriments sont brisés et ceux-ci deviennent ainsi plus assimilables pour le corps. La germination présente certains avantages sur la mouture ou la cuisson: elle est économique, et n'entraîne pas, bien au contraire, de perte en vitamines.

Cependant, si la germination comporte, tout comme la mouture ou la cuisson de réels avantages, elle comporte aussi, tout comme la mouture ou la cuisson, des désavantages. Deux effets importants de la germination sont la transformation de l'amidon en sucres simples et le ramollissement des fibres. Cela s'applique tout particulièrement aux céréales et aux légumineuses que l'on voudrait faire germer. Ces aliments forment à l'état sec et une fois cuits, la base du régime humain et leur utilité se situe dans leur richesse en hydrates de carbone qui, sous l'effet de la mastication et de la digestion se transforment lentement en glucose assimilable. Les fibres de ces aliments effectuent d'autre part un freinage à leur transformation rapide en glucose qui, parce qu'il est libéré lentement, n'exerce pas sur les taux de glucose sanguin et d'insuline, d'effets perturbateurs. Ainsi un individu qui fait un repas de pain intégral et de lentilles bien cuites par exemple, n'aura pas une élévation brusque du taux de glucose sanguin, élévation qui doit être abaissée par un déversement d'insuline. Ces fluctuations de glucose et d'insuline dans le sang forment la toile de fond angoissante de l'hypoglycémie. La santé du corps qui est aussi celle de l'esprit, est étroitement liée à un taux de glucose *constant* (1g/litre).

Par contre lorsqu'un grain de blé ou de lentille est germé, la transformation de l'amidon en sucres simples est déjà effectuée avant que l'individu l'ait absorbé. Le blé germé, par exemple, utilisé en grande quantité et en l'absence de pain, peut assez rapidement avoir sur le corps l'effet du miel ou du sucre qui sont des sucres simples, très solubles et dépourvus de fibres.

Certes, les germes sont une source d'énergie mais elle est trop disponible, trop immédiate, trop concentrée et leur effet sur le corps est un effet-choc qui, après un temps d'excitation, laisse l'individu vidé et à plat. Plus un individu est sensible aux sucres concentrés, plus il a tendance à faire de l'hypoglycémie, plus les germes utilisés comme la base du régime peuvent contribuer à sa misère psychologique, sa fatigue, son manque d'ambition ou de réalisme, ses idées fixes. Un auteur a comparé le corps humain à un moteur Diesel qui est plus efficace qu'un moteur à essence, et qui donne un meilleur rendement avec un combustible plus brut. Manger du sucre, du miel, des germes en quantités qui dépassent les capacités physiologiques du corps et en l'absence de céréales complètes en abondance, équivaut à brûler de l'essence dans une fournaise à huile. Ça brûle et ça peut rendre service en cas d'urgence, mais ça détruit la machinerie.

Oui, notre corps qui dépend pour sa vie répétons-le, d'un taux de glucose *constant*, réagit toujours avec détresse lorsqu'on le soumet à des aliments de digestion trop rapide. Bien des mères doivent à des notions incorrectes sur les germes, l'échec de leur allaitement. Pensant à tort que les germes étaient une nourriture idéale et les ayant utilisés à l'exclusion d'autres aliments comme le pain, elles ont souffert avec surprise de la faim et de la fatigue. Croyant bientôt qu'elles n'étaient vraiment pas capables d'allaiter puisque, malgré une nourriture «parfaite!», elles n'avaient pas assez de lait, elles ont abandonné cette relation si chère à leur cœur.

Ainsi les germes doivent être considérés comme des légumes et ils peuvent prendre leur place en cas de pénurie en hiver, sous des latitudes inclémentes ou dans des circonstances exceptionnelles (excursion, voyage, séjour en pension, etc.). Les germes sont utiles comme crudités, comme plats de légumes accompagnant le pain et les céréales ou comme suppléments alimentaires (*ajout* à une alimentation équilibrée) au cours de la grossesse, de l'allaitement ou en période d'activité intense.

Quoi faire germer?

Toute graine de bonne qualité peut germer. Il y en a cependant qui germeront plus rapidement et avec plus de profit pour la consommation. Je distingue plusieurs variétés de graines selon le résultat obtenu lorsque je les fais germer.

1) **Les graines donnant de la verdure**: Ce sont celles que je préfère et qui sont les plus utiles car elles fournissent maints éléments difficiles à obtenir dans une alimentation conventionnelle. Elles sont riches une fois germées, en chlorophylle, riches en vitamines (A et C), en minéraux (fer, calcium, magnésium). Elles sont tendres et croustillantes, rafraîchissantes et procurent à l'œil un véritable plaisir.

Vous obtiendrez de la verdure avec les graines de cresson, de luzerne, de radis, de moutarde et d'épinards.

2) **Les céréales**: Ces graines germées sont utiles pour tout travailleur de force, pour l'enfant en croissance, la femme enceinte et la nourrice. La réputation de la valeur du germe de blé n'est plus à faire. Il est reconnu que le germe contient en abondance des fortifiants pour la croissance et des substances protectrices, ainsi que de nombreuses vitamines (B, E, F en

particulier). Il est devenu de bon ton depuis plusieurs années d'inclure dans l'alimentation courante du germe de blé. Cependant c'est un aliment périssable et fragile. Certains nutritionnistes affirment que l'huile du germe rancit très vite sous l'effet de l'oxygène, de la lumière et de la température ambiante. Le germe de blé ranci pourrait être une cause de cancer. Certes, il y a des magasins sérieux qui offrent du germe de blé réfrigéré et frais mais en général on le trouve rôti et grillé, donc de valeur moindre. De plus le coût de cette denrée fractionnée est élevé. Vous obtenez cependant à un coût négligeable, toute la valeur du germe de la céréale, sous une forme intégralement fraîche et hautement multipliée, en la faisant germer. Les graines de céréales germées seront précieuses pour tous ceux qui sont déjà convaincus de la valeur du germe de blé.

Le blé et le seigle sont les céréales les plus faciles à faire germer et peuvent ainsi se consommer crues. Mais vous pouvez aussi faire germer le riz et le maïs (il faudra cependant les cuire car l'amidon reste très dur), le millet brun (il donne de la verdure), l'avoine et l'orge (pour les consommer il faut les sécher et les moudre car l'enveloppe du grain est très coriace).

3) **Les légumineuses**: Toute fève de bonne qualité germe sans problème. Pensez aux fèves rouges, fèves rognons, fèves blanches, jaunes, noires, pois jaunes, pois chiches, fèves de soja, lentilles.

Les légumineuses nécessitent une cuisson même après la germination. Naturellement, elle sera bien réduite. Je crois cependant que les légumineuses les plus agréables à germer sont les lentilles brunes et les fèves mung. Elles permettent à un coût minime la préparation de plats extrêmement savoureux.

4) **Les graines proprement dites**: Entrent dans cette catégorie les graines de sésame, de tournesol, de lin, de citrouille. La graine de tournesol est à mon avis celle qui germe le mieux et donne la graine la plus savoureuse. La germination la rend douce à mastiquer et en fait un aliment nourrissant. La graine à l'état sec est déjà exceptionnelle, germée elle multiplie sa teneur en nutriments et y ajoute une bonne dose de vitamine C.

Ainsi les possibilités de germination sont vastes. Dans ce domaine la monotonie n'est pas de mise. Cependant permettez-moi quelques recommandations:

- Vos graines doivent être de toute première qualité et de culture biologique. Toute autre graine germera mal ou pas et aura au départ, une valeur nutritive moindre.

- Vos graines doivent être garanties propres à la consommation. Vous le savez, bien des graines de semence sont traitées avec divers produits mortels s'ils sont ingérés.

- Certaines graines germeront même si elles sont décortiquées, d'autres pas. Par exemple, la graine de tournesol décortiquée germe sans difficulté, mais seule la graine de sésame non décortiquée germera. La lentille brune germe. La lentille rouge (elle est décortiquée) ne germe pas.

- La germination est un moyen sûr de juger de la valeur d'une graine. Une graine gâtée ou de mauvaise culture ne germe pas mais pourrit.

Comment faire germer?

Vous l'avez déjà compris, la germination demande de l'eau sous forme d'humidité constante et de la lumière pour développer une valeur nutritive optimale. Pour obtenir ces conditions il existe dans le commerce plusieurs appareils à germer plus ou moins bien conçus, plus ou moins pratiques. Celui que je préfère et que j'utilise régulièrement pour certaines graines est de fabrication suisse, et se compose de trois plateaux avec drainage automatique. Il est en plastique clair ou coloré et fait un attrayant et original centre de table. Je m'en sers pour faire germer les graines de cresson, de luzerne, de moutarde et de radis et j'obtiens ainsi un beau tapis de verdure.

Vous pouvez obtenir le même effet, avec un plat pas trop creux capitonné de papier mouchoir, de serviettes de papier, de coton hydrophile ou encore d'un tissu-éponge. Étalez soigneusement les graines et les premiers jours, recouvrez-les également de papier coton ou de tissu-éponge. Humectez d'eau et maintenez une humidité constante. Lorsque les graines ont germé laissez le plat à la lumière et réjouissez-vous du miracle.

Cependant la méthode de germination que je recommande pleinement est la suivante. C'est la méthode du pot de verre. Elle est simple, économique, sûre et surtout très pratique.

Selon vos besoins ou vos ambitions de germination, achetez un ou plusieurs pots pour conserves familiales, avec couvercle en deux parties qui se visse, d'un litre ou d'un demi-litre. Achetez aussi de la moustiquaire de plastique dans une quincaillerie. Une fois chez vous, dévissez le couvercle. Remplacez la rondelle métallique par de la moustiquaire découpée en rond (ou même une vieille paire de bas nylon). Maintenez-la en place avec l'anneau et vissez. Vous avez dans vos mains un germoir de première classe.

Maintenant procédez ainsi:

1) Remplissez à moitié votre pot de graines à germer.

2) Recouvrez d'eau claire.

3) Laissez reposer le tout 24 heures.

4) Drainez l'eau en renversant le pot (elle passera à travers la moustiquaire qui retiendra les graines).

5) Rincez à grande eau et drainez l'eau. Ce geste sera répété matin et soir jusqu'à la germination complète de la graine.

6) Placez votre pot sur le bord d'une fenêtre.

7) Lorsque les graines auront atteint la maturité désirée (ne les laissez pas croître trop longtemps car elles perdent alors de leur valeur nutritive concentrée) prenez votre pot, ôtez la moustiquaire, replacez la rondelle métallique, revissez et réfrigérez. Les germes se garderont frais environ 5 jours.

	Quantité pour 1 litre		Jours de germination	Meilleure longueur
lentilles	¾	tasse	3	3 cm
pois chiches	1	tasse	2	2 cm
fèves mung	¾	tasse	2 à 3	7 cm
luzerne	3	c. à s.	3 à 4	5 cm
cresson	3	c. à s.	3 à 4	5 cm
radis	3	c. à s.	3 à 4	3 cm
moutarde	3	c. à s.	3 à 4	3 cm
blé	1	tasse	2	1 cm

En suivant ces simples indications vous devriez être assuré d'un plein succès. Cependant, si malgré vos bons soins, les graines ne germent pas, si elles pourrissent ou moisissent considérez deux choses:

1)   Vos graines sont de mauvaise qualité. Elles sont abîmées, brisées, trop vieilles, décortiquées ou encore elles ont un faible pouvoir germinatif. Changez de fournisseur.

2)   Votre eau est trop dure. Elle peut être chargée de trop de chlore, de fluor, de cuivre et de diverses substances qui empêchent le processus de germination en détruisant la graine. Utilisez de l'eau de source.

Un dernier conseil: utilisez l'eau de trempage de vos graines pour arroser vos plantes d'appartement. Bientôt vous ne les reconnaîtrez plus. C'est un moyen merveilleux de les garder saines.

Comment servir les germes?

Les germes sont si beaux, si agréables à l'œil et au goût que l'on veut les servir à toutes les sauces. Les germes se servent, se préparent et se conservent comme des légumes frais. Vous pouvez en mettre dans les boissons, les salades, les soupes, les pâtisseries, les pains et en préparer de succulents plats chauds. À partir des germes de blé, d'orge, d'avoine, on fabrique le malt, un sucre naturel concentré, savoureux et nourrissant.

Je vous livre quelques suggestions et recettes qui, j'en suis sûre, vous raviront.

Recettes pour les graines
donnant de la verdure

Toutes ces graines germées se combinent parfaitement bien à vos laitues dans des proportions variables. Elles peuvent également garnir les sandwichs ou les canapés. Les germes de verdure ne se flétrissent pas et conservent longtemps leur fraîcheur.

Canapés au cresson

½ tasse de graines de   1   c. à s. de sauce de soja
   sésame   ¼   c. à thé de paprika
2 gousses d'ail   du sel

Moudre les graines de sésame. Y incorporer l'ail bien
écrasé, la sauce de soja, le paprika et le sel. Ajouter
juste assez d'eau pour obtenir un beurre onctueux.
Mélanger le beurre avec 2 poignées de cresson germé.
Étendre une bonne couche de cette préparation sur
des tranches de pain de seigle. Garnir d'une tranche
de tomate.

Jaune, Vert et Rouge

4 œufs   du cresson germé à volonté
6 tomates

Cuire les œufs dur et les découper en rondelles. Tran-
cher les tomates. Dresser sur un plat le cresson germé
et le garnir de tranches de tomates et d'œufs alternées.
Arroser généreusement le tout d'une sauce à l'ail et
au citron.

Salade de pommes de terre au cresson

À votre recette préférée de salade de pommes de terre,
ajouter du cresson frais. Servir dans des plats indi-
viduels, avec tout autour des quartiers de tomates
et des lanières de poivrons rouges et verts.

Réveille-matin à la luzerne

3 tasses de jus d'ananas   4   c. à s. de beurre d'ara-
   ou d'orange   chide, un filet de citron
2 tasses de germes de
   luzerne

Mettre le tout dans le mélangeur et liquéfier. Boire
au réveil. C'est un merveilleux tonique.

Velouté au cresson

2	à 3 pommes de terre	1	tasse de cresson germé
3	tasses de bouillon de légumes (ou eau de cuisson)	½	tasse de crème de soja non sucrée

Amener le bouillon à ébullition. Y jeter les pommes de terre découpées en dés. 10 minutes avant que le potage soit cuit, y ajouter le cresson germé. Passer le tout au mélangeur. Assaisonner et relever avec de la crème. Délicieux accompagné de pain séché au four.

Sauce à salade à la luzerne

½	tasse de luzerne germée	½	oignon
1	c. à thé de graines de céleri	⅓	tasse de jus de citron
1	tasse d'huile de sésame (ou autre)	¼	c. à thé de miel
		½	c. à thé de sel marin

Liquéfier tous les ingrédients dans le mélangeur. Excellent sur radis, rosettes de chou-fleur cru, tranches de concombre.

Salade d'hiver aux germes de luzerne

3	tasse de germes de luzerne	1	tasse de carottes râpées
		1	tasse de betteraves râpées

Bien mélanger le tout et arroser avec la sauce à salade à la luzerne.

Les germes de moutarde et de radis sont piquants et relèvent agréablement de nombreux canapés, sandwichs, sauces et salades. N'hésitez pas à les employer.

Les grains germés de céréales

Ne les laissez pas trop germer. Dès que vous voyez poindre un petit germe vert (environ 1 cm), consommez le blé. Le seigle vous donnera un germe violacé et très tendre. Vous pouvez aussi, à ce moment réfrigérer les grains germés qui arrêteront ainsi leur croissance. Les germes de blé et de seigle se mêlent très bien aux salades de fruits, au bircher-müesli, aux sandwichs de beurre d'arachide et de raisins secs. Séchés, ces germes peuvent être moulus et incorporés aux biscuits, bouillies et pains. On prépare également de savoureux mets à partir des germes frais.

Croquants-surprise au blé germé

1¼	tasse de blé germé	½	tasse de graines de sé-
2	tasses de dattes dé-		same
	noyautées	¼	tasse d'eau
1	tasse de noix de Gre-	2	c. à s. de beurre d'ara-
	noble ou noisettes		chide
2	c. à s. de vanille	une pincée de sel	

Passer le blé germé et les dattes à travers un hache-légumes puis incorporer à cette masse le reste des ingrédients. Former de petites balles et les rouler dans de la noix de coco râpée. Décorer avec une moitié de noix de Grenoble ou de pécane. Ces croquants se conservent bien au réfrigérateur et peuvent être congelés.

Petits pâtés au seigle ou au blé germé

2	tasses de blé ou seigle	2	c. à s. de sauce de soja
	germé	¼	tasse d'oignons émincés
½	tasse de graines de		et frits
	tournesol moulues	½	c. à thé de sel
½	tasse de graines de ci-	½	c. à thé de thym
	trouille moulues	½	c. à thé de sauge
2	tasses de gruau cuit	½	tasse de miettes de pain
2	c. à s. d'huile		arrosées d'un bouillon
2	c. à s. de beurre d'ara-		
	chide		

Bien mélanger tous les ingrédients. Former de petits pâtés et les griller rapidement de chaque côté à la poêle. On peut en fourrer de petits pains ronds. Ils servent de substituts de hambourgeois, garnis de laitue et de tomate. Arrosés d'une sauce tomate, ils peuvent être servis comme plat principal. Ces pâtés sont très nourrissants.

Le Malt

Y a-t-il quelque part dans votre mémoire l'odeur enivrante du malt et son goût réconfortant? Autrefois présent dans toute bonne cuisine, il a aujourd'hui pratiquement disparu. Quel dommage! Je vous propose de le redécouvrir et de vous laisser réjouir à nouveau par cette denrée précieuse.

Le malt est une poudre ou une farine de céréales germées, puis séchées à basse température. Il est très riche en vitamines B et est considéré comme un reconstituant nerveux. Le lait malté a longtemps été une boisson de choix. Cependant le malt est particulièrement utile dans la fabrication du pain et des pâtisseries car il est très sucré. N'oubliez pas que la germination transforme l'amidon en sucres solubles. Le pain fabriqué avec du malt est un délice: il adoucit le gluten, lui donne un goût de noix et permet une très belle croûte. Le malt remplace ainsi en totalité ou en partie le sucre, le miel, la mélasse et ne provoque pas de fermentations ou de gaz chez les sujets sensibles. Dans le pain, 2 cuillères à soupe de malt suffiront à nourrir la levure. Dans les pâtisseries, coupez de moitié la quantité de miel requise et ajoutez l'autre moitié sous forme de malt. Le malt de fabrication domestique est un sucre naturel et sain.

Pour fabriquer le malt, il faut faire germer auparavant du blé. J'emploie le blé, car lorsqu'il est de bonne qualité, il est la céréale la plus facile à germer. (Le malt original se fait à partir de l'orge germé; mais cette céréale est difficile à trouver sous sa forme entière prête à germer.)

Une tasse de blé germé donne une tasse de malt. Le blé germé destiné à la fabrication du malt peut germer un peu plus longtemps que le blé germé destiné à la consommation fraîche. Le malt n'en sera que plus sucré. Je fabrique souvent le malt avec ce blé que j'ai laissé trop germer. Prenez donc du blé germé et faites-le sécher à très basse température, 66°C (150°F) est idéal et il ne faut pas dépasser 93°C (200°F). À cette température dans un four, il faudra environ 8 heures. L'action de séchage doit être douce et uniforme. Le grain ne doit pas griller. Le blé sera prêt lorsqu'il dégagera l'odeur caractéristique du malt et qu'il en aura le goût. À ce moment pulvérisez-le dans un petit moulin à café. Conservez cette farine dans un bocal fermé, à l'abri de la lumière et au frais. (N'oubliez pas de l'employer).

Granola au malt

2	tasses de flocons d'avoine	1	c. à s. de levure alimentaire
1	tasse de farine de blé	½	c. à thé de varech en poudre
1	tasse de noix de coco râpée	2	c. à s. de poudre de caroube
½	tasse d'amandes émincées	½	tasse de malt
½	tasse de noix de Grenoble émiettées	½	tasse d'eau
		1	c. à s. de mélasse noire

Bien mélanger et faire cuire à four très doux, refroidir puis réfrigérer. La recette peut facilement être doublée ou triplée.

Les légumineuses germées

La cuisine orientale nous fournit une foule de recettes à base de fèves germées et elles sont toutes savoureuses et nourrissantes. La cuisson à l'étuvée convient très bien à ces légumes.

Fèves mung ou lentilles à l'étuvée

2	tasses de fèves germées	assaisonnements:
2	c. à s. d'huile	persil frais haché, feuilles de céleri hachées, queues d'oignons verts, ciboulette, basilic
½	tasse d'eau	
	sel et sauce de soja selon le goût	

Cuire le tout 15 à 30 minutes à feu doux, jusqu'à ce que les germes soient tendres.

Crème de lentilles germées

Étuver les lentilles avec un oignon émincé, du sel, de l'huile. À la fin de la cuisson, ajouter de la sauce de soja. Par ailleurs, préparer une sauce blanche bien assaisonnée. Mélanger les lentilles et la sauce blanche et servir immédiatement.

Pois chiches germés

Hacher 3 tasses de pois chiches germés avec une ½ tasse d'eau dans le mélangeur. Verser dans une poêle au couvercle bien ajusté et ajouter:

3	c. à s. d'huile	½	c. à thé de poudre
½	c. à thé de sel marin		d'oignon

Laisser étuver 15 minutes.

Dans une autre poêle, étuver légèrement:

2	tasses d'oignons hachés	3	c. à s. d'huile
2	tasses de céleri haché		du sel au goût

Puis mélanger le tout. Servir avec laitue et pain grillé. C'est économique et complet.

Les graines germées

Je fais germer principalement la graine de tournesol. Elle accompagne très bien les salades de fruits et relève les boissons à base de fruits ou de lait. Elle se grignote également tel quel et s'incorpore, pour donner une texture et un goût particulier, au pain, aux biscuits. Ne les laissez pas germer trop longtemps.

Croquants-soleil

Mélanger:

¼	tasse de miel	¼	tasse de beurre d'arachide

Combiner ce mélange à une tasse de graines de tournesol germées et bien hachées.

Former des boules. Rouler dans de la noix de coco.

18

Les racinages

Les légumes-racines ou racinages, comme on les appelle communément, semblent avoir perdu de leur popularité. Nos marchés se remplissent plus volontiers de fruits exotiques que de ces humbles légumes aux formes, aux couleurs et aux odeurs toute domestiques. Pourtant une sagesse populaire veut que les aliments adaptés aux besoins d'un peuple soient ceux qui poussent sur son sol, à sa porte. Les racinages sont les véritables légumes d'un climat froid. Ils résistent aux intempéries, se conservent sans problème et ont une valeur nutritive appréciable. En effet, les légumes-racines, en général, sont riches en hydrates de carbone. Ils sont ainsi une bonne source de glucose. Par contre les légumes-fruits plus riches en eau, sont beaucoup moins nourrissants. En hiver, les légumes-racines devraient figurer quotidiennement au menu du végétarien. Soigneusement cuits, ils fournissent en abondance des minéraux assimilables et des sucres qui seront une source utile d'énergie et de chaleur. Avez-vous déjà essayé de cuire dans un four à feu doux des carottes, des oignons, des betteraves ou des rutabagas? Cuits ainsi, ces légumes dégagent un sirop sucré et délicieux.

Les racinages ont souvent joué un rôle de premier plan quoique méconnu, dans l'histoire des peuples. Au grand étonnement de nombreuses gens mais sans que personne ne puisse le dédire, les racinages et plus particulièrement la connaissance de ces denrées comme aliments précieux, est à l'origine de la survivance du fait français en Amérique du Nord. Les Indiens connaissaient les oignons, racines et rhizomes. Ils en faisaient grand usage et cette nourriture leur permettrait de survivre au cours des hivers rigoureux et des famines. Ils recherchaient avec sagesse l'ail des bois, l'arpin rose, la racine de camass, la racine chapelet (l'apie tuberosa), le chiquebi, la jarnotte, la racine de quenouille dont ils tiraient une farine sucrée pour la fabrication de pains et de puddings, et le rhizome du sceau de Salomon.

La famine de 1629 à Québec aurait pu être fatidique si les Indiens n'avaient pas, par bonté et générosité, soutenu de leur connaissance et de leur aide la colonie poussée aux extrémités de la faim et coupée de tout contact avec la France. L'historien Thomas-Émond Giroux nous rapporte quelques faits étonnants: «Il fallut courir les bois jusque à 5 ou 6 lieux, pour trouver des racines de bon manger, car celles des environs de Québec, avaient été toutes consommées[1].» «Cette cueillette de racines fut telle, qu'elle provoqua chez l'Oie Blanche, le décalage de son sanctuaire printanier, sur la Rivière Saint-Charles[2].» Puis dans son livre *Le Jour de l'Indien* il nous prouve ce fait historique bouleversant «à savoir que si Champlain et ses hommes ont put survivre aux rigueurs de l'hiver de 1629 et rester sur place pour signifier ainsi aux frères Kirk vainqueurs que la France vivait toujours en terre d'Amérique, c'est la science nutritive apprise des Indiens sympathiques qui a opéré ce miracle de survivance, lequel miracle aboutissait en 1632 au traité de St-Germain-en-Laye par lequel l'Angleterre restituait à la France ses colonies du Nouveau-Monde.» «N'est-ce pas l'âme indienne qui a su faire l'éducation du Blanc pour lui permettre ces luttes tragiques et silencieuses contre le spectre de la faim en lui livrant ses propres secrets sur les vertus des plantes et des racines...[3]?»

De simples racinages ont permis l'implantation définitive d'une culture française sur le continent américain. Comme l'histoire tient souvent à peu de choses, semble-t-il! Comme il est facile de l'oublier, de la compliquer ou de la biaiser... Une telle page doit nous confirmer une fois de plus, qu'un peuple pour être fort et véritablement indépendant, doit apprendre à se nourrir à même son sol. Tout sol peut fournir en abondance des aliments adaptés à son climat.

La pomme de terre

Qui ne connaît son hitoire, les multiples péripéties de Parmentier cherchant à l'implanter en France? Qui ne peut maintenant affirmer qu'elle a envahi la presque totalité du monde occidental et qu'elle est devenue une denrée précieuse, presque indispensable dans l'alimentation de millions de gens? Brave pomme de terre! Pourtant combien de personnes la respectent vraiment et lui donnent sa place légitime? Dans notre société d'abondance elle semble n'être plus qu'un accompagnement pour la viande ou un amuse-bouche. D'après de nombreux préjugés en sa défaveur la pomme de terre ne serait que de l'amidon, elle porterait à grossir et n'aurait en fait, que peu de valeur nutritive. Bien sûr, sous forme de frites, de chips ou de purée au beurre, la pomme de terre est chargée de calories et vous fera grossir. Une nutritionniste aimait à dire que ce qui fait grossir dans la pomme de terre c'est le beurre que l'on met dessus... ou la graisse dont on la sature...

Que nous révèle une étude sérieuse sur la pomme de terre? Considérée par la majorité comme une source unique d'amidon ou d'hydrates de carbone, la pomme de terre contient néanmoins des protéines de première qualité. Des études répétées ont permis de prouver que les protéines de la pomme de terre peuvent maintenir en excellente santé, à elles seules, des adultes sur de longues périodes variant de trois à six ans[4]. Le professeur H. A. Schweigart affirme que la pomme de terre contient de bonnes quantités de protéines dont la valeur biologique est adéquate. Certains peuples, comme les Allemands, par exemple, dérivent 10% de leur ration protidique quotidienne de la pomme de terre[5]. Le Bulletin N° 975 du Département de l'Agriculture aux États-Unis indique que 500g de pommes de terre fournissent 8% de protéines complètes ou encore qu'une pomme de terre moyenne donne 2,7g de protéines complètes. Une pomme de terre moyenne fournit autant de vitamine C qu'un verre de jus de tomate et autant de fer qu'un œuf. On retrouve dans ce tubercule du calcium, du magnésium et du potassium.

L'amidon de la pomme de terre est abondant (21g d'amidon pour 100g de légume). Cependant, la pomme de terre est assez pauvre en fibres. La conversion de son amidon en glucose est donc très rapide et elle a sur la glycémie (taux de glucose sanguin), un effet semblable à celui du sucre. Elle est également assez pauvre en vitamines B et elle est ainsi un mauvais substitut des céréales complètes. Avant que la pomme de terre soit découverte, l'Europe mangeait du millet, de l'orge, de l'avoine, du seigle, du sarrazin, et elle s'en portait beaucoup mieux. La pomme de terre est un *légume* utile. Elle ne devrait jamais prendre la place des céréales.

Les pommes de terre ne devraient jamais être exposées à la lumière ou au soleil; ces éléments entraînent la perte des vitamines B et la formation de la couleur verte toxique. Conservez vos pommes de terre dans une cave sombre et achetez-les dans des sacs en papier épais. D'autre part la pomme de terre épluchée et cuite à l'eau perd la plus grande partie de ses protéines, de ses minéraux et de ses vitamines: jusqu'à 83% pour le fer et 100% pour la vitamine C. Ainsi préparée la pomme de terre n'est plus que de l'amidon pur. Elle est devenue un aliment raffiné. La pomme de terre gagnerait en valeur nutritive si elle était toujours cuite avec sa peau. Je me rappelle du temps où ne pas manger la peau de la pomme de terre était un sacrilège car elle devait contenir «le meilleur». En fait, une pomme de terre de culture biologique non traitée, non irradiée, a une peau délicieuse. Le premier principe du végétarisme s'applique avec rigueur aux légumes-racines: consommons-les *entiers*.

Depuis que nous vivons à la campagne, la pomme de terre est devenue pour nous un aliment utile, particulièrement en hiver. Nous avons défié la monotonie en en cultivant plusieurs variétés: la pomme de terre blanche, la pomme de terre rose et la pomme de terre bleue ou «vinée». Cette dernière est une vieille variété campagnarde, extrêmement robuste aux doryphores et particulièrement nourrissante. Elle est malheureusement en voie de disparition, et c'est à partir de six tubercules que nous avons recommencé sa culture.

Ainsi quand on parle de pomme de terre il faut établir une règle absolue: *ne jamais l'éplucher pour la cuisson et seulement si nécessaire après la cuisson*. Les meilleures méthodes de cuisson sont celles au four ou à la vapeur. Les pommes de terre à l'étuvée conservent elles aussi assez bien leur valeur nutritive. Éliminez le plus rapidement possible la cuisson à l'eau.

Pommes de terre en robe des champs
(cuisson à l'eau)

Prendre de belles pommes de terre. Bien les brosser sous l'eau courante. Les cuire entières dans une marmite ou à la vapeur. Arroser avec de l'huile, ajouter du sel au goût et garnir de persil. Servir avec du pain de seigle et des oignons crus.

Pommes de terre farcies
(cuisson au four)

Huiler et cuire au four, une heure, une grande pomme de terre par personne. La piquer à quelques endroits avec une fourchette. Une fois cuite, la creuser sur une face. Mélanger la partie ôtée avec du lait, du persil et du sel. Remettre sur la pomme de terre. Servir avec une sauce blanche ou un peu d'huile, de l'ail écrasé et du sel.

Pommes de terre à la poêle
(cuisson à l'étuvée)

Couper des pommes de terre en tranches fines. Les mettre dans un plat huilé sur un lit d'oignons émincés. Cuire à feu doux. À la fin de la cuisson on peut ajouter des champignons ou des petits pois. Assaisonner au goût.

Pommes de terre en escalope

Nettoyer les pommes de terre, les couper en tranches fines, et les placer dans un plat allant au four en alternant une couche de pommes de terre avec une couche d'oignons. Mettre entre les couches de la farine pour épaissir et du sel. Recouvrir avec du lait de soja et ajouter deux feuilles de laurier. Mettre au four à 200°C (425°F) pour environ une heure.

Galettes de pomme de terre
(pour 4 à 6 personnes)

2	tasses de pommes de terre crues et râpées	2	c. à s. de farine de blé
¼	tasse de lait soja chaud	¼	tasse de flocons d'avoine trempés dans ¼ tasse d'eau
½	c. à thé de sel		
1	c. à s. de levure alimentaire		

Mélanger les pommes de terre, le lait chaud, le sel, la levure alimentaire. Tiédir et ajouter la farine et les flocons. Mélanger et façonner, en galettes. Cuire au four 30 minutes à 200°C (400°F).

Beignets de pommes de terre
(6 personnes)

3	tasses de pommes de terre en purée	1	c. à thé de sel
½	tasse de noix hachées	½	tasse de poudre de lait de soja
½	tasse de tofu	3	c. à s. de levure alimentaire
1	oignon râpé		
3	c. à s. de farine de blé	1	tasse de germe de blé

Mélanger le tout, faire une pâte ferme, confectionner des beignets. Mettre sur une plaque à biscuits. Griller au four de chaque côté.

Pâté de pommes de terre
(6 personnes)

3	tasses de pommes de terre en purée	½	c. à s. de basilic
1	oignon râpé	1	œuf
½	poivron vert émincé	½	c. à s. de levure alimentaire
½	tasse de tomates cuites	2	c. à s. de farine de blé

Mélanger le tout. Mettre dans un plat huilé. Cuire au four à 180°C (350°F) pour 25 minutes. Dorer le dessus les dernières minutes.

La bonne purée de pommes de terre

Cuire les pommes de terre avec la pelure. Les éplucher, puis les écraser en y ajoutant du lait chaud. Ajouter du sel, de la ciboulette ou du persil. Varier en ajoutant ½ tasse d'oignons émincés et dorés. Garnir avec croûtons de pain frits à l'huile et frottés avec de l'ail.

L'oignon

L'oignon est un légume qui est depuis fort longtemps utilisé comme médicament. Très tôt, il a été prescrit comme un remède dans les maux aigus du nez et de la gorge. Nos laboratoires modernes ont découvert dans l'oignon une substance, l'allyle aldéhyde, qui entrerait dans le courant sanguin et y agirait comme un bactéricide. Au Moyen Âge on employa l'action antiseptique de l'oignon contre le choléra et la peste. Les races paysannes ont toujours su en faire un grand usage l'été comme l'hiver, et en tirer une robustesse enviable. Elles savaient l'apprêter de diverses façons et avaient développé entre autres deux modes d'utilisation: le sirop d'oignon pour usage interne en cas de toux et de refroidissement et le cataplasme d'oignons crus et râpés pour usage externe, en cas d'inflammation, d'hémorroïdes et contre la chute des cheveux.

La diététique moderne nous indique que l'oignon est riche en soufre, élément activant le flot de la bile, libérant les foies engorgés, grand éliminateur des impuretés et régulateur des impulsions nerveuses. Il contient du phosphore, du fer, du potassium, des vitamines B et une quantité appréciable de vitamine C. L'effet lacrimogène souvent détesté des cuisiniers, est dû à une essence excitant non seulement la sécrétion des larmes mais encore celle de toutes les glandes digestives. D'après le docteur Schneider l'oignon «possède un ferment hypoglycémiant en assez grande quantité. Les diabétiques devraient user assez largement de cette source d'hormones naturelles[6].»

L'oignon qu'il soit blanc, jaune ou rouge, mérite donc d'être plus qu'une base grillée pour sauce ou soupe. C'est un légume digne et important. Faisons-lui une place dans notre cuisine.

Oignons au four

Mettre de beaux oignons à 5cm de l'élément supérieur. Les griller, sans les brûler, 8 à 10 minutes. Les tourner. Baisser le feu et continuer la cuisson encore 10 à 15 minutes. Les éplucher. Les découper en quatre et mettre dans le centre sel, paprika et huile.

L'oignon préparé de cette façon est sucré à souhait. C'est une véritable découverte gastronomique qui accompagne très bien un plat de céréale (riz, sarrazin, millet).

Oignons à la vapeur

Cuire des oignons moyens *avec leur peau* dans une marguerite ou au bain-marie. Les éplucher et assaisonner avec sel, paprika, persil haché et un filet d'huile.

Oignons à l'étuvée

Couper en rondelles 4 gros oignons. Les placer dans une casserole épaisse contenant 2 c. à s. d'eau et 2 c. à s. d'huile. Couvrir et cuire 15 minutes à feu doux. Ajouter sel et persil haché et ½ tasse de chapelure assaisonnée. Fermer le feu et laisser reposer quelques minutes.

Oignons farcis

Compter 2 à 3 oignons par personne pour un plat principal. Évider des oignons crus et les faire blanchir 8 minutes dans très peu d'eau bouillante et salée. (Employer cette eau pour la fabrication d'un bouillon ou d'une sauce.) Remplir les oignons creusés avec une farce aux flocons d'avoine, au pain ou au millet. Des restes bien relevés font merveille. Recouvrir de chapelure et d'une c. à s. d'huile. Faire gratiner au four, 15 à 20 minutes. Les oignons doivent être tendres mais non affaissés au sortir du four.

Salade d'oignons

Couper des oignons en rondelles. Les assaisonner du jus d'un citron entier, d'huile, de sel et de persil. Laisser reposer dans un endroit frais. Les oignons préparés ainsi ne piquent pas.

Tarte aux oignons
(2 tartes)

Pour la pâte:

2	tasses de farine de blé	¼	tasse d'huile
½	c. à thé de sel		

Mélanger le tout et ajouter de l'eau très froide pour faire une pâte très élastique.

Remplissage:

3	tasses d'oignons coupés et revenus dans l'huile	½	c. à thé de sel
		¼	c. à thé de thym
1	tasse de tofu émietté	3	c. à s. de levure alimentaire
1	tasse de lait tiède de soja (ou autre)		
2	œufs battus	2	c. à s. d'huile
		1	c. à s. de sauce de soja

Mettre les oignons dans la pâte, recouvrir avec le tofu. Mélanger les autres ingrédients et verser. Cuire dans le four à 180°C (350°F) de 20 à 25 minutes. Bon chaud ou froid.

Sirop d'oignon

Couper en tranches plusieurs gros oignons et mélanger ces tranches à un peu d'eau et de miel. Laisser reposer 24 heures. Recueillir le jus qui s'est formé et en prendre plusieurs cuillères à soupe par jour en cas de toux ou de refroidissement.

Soupe aux oignons

Éplucher et couper en rondelles 2 gros oignons et une gousse d'ail et les faire brunir dans une casserole. Ajouter 5 tasses d'eau, 4 oignons hachés, 6 c. à s. de sauce de soja, du sel et 2 c. à s. de levure alimentaire. Faire cuire. Servir avec des croûtons de pain.

Le chou de siam
(Rutabaga)

Vous rappelez-vous le temps où l'on récoltait des choux de siam si gros qu'ils ne pouvaient entrer dans une chaudière? Ils étaient juteux et tendres à souhait, sucrés, sans amertume ni partie fibreuse. La plus grande partie de la récolte allait aux vaches pour lesquelles on la hachait. Elles passaient ainsi l'hiver aux choux de siam et au foin sec, sans aliments concentrés ni suppléments et elles donnaient un lait riche en crème et abondant. Dans la maison, les cultivateurs en préparaient des soupes épaisses.

Ce gros navet à chair jaune est riche en calcium et en magnésium et contient de bonnes quantités de vitamines A, C et B. Dans l'ancienne Angleterre il était considéré comme antiscorbutique et utile pour redonner des forces.

Rutabaga à la vapeur

Couper le légume en tranches de 5mm d'épaisseur environ. Les cuire à la vapeur jusqu'à ce qu'elles soient tendres. Les servir assaisonnées d'huile, de sel, de poudre d'ail et de levure alimentaire.

Salade de rutabaga cru

Prendre un rutabaga ferme. Bien le brosser mais ne pas l'éplucher. Le râper très finement et l'arroser d'une sauce à salade faite d'huile, de levure alimentaire, de sel et de persil. Garnir d'olives noires.

Purée de rutabaga

Cuire de jeunes racines entières ou coupées en deux. Les piler avec un peu de lait(de soja) et du sel. Servir garni d'échalotes hachées ou de paprika en poudre.

On peut également mélanger le rutabaga à des carottes et des pommes de terre cuites.

Rutabaga à la poêle

Râper grossièrement un gros chou de siam et 3 oignons.

Les faire revenir dans une poêle bien huilée quelques minutes puis couvrir et cuire 15 minutes à feu très doux. Assaisonner au goût.

Les radis, raves et navets

Les radis roses ou noirs sont apéritifs et stimulent la digestion en la facilitant. Ils sont riches en minéraux, particulièrement en magnésium et en soufre. Ils sont antiscorbutiques grâce à leur vitamine C. Ils possèdent de l'iode et se trouvent tout indiqués pour les rachitiques et les insuffisants thyroïdiens. Hypocrate connaissait déjà leur capacité étonnante, sous forme de jus, de désinfecter le foie et de guérir rapidement la jaunisse. Le radis rose pousse si vite qu'on peut le semer en boîte dans la maison ou sur un balcon et en jouir presque toute l'année.

Le navet a les mêmes qualités que le rutabaga mais dans des proportions moindres. Lui aussi a souvent eu des indications thérapeutiques et de nos jours certains médecins le conseille à ceux qui souffrent d'eczéma ou d'acné. Le docteur Bertholet affirme qu'une cure de jus de navet réussit à éliminer les calculs grâce à son action dissolvante sur les sels uriques[7].

La rave possède toutes les qualités du navet; elle ne s'en distingue pratiquement que par la forme.

Navets à la vapeur

Découper en bâtonnets de frais navets. Les cuire à la vapeur jusqu'à ce qu'ils soient tendres. Servir avec un filet d'huile d'olive, du sel et du persil haché.

Sirop de navet

Râper le navet en grosses lanières et recouvrir d'un peu d'eau et de miel. Laisser reposer 48 heures.

Recueillir le jus et en prendre une cuillère à thé au besoin.

Salade de radis roses

Couper en rondelles de frais radis roses et les arroser généreusement de mayonnaise sans œuf. Assaisonner d'une pincée de sel et d'un soupçon de poudre d'ail ou d'oignon.

Le céleri-rave

Le céleri en branche ou céleri vert est fort bien connu et tout le monde aime le grignoter; mais qui s'est déjà délecté de la racine, fort peu appétissante à la vue, il est vrai, mais combien délicate au goût? Le céleri-rave est un des légumes préférés des grands chefs car il se prête admirablement bien à la préparation de hors-d'œuvre variés et fins.

Le céleri-rave fournit également des vitamines A, B et C. Ses minéraux, manganèse, magnésium, fer, iode, cuivre, calcium et phosphore s'y trouvent dans des proportions non négligeables.

Les auteurs qui se sont penchés sur sa valeur thérapeutique soulignent tous qu'il est un excellent fortifiant du système nerveux.

Céleri-rave en sauce

Cette recette est agréable pour ceux qui ont les dents ou l'estomac délicats.

Laver le céleri-rave avec une bonne brosse. Ne pas l'éplucher! Le couper en dés et le faire bouillir 30 minutes dans une demi-tasse d'eau et le jus d'un demi citron. Ne saler qu'à la fin de la cuisson. Avec le jus de cuisson préparer une sauce blanche persillée. Mélanger sauce et légume, cuire quelques minutes encore et servir.

Salade de céleri-rave

Personnellement, je ne sers le céleri-rave que sous forme de salade, seul ou accompagné d'autres légumes râpés, d'olives noires ou de tomates bien mûres.

Pour faire une salade de céleri-rave il faut le râper finement et l'arroser immédiatement du jus d'un citron afin d'éviter l'oxydation. Ensuite accommoder comme suit:
a) avec huile, sel et poudre d'oignon
b) avec mayonnaise, sel et poudre d'ail
c) avec yaourt de soja, sel et poudre de céleri vert.

Si vous désirez un plat plus élaboré:

Prendre du céleri-rave râpé et l'assaisonner. Le dresser au centre d'un plat à servir. Le décorer de lanières d'olives noires. Tout autour du plat mettre des rondelles de tomates rouges surmontées d'une ½ c. à thé de persil. Bon appétit!

La betterave rouge

«Elle est bonne pour le sang et pour la femme enceinte», dit la sagesse populaire. Pendant longtemps la science médicale a démenti cela, car à l'analyse elle possède peu de fer, peu de vitamine C. Elle est pauvre en vitamines A et B. Des études suisses récentes ont cependant permis de trouver dans cet humble légume de la vitamine B_{12} et du cuivre en quantité non négligeable[8]. On connaît le rôle spécifique de la vitamine B_{12} et du cuivre dans l'anémie. La vitamine B_{12} intervient dans la formation du sang et est indispensable conjointement à d'autres facteurs tels que l'acide folique, au fonctionnement normal du système nerveux central. De plus la vitamine B_{12} permet au corps d'employer les protéines complètement et peut être considérée comme le corps biologique le plus actif[9].

Dans cette optique la betterave devient une racine de choix et particulièrement utile pour le végétarien ne consommant pas de sous-produits animaux. La viande, le lait et les œufs sont les sources les plus connues de cette vitamine. En l'absence totale de produits et de sous-produits animaux, le docteur U. D. Register du département de nutrition de l'Université Loma Linda recommande l'usage d'un supplément de vitamine B_{12} sous forme de comprimés ou de levure alimentaire enrichie en vitamine B_{12}.

La couleur de cette racine ne réjouit-elle pas la vue? Apprenez à l'aimer et à en manger très régulièrement.

Salade de betterave crue

Râper très finement des betteraves lavées et brossées mais non épluchées. Arroser d'un jus de citron, d'huile et de sel. Garnir de persil frais et haché.

Salade de betterave aux amandes

1	tasse d'amandes râpées	4	tasses de choux chinois coupé
2	tasses de betteraves crues râpées	1	tasse de céleri coupé en dés

Bien mélanger et servir avec une mayonnaise au citron et à l'ail.

Betteraves à la poêle

Râper 2 oignons moyens dans une poêle huilée. Y ajouter 2 tasses de betteraves râpées grossièrement. Laisser mijoter à feu doux. Ajouter un peu d'eau si nécessaire. Assaisonner de sel, d'ail pilé et de poudre de laurier. Servir chaud.

Betteraves au four

C'est un délice sucré!

Prendre des betteraves moyennes et les cuire dans un four à 180°C (350°F) environ une heure. Lorsqu'un couteau passe facilement à travers les betteraves, arrêter la cuisson et laisser refroidir. Éplucher et couper en dés. Assaisonner d'huile et de citron, de sel et de poudre d'oignon et garnir d'échalotes hachées très finement.

Beau à voir. Bon à manger.

La carotte

Après la pomme de terre, la carotte est peut-être le racinage le plus répandu et pourtant là encore sa valeur est souvent très mal exploitée. Considérez-la: sa couleur est vive, gaie, sa consistance est croquante, excellente pour aiguiser de jeunes dents, elle est juteuse, elle est sucrée. En fait, rares sont les enfants qui n'en raffolent pas lorsqu'elle est crue. Hélas! rares sont les parents qui n'insistent pas pour qu'ils la mangent cuite et bientôt les enfants n'en veulent plus. Vous aussi, vous devez avoir dans votre mémoire ces étés de soleil où vous alliez dans le jardin cueillir une carotte qu'à peine essuyée, vous croquiez à pleines dents. Ces carottes mettaient de la lumière dans vos yeux alors que maintenant vous aussi, vous devez vous forcer pour avaler ces carottes épluchées et bouillies, sans consistance, ni couleur, que vous vous obligez à servir régulièrement car, «les carottes c'est bon pour les yeux, le teint et le caractère», n'est-ce pas?

Allons, il est temps de redécouvrir cette racine et d'en tirer plein profit. Une carotte crue entière d'environ 13cm nous donne: 18mg de calcium, 0,4mg de fer, 5500 U.I. de vitamine A, 4mg de vitamine C et des vitamines B en quantité appréciable pour un légume. Sa haute teneur en provitamine A en fait un légume de premier choix pour favoriser la croissance chez l'enfant. Elle est utile pour la femme enceinte et la nourrice. Elle est excellente pour permettre une bonne vision, particulièrement de nuit. Elle favorise un teint et une peau sans défaut et permet d'éviter particulièrement la sécheresse et les rides précoces et conserve la santé aux muqueuses du nez, de la bouche et des intestins. Le docteur Schneider affirme: «La carotte fait partie de l'alimentation normale du nourrisson et rend service dans les retards de croissance et de dentition; elle augmente la résistance aux infections[10].» La purée de carotte est recommandée par le pédiatre Carl L. Thenebe du Connecticut (E.U.) pour lutter très efficacement contre la diarrhée des nourrissons. Il a obtenu avec ce simple aliment des résultats merveilleux et rapides dans plus de 600 cas de diarrhée causée par une inflammation des intestins[11].

Parce que ce légume est si important, si répandu, facile à obtenir et économique, il doit être de la première qualité et toute personne doit pouvoir exiger que ce légume provienne de culture biologique et non de culture industrielle faite à grand renfort d'engrais nitratés et de désherbants chimiques. Seule une carotte cultivée naturellement vous donnera l'assurance de consommer un produit sain et équilibré et de vous livrer toute cette vitamine A et ce calcium que vous y recherchez.

Si vous décidez de cultiver vos propres carottes, (pourquoi pas en bordure de vos fleurs ou de votre gazon) la variété produisant le plus haut taux de carotène est la variété Imperator. Cette carotte est fine, longue, très croquante, juteuse et se garde très bien.

Comment les mangerons-nous nos carottes? Nature! Voilà la grande règle. Rincées sous l'eau, quelque peu brossées si nécessaire, elles sont prêtes à être croquées. L'épluche-carotte est un instrument nuisible. La peau de la carotte est précieuse. Il faut la consommer. La mastication de ce légume est très importante car ce n'est que dans la mesure où la cellulose est éclatée que la vitamine A est utilisable. C'est pourquoi l'on recommande en général à ceux qui ont de faibles mandibules, de râper finement la carotte ou de la cuire légèrement. Ceci dit voici quelques recettes.

Le jus de carotte

La carotte est le légume qui fournit le jus le plus agréable à consommer. Les enfants, en général, en raffolent. Il est naturellement riche en valeur nutritive et très assimilable pour peu qu'on ne l'avale pas d'un seul trait. Même un liquide doit être insalivé. N'en faites pas un excès: un petit verre par jour dans un régime normal, est largement suffisant.

Carottes à la vapeur

Prendre des carottes moyennes et les déposer sur une marguerite. Cuire jusqu'à ce qu'un couteau passe facilement à travers le gros bout de la carotte. Servir avec un peu d'huile d'olive , du sel, de la levure alimentaire et du persil haché.

Elles peuvent également être écrasées en purée et mélangées à part égale avec des pommes de terre.

Carottes à la sauce blanche

Cuire les carottes à la vapeur, les couper en rondelles et les placer dans un plat. Dans une casserole mettre 2 c. à s. d'huile et les réchauffer. Ajouter 3 c. à s. de farine de blé entier. Remuer vivement 3 à 4 minutes. Ajouter alors du lait de soja bouillant en continuant à remuer jusqu'à ce que le mélange épaississe. Assaisonner avec du sel et du basilic en poudre. Verser sur les carottes. Garnir de persil haché.

Carottes aux oignons

Râper dans une cocotte huilée 3 oignons. Les laisser blondir puis ajouter 2 tasses de carottes râpées grossièrement. Assaisonner avec du thym et du laurier. Couvrir la cocotte et laisser mijoter à feu très doux pendant une heure. Saler et ajouter 2 c. à s. de sauce de soja. Servir immédiatement.

La salade de carotte

Prendre de belles carottes, les laver, les essuyer et les râper finement. Assaisoner avec huile, sel, levure alimentaire, ail et persil. On peut faire quelques variations en ajoutant des noix hachées ou des olives noires.

Le panais

Le panais ressemble à une carotte blanche. C'est un légume délicieusement sucré surtout s'il a passé un long hiver dans la terre, sous la neige: le gel le bonifie. Il est une bonne source de calcium et de vitamines B, contient de la vitamine A et un peu de vitamine C. Il est pauvre en calories et peut être ainsi mélangé aux pommes de terre pour compenser et réduire leur haute teneur en calories. Le panais est dédaigné ou oublié sur nos tables et souvent peu aimé. En fait, tout cela est certainement dû à la mauvaise façon de cuire cette racine. Le panais boit littéralement l'eau et ne devrait jamais être cuit à l'eau ou même à la vapeur: ces éléments dissolvent rapidement le précieux sucre du panais et le rendent affreusement pâteux. De plus, le panais cuit très vite; une cuisson prolongée lui fait injure. Il faut aussi veiller à le cuire à une température douce car le sucre qu'il contient brûle rapidement. Pour le panais, le meilleur mode de cuisson est la cuisson à l'étouffée. Essayez, il deviendra bientôt un légume favori.

Panais en sauce

Couper 4 panais en cubes et les cuire dans un peu d'huile. Lorsqu'ils sont tendres, les saupoudrer de farine de blé (2 c. à s.) puis verser petit à petit 3½ tasses de lait de soja. Donner un bouillon puis assaisonner avec sel, échalotes fraîches et paprika.

Tarte aux panais

Faire revenir dans 1 c. à s. d'huile 6 panais coupés en rondelles. Ajouter une poignée de raisins secs et 1⅔ tasse d'eau. Cuire jusqu'à consistance tendre. Passer en purée et remplir une pâte à tarte pré-cuite.

Décorer de moitiés de noix et cuire à 190°C (375°F) pendant 30 minutes jusqu'à ce que la tarte soit dorée. C'est un dessert merveilleusement sucré, sans sucre raffiné ni miel.

Panais à la poêle

Couper 6 panais en cubes. Les verser dans une poêle chauffée et huilée (2 c. à s.). Bien mélanger, couvrir et laisser réchauffer. Réduire le feu et cuire doucement une douzaine de minutes. Remuer 2 ou 3 fois et ne laisser brunir que légèrement. Assaisonner avec du sel et un filet de jus de citron. Garnir avec du persil frais.

Le salsifis

Lui aussi on l'oublie... et pourtant, il est bien utile, surtout en hiver. Il se conserve très bien dans du sable à la cave. «Les racines du salsifis, dont le goût rappelle un peu celui de l'asperge, sont tendres, très faciles à digérer; elles conviennent aux malades de l'estomac et de l'intestin ainsi qu'aux enfants. Les diabétiques en mangeront avec profit, car l'inuline, sucre essentiel du salsifis s'assimile mieux chez ces malades», affirme le docteur Schneider[12].

Le salsifis ressemble au panais et améliore considérablement son goût par le gel. Les Anciens le considéraient comme utile pour remédier à la fatigue et à l'épuisement. Il est très pauvre en calories. Il faut le cuire et le préparer comme le panais. Ces deux légumes ont souvent intérêt avant qu'on en ait acquis le goût, à être mélangés à d'autres racines telles que les carottes, rutabagas ou pommes de terre. La sauce de soja est un bon assaisonnement pour le salsifis.

Le topinambour

On l'appelle «artichaut de Jérusalem» mais aussi «artichaut du Canada», soleil tubéreux et poire de terre. Ce racinage fut importé d'Amérique du Nord au dix-septième siècle en Europe, puis tomba presque dans l'oubli sur les deux continents après l'introduction de la pomme de terre. Au Québec, le topinambour est presque inconnu alors qu'il est originaire du Haut-Canada et fut cultivé par les Indiens.

Le topinambour est d'une culture très facile. Il se contente de n'importe quel sol, qu'il soit riche ou sablonneux ou caillouteux. Il est utile en hiver, car il résiste au gel et se conserve en terre.

Sa valeur nutritive se rapproche de celle de la pomme de terre, mais ses hydrates de carbone comportent principalement des sucres simples. Le topinambour est souvent appelé «la pomme de terre du diabétique» car celui-ci assimile en totalité les sucres du topinambour.

Le topinambour ressemble beaucoup quant à l'apparence et au goût, à des pommes de terre nouvelles. Il ne faut pas le cuire trop longtemps ni à une température trop élevée. Ceci le rend dur. Cru, il est délicieux et a la texture d'une tige de chou.

Topinambours rôtis

Couper en tranches les racines non pelées. Les faire rôtir dans de l'huile avec un oignon émincé. Couvrir la poêle. Assaisonner de sel marin et de persil.

Topinambours en salade

Râper très finement des topinambours bien lavés et brossés. Les arroser d'huile, de jus de citron, de sel. Ajouter des épinards frais hachés ou du cresson. Garnir d'olives noires.

Topinambours au naturel

Cuire les racines à la vapeur. Les éplucher alors qu'elles sont encore chaudes. (Lorsqu'elles sont refroidies cela devient difficile). Les couper en tranches épaisses. Assaisonner avec huile, jus de citron, persil ou échalotes.

Ragoût aux légumes avec boulettes végétariennes

Dans une casserole huilée faire mijoter 30 minutes:

3	carottes coupées en rondelles	1	chou de siam en cubes
2	branches de céleri en cubes	2	pommes de terre en cubes
		1	gros oignon émincé

Recouvrir les légumes d'eau et de 2 c. à s. de sauce de soja. Pendant ce temps préparer les boulettes ainsi:

Mélanger:

½	tasse de chapelure (pain séché émietté)	1	c. à s. de persil
1	œuf	2	gousses d'ail émincé
2	c. à s. d'huile	¼	tasse de levure alimentaire
1	gros oignon haché très fin	¼	tasse de lait de soja
	du sel selon le goût	¼	tasse de farine de blé entier légèrement grillée

Façonner ce mélange en boulettes. Les cuire dans un four chaud sur une plaque huilée. Ajouter ces boulettes aux légumes et cuire le tout encore 30 minutes avec 2 feuilles de laurier et du sel selon le goût.

Le «borsch» végétarien

Dans un chaudron faire revenir 2 gros oignons coupés dans 2 c. à s. d'huile. Ajouter 6 tasses d'eau et faire bouillir. Ajouter:

2	carottes moyennes coupées en rondelles	1	betterave moyenne en cubes
½	chou de siam moyen en cubes		

Faire cuire pendant 15 minutes et ajouter:

3	pommes de terre en cubes	1	c. à thé de sel
½	chou coupé	2	c. à s. de sauce de soja
1	poireau coupé	2	feuilles de laurier
1	c. à s. d'algues marines (optionnel)	3	gousses d'ail émincé

Faire cuire jusqu'à ce que les carottes soient tendres et ajouter 1 c. à thé de levure alimentaire. Servir chaud.

Ragoût facile

Dans un chaudron faire brunir 2 gros oignons dans 3 c. à s. d'huile. Ajouter:

1	petit chou de siam en cubes	1	navet en cubes
2	carottes en rondelles	3	tasses d'eau

Faire cuire pendant 15 minutes et ajouter:

1	branche de céleri en cubes	1	tasse de verdure coupée (chou frisé ou fanes)
3	pommes de terre en cubes	2	gousses d'ail émincé
½	chou coupé	1	c. à thé de sel
1	oignon en cubes	3	c. à s. de sauce de soja
	une pincée d'origan	1	tasse d'eau (si nécessaire)

Quand les légumes sont tendres ajouter:

1	c. à s. de levure alimentaire	1	tasse de petits pois frais (ou congelés)
5	c. à s. de farine		

Mélanger et laisser mijoter 15 minutes.

Pâté de légumes

2	tasses de petits pois cuits à la vapeur	1½	tasse de germes de lentilles ou de soja cuits à la vapeur
2	tasses d'oignons sautés à l'huile	½	tasse de carottes en rondelles cuites à la vapeur
1	tasse de céleri haché en cubes	¼	tasse de poivron vert revenu à la poêle

Mélanger tous ces légumes pré-cuits. Les placer dans un plat allant au four. Verser dessus une sauce blanche. Recouvrir de ½ tasse de chapelure grillée et de ¼ tasse d'amandes effilées et rôties à sec. Cuire au four quelques minutes. Servir chaud.

À la fin de ce chapitre, permettez-moi de vous inviter à retrouver le goût des racinages. Allons! des tomates, des aubergines en hiver, c'est bien agréable de temps à autre mais peu nourrissant et très cher. Rappelez-vous que les racinages sont véritablement nos légumes. Ils sont solides, sains, dépourvus d'insecticides, variés et délicieux pour peu qu'on s'applique à les découvrir. Ils furent la sauvegarde et le salut de nos ancêtres souvent réduits à la famine. Le Roy de la Potherie affirme: «Nous avons eu une cruelle famine par tout le Canada en 1700 et 1701. J'ai connu des habitants qui en sont morts. Ceux des campagnes ont vécu longtemps de *racines de terre.*»

---

1. *Sagard*, Vol. 4, p. 886.

2. L'Oie Blanche à Québec, *Les Carnets*, juillet 1952, p. 115.

3. Thomas-Émond Giroux, *Le jour de l'Indien*, p. 394.

4. Études faites par Kon et Klein de Warsaw en 1928 et Hindhede de Copenhague et reprises par Kofranyi et Jekat en 1965 (*Potatoes as a source of protein*, M. S. Kaldy-Agriculture Canada Research Station, Lethbridge, Alberta).

5. Prof. H. A. Schweigart, *Eiweiss, Fette, Herzinfarkt*, Verlag, H. H. Zauner, Munich.

6. Dr E. Schneider, *La santé par les aliments*, p. 121.

7. *Vie et santé*, Novembre 1975, p. 30.

8. Laboratoire Biotta, Suisse.

9 Voir, *Les hommes malades des bêtes*, Appendice D: Vitamine B_{12} et acide folique.

10. Dr E. Schneider, *La santé par les aliments*, p. 115.

11. *The Encyclopedia of Common Diseases*, p. 474, Rodale Press.

12. Dr E. Schneider, *La santé par les aliments*, p. 119.

19

Les non-aliments

«Pourquoi pesez-vous de l'argent
pour ce qui ne nourrit pas?
Pourquoi travaillez-vous pour ce
qui ne rassasie pas[1]?»

Télévision, radio, journaux, périodiques, magazines, affiches vous disent de consommer bière, vin, spiritueux, cidre, liqueurs fortes. À la ville, à la campagne, dans les airs, sur la mer, sur la terre, au bureau, dans les lieux de récréation, dans les réunions de famille, dans les dispensaires médicaux, dans les églises, l'alcool est là. L'alcool rit, l'alcool chante, l'alcool guérit, l'alcool sanctifie. Mais toutes les médailles ont deux faces. Ceux qui ont écouté, ceux qui ont goûté, ceux qui ont aimé l'alcool, un jour remplissent en grande partie les maisons de prostitution, les cours criminelles, les prisons, les asiles, les hospices, les hôpitaux psychiatriques. L'alcool pleure, l'alcool hurle, l'alcool détruit, l'alcool aliène.

«Pour qui les ah! pour qui les hélas?
Pour qui les disputes? pour qui les plaintes?
Pour qui les blessures sans raison?
Pour qui les yeux rouges?

Pour ceux qui s'attardent auprès du vin,
Pour ceux qui vont déguster un vin mêlé.
Ne regarde pas le vin qui paraît d'un beau rouge,
Qui fait des perles dans la coupe,
Et qui coule aisément.
Il finira par mordre comme un serpent,
Et par piquer comme un basilic.
Tes yeux se porteront sur des étrangères
Et ton cœur parlera d'une manière perverse.
Tu seras comme un homme couché au milieu de la mer,
Comme un homme couché sur le sommet d'un mât:
On m'a frappé... Je n'ai point de mal!
On m'a battu... Je ne sens rien!
Quand me réveillerai-je?... J'en veux encore[2]!»

Que penser de l'alcool?

Je sens en vous l'agacement, l'irritation. Bien sûr, me dites-vous, l'alcool est mauvais, bien sûr qu'il est dangereux, mais en fortes doses. C'est l'ivrogne qui est victime de l'alcool, pas le buveur occasionnel, pas le buveur «modéré». Il s'agit, n'est-ce pas, de maintenir un juste milieu, ni trop ni trop peu et c'est tout. Cela serait facile, si c'était possible, si c'était vrai. Mais de quelque angle que l'on étudie l'alcool, à quelque niveau qu'on le considère, si la recherche est sérieuse, si elle est scientifique, on est obligé d'admettre qu'un être humain raisonnable et informé ne peut justifier l'usage de l'alcool et encore moins le considérer comme inoffensif ou utile.

Le docteur Melvin H. Kniseley, professeur d'anatomie à l'Université médicale de Caroline du Sud, à Charleston, États-Unis, a étudié la question. Sa conclusion est formelle: le premier verre d'alcool endommage de façon permanente le cerveau et probablement aussi le cœur et le foie.

Cette découverte est bouleversante car si depuis de nombreuses années on sait que le cerveau, le foie, le cœur et les reins d'un alcoolique sont abîmés au point qu'il soit impossible de les utiliser pour étudier ou enseigner l'anatomie, les médecins croyaient que ces ravages étaient tout simplement le résultat d'années de forte consommation d'alcool. Le docteur Kniseley a cependant ébranlé cette conviction en démontrant que dans le cas du cerveau, les lésions n'étaient pas simplement le résultat, l'aboutissement d'années d'alcoolisme mais qu'elles étaient présentes dès la première consommation d'alcool et qu'elles allaient en grandissant avec chaque verre successif. À une époque où l'on est prêt à déclarer l'alcool dangereux mais où l'on continue à encourager sa consommation sociale dite modérée, cette découverte est importante. Elle a besoin d'être largement divulguée.

Le docteur Kniseley, à sa propre surprise car il était un buveur social, a découvert que dès qu'il y a absorption d'alcool, les globules rouges du sang s'agglutinent et entravent sérieusement la circulation du sang dans les petites artères, les veines et les capillaires. L'agglutination est un phénomène dans lequel les globules rouges deviennent collants et adhèrent ensemble, en masses, jusqu'à ce que le sang devienne littéralement un marécage. Alors que ces marécages entravent la circulation du sang à travers les capillaires, les tissus avoisinants subissent une anoxémie. Plus le taux d'alcool est élevé dans le sang, plus il y a de petits vaisseaux encombrés, et bientôt le sang cesse d'y circuler. L'endroit ainsi bouché ne reçoit plus d'oxygène. Les neurones ou les cellules pensantes du cerveau exigent un très haut taux constant d'oxygène, et elles sont très sensibles à la moindre carence en cet élément. En effet, privées d'oxygène, elles cessent leurs fonctions normales. Si la privation dure trois minutes, elles sont très sérieusement endommagées. Si elle persiste quinze à vingt minutes, la destruction est permanente, sans retour. Les cellules du cerveau, contrairement aux autres cellules du corps ne se reproduisent pas. Ainsi, chaque altération du cerveau s'accumule, se superpose à une altération antérieure et les lésions cérébrales s'additionnent tout au long de la vie. Bien des personnes, si elles vivent suffisamment longtemps, donnent les preuves de pertes de cellules cérébrales à travers les symptômes suivants: absence de mémoire, réduction de l'activité sensorielle, perte de la capacité de raisonner clairement. Nous appelons cela avec pudeur la sénilité. Chaque fois qu'une personne prend quelques verres elle accélère ce processus, détruisant son cerveau en le privant de sa ration normale d'oxygène et cela en de nombreux endroits du tissu cérébral. Chaque fois un grand nombre de cellules meurent prématurément[3].

Le docteur Otto Haug du Département de psychiatrie à Frederisktad en Norvège, a également démontré les ravages que causait l'alcool dans le cerveau des alcooliques. Utilisant les rayons-X, il photographia le cerveau de patients vivants. Ces photographies ont démontré que chez les alcooliques il y a une diminution nette de la masse cérébrale. La méthode appelée encéphalographie gazeuse consiste à retirer une petite quantité de liquide rachidien sous anesthésie locale et de le remplacer par de l'air qui passe sans douleur dans la tête. L'air demeure pendant un court temps jusqu'à ce qu'il soit absorbé et qu'il déplace le fluide qui se trouve dans les cavités du cerveau les rendant visibles aux rayons-X. Nous avons une cavité spéciale de chaque côté du cerveau et une au milieu. Les rayons-X démontrent que chez les personnes ayant consommé de l'alcool régulièrement, les cavités sont élargies. Cela n'est possible que si le volume de la masse cérébrale a diminué. Il est surprenant de constater que les personnes n'ayant consommé que de la bière ont des dommages aussi grands que les buveurs de whisky et dans de nombreux cas, elles en ont plus.

Le docteur Haug a demandé qu'une encéphalographie gazeuse soit faite sur chaque personne qui nécessite un traitement pour l'alcoolisme et ce, en vue de déterminer les dégâts causés par cette drogue à son cerveau. Il a fait remarquer que pour un grand nombre d'elles, leur cerveau étant tellement détruit, la psychothérapie conventionnelle est inefficace. Bien souvent on ne peut que les enfermer pour leur propre protection et celle de la société[4].

Comment devient-on un ivrogne? Comment devient-on un alcoolique? Tout simplement en prenant de l'alcool. «L'usage modéré des boissons fermentées est l'école où se forment les ivrognes. L'influence de ces breuvages est si insidieuse que leurs victimes s'engagent dans le chemin de l'alcoolisme avant même d'en avoir soupçonné le danger.» Peut-être n'êtes-vous pas un ivrogne. Peut-être n'êtes-vous pas un alcoolique. Vous n'êtes qu'un buveur occasionnel et pourtant vous n'êtes déjà plus ce que vous étiez, ce que vous devriez être. C'est votre cerveau qui pense, qui aime, qui agit, qui crée, qui invente, qui prie. Il est votre bien le plus précieux, le plus sacré, le plus utile, le plus noble, le plus indispensable. Votre cerveau est éminemment, essentiellement humain. Vous lui devez votre personnalité, votre individualité, votre caractère. Vous en avez besoin tout au long, jusqu'à la fin de votre vie. Ne le décapitez pas. Ne touchez pas à l'alcool.

Pourquoi boit-on?

En 1905, une éducatrice dans le domaine de la tempérance écrivait avec conviction: «C'est souvent au foyer que commence l'intempérance. L'usage des aliments lourds et malsains affaiblit les organes de la digestion et fait naître le besoin d'aliments qui stimulent. C'est ainsi que l'on prend goût aux condiments et aux excitants, et que le désir s'en fait toujours plus fréquemment et impérieusement sentir. L'organisme se charge de substances toxiques et plus il s'affaiblit, plus il exige de stimulants. Un pas dans la mauvaise direction en prépare un autre. Bien des gens qui ne voudraient pas mettre sur leur table du vin ou des liqueurs, y placent des aliments créant une soif si intense qu'il devient presque impossible de lutter contre la tentation. De mauvaises habitudes dans le manger et le boire, détruisent la santé et préparent le chemin à l'ivrognerie[5].»

Depuis, de nombreux savants ont répété puis prouvé qu'une certaine alimentation créait le goût et le besoin de l'alcool. En 1943, quatre savants chiliens (Mardones, Onfrez, Diaz et Segovia) ont publié un très intéressant rapport[6] au sujet de rats nourris avec une alimentation déficiente en vitamines B. Elle consistait principalement en pain blanc. Elle créa un besoin d'alcool chez les rats. Les nutritionnistes français Delore et Berry[7] étudièrent ce phénomène de plus près. Ils trouvèrent qu'en France la consommation d'alcool a proportionnellement augmenté alors que l'usage du pain noir diminuait et que ce pays adoptait nationalement le pain blanc déficient en vitamines B et en fibres. Ils furent convaincus, tout comme les savants chiliens, que l'usage du pain de blé entier a un effet préventif sur le besoin de l'alcool. Le docteur R. J. Williams et ses collaborateurs à l'Université américaine du Texas, sont arrivés eux aussi aux mêmes conclusions. Leur conviction est que le meilleur moyen de se débarrasser du besoin de l'alcool et de l'éviter est de consommer une alimentation équilibrée à base de pain intégral, riche en vitamines B et fournissant en abondance le glucose indispensable au fonctionnement normal du cerveau[8].

Si l'on considère les habitudes alimentaires actuelles de
l'Occident de plus en plus copiées par les nations en voie de
développement, peut-on être surpris de l'augmentation
constante de l'alcoolisme dans toutes les classes de la société,
ce fléau n'épargnant ni homme, ni femme, ni enfant, ni riche,
ni pauvre, ni prolétaire, ni bourgeois. Les groupes d'alcooliques
anonymes s'adressent et sont fréquentés par toutes les classes
de la société et depuis quelques années, aux États-Unis, on
connaît des groupes pour enfants de douze ans... «La danse
avec le diable» amorcée au début du siècle précédent, vers
1800, alors que s'opérait un changement drastique dans les
habitudes alimentaires, s'accélère: «Depuis cette époque la
consommation de matières grasses a doublé, celle des viandes
rouges a quadruplé, la consommation de viande de porc et de
farine blanche à fort taux de blutage s'est multipliée par neuf
et celle du sucre (raffiné) a décuplé. Par contre l'utilisation
des céréales intégrales (non blutées) dans l'alimentation a
diminué dans la proportion de 1 à 9.» (Günther Schwab)

Une alimentation déficiente en vitamines et en minéraux
produit ou favorise un penchant ou un besoin pour l'alcool.
Mais ironie, l'alcool, à son tour, crée des déficiences vitaminiques
laissant la victime dans un état déplorable. Plusieurs savants
dont Butler et Sarett[9] en 1948, le docteur Karl Myrbäck de
Suède en 1939, le docteur H. Suomalainen[10] de Finlande en
1960 ont souligné que la consommation d'alcool augmente de
façon considérable la sécrétion dans l'urine de la thiamine et
de l'acide nicotinique, deux importantes vitamines B. Elles
sont donc expulsées de l'organisme sous l'effet de l'alcool. Chez
les animaux de laboratoire, la sécrétion de la vitamine B_1
dans l'urine dure aussi longtemps qu'on leur administre une
solution d'eau additionnée de 10% d'alcool. Dans l'optique de
ces connaissances et faits scientifiques, il est facile de
comprendre pourquoi les alcooliques souffrent des symptômes
du béribéri, maladie causée par une carence en vitamine B_1.
Un article du Québec Science, «Le syndrome des buveurs de
bière[11]», laisse voir que la consommation de bière est hasar-
deuse. Des rats soumis à un régime alimentaire équilibré et
pourvu de vitamines B mais auquel on ajoute de l'alcool sous
forme de bière, présentent les mêmes symptômes de déficience
vitaminique que les rats qui consomment un régime totalement
dépourvu de vitamines B. L'alcool interviendrait donc dans
le métabolisme des vitamines B en les rendant inefficaces.

Cela est intéressant à savoir car l'on croit encore dans bien
des milieux tant scientifiques que populaires, que la bière est
nutritive. Faite à partir de céréales germées et de houblon,
elle contient des vitamines B, mais ces dernières sont totalement
inutilisables. Il est donc erroné de conseiller la bière aux femmes
qui allaitent.

Y a-t-il une solution?

Oui. La solution existe. Puisqu'une alimentation carencée
et raffinée de toute évidence crée un besoin pour l'alcool et
que ce besoin à son tour accentue les carences vitaminiques
de l'organisme, il semble logique de considérer la valeur d'une
thérapeutique alimentaire dans le but de corriger un problème
d'alcoolisme ou tout simplement un désir de boire.

De nombreux médecins et savants ont préconisé une alimentation *végétarienne* comme étant le moyen le plus efficace
de lutter contre l'alcool et de ramener à la sobriété l'alcoolique.

Leurs observations démontrent qu'une alimentation riche
en viande, celle-ci étant la plupart du temps accompagnée
d'une quantité importante de sel, de moutarde, de poivre et
de vinaigre développait une soif intense d'alcool. Justus von
Liebig (1803-1873) un chimiste allemand, observait déjà en
son temps que «les personnes qui utilisaient une alimentation
végétarienne n'aimaient pas les vins et les liqueurs fortes.»
Cette remarque ne peut être considérée comme relevant d'un
préjugé en faveur du végétarisme car Liebig considérait la
viande comme un aliment très sain et il en recommandait un
très grand usage. Il fut d'ailleurs avec Von Voit et Rubner,
des physiologistes allemands du début du siècle, à l'origine
de la consommation excessive des protéines, car il recommandait avec beaucoup d'insistance 118g et même 132g de
protéines *animales* par jour.

Le docteur américain et avocat de la tempérance J. H.
Kellogg[12] (c'est son frère qui inventa le procédé de la fabrication
des céréales croustillantes) était convaincu de la valeur nutritive absolue d'une alimentaiton végétarienne pour prévenir
et guérir l'alcoolisme. Il pouvait citer personnellement plus
de vingt personnes qui s'étaient complètement débarrassées

de ce problème grâce à une alimentation végétarienne. Il mentionne entre autre un jeune chimiste de 32 ans déjà alcoolique et qui, ayant lu la remarque de Liebig, devint végétarien. Il se débarrassa complètement en six semaines, de ce besoin qui ruinait sa vie sociale et professionnelle.

Le docteur Hans Eppinger[13], qui fut le médecin en chef de la première clinique de médecine interne à Vienne, juste avant la seconde guerre mondiale, fit de très intéressantes observations au sujet de l'effet favorable d'une alimentation végétarienne dans diverses maladies. Il obtenait ainsi de nombreuses guérisons. Il observait particulièrement de très grands succès dans la guérison de l'alcoolisme. Un autre médecin allemand, le docteur Alfred Brauchle appuyait pleinement le docteur Eppinger et affirmait que la lutte contre l'alcoolisme devait nécessairement commencer par une réforme de l'alimentation.

L'autorité bulgare de la tempérance, le docteur Kh. Neythcheff[14] dans un rapport présenté au 22e Congrès International contre l'Alcoolisme à Helsinki en 1939, intitulé «l'Alcool et la Nutrition humaine», a affirmé et répété avec beaucoup de conviction qu'une alimentation riche en viande, largement assaisonnée de sel et de poivre, était un facteur essentiel dans la genèse du besoin d'alcool. Il a déclaré que son observation et son expérience s'étalant sur vingt ans, lui ont prouvé de façon définitive qu'en dehors d'une alimentation végétarienne il n'y avait pas de remède efficace à l'alcool. Le docteur Netcheff a démontré que pour qu'un alcoolique soit complètement libéré de son besoin il fallait:

1) une stricte alimentation végétarienne avec une abondance de pain intégral, de céréales complètes, de fruits et de légumes frais;
2) une abstinence totale de café, thé, sucre blanc;
3) autant que possible une vie active en plein air;
4) une abstinence totale de tabac et d'alcool.

Récemment une étude du docteur U. D. Register[15] est venue confirmer scientifiquement toutes ces affirmations plus ou moins empiriques. Elle a prouvé qu'une alimentation déficiente avait une influence sur l'usage de l'alcool. Le docteur U. D. Register a démontré que des rats qui recevaient le régime américain populaire des adolescents additionné de café et d'épices, lorsqu'on leur donnait le choix de boire de l'eau pure ou de l'eau additionnée de 10% d'alcool, choisissaient de boire jusqu'à vingt fois plus d'alcool que les rats nourris d'une alimentation végétarienne équilibrée. On mesurait l'alcool consommé en millilitres par 100g de poids du rat.

Ce régime consistait en du café et des beignes pour le petit déjeuner; en des brioches sucrées et du café pour les casse-croûte de 10 heures et 15 heures; en «hot-dog» avec moutarde et cornichons au vinaigre, tarte aux pommes et café pour midi; en spaghetti et boulettes de viande bien épicées, en pain blanc, haricots verts en boîte, salade hachée au vinaigre, gâteau au chocolat et café pour le souper. Le grignotage de fin de soirée consistait en bonbons, biscuits et café. Tout cela était additionné de onze épices courantes communes: poivre noir, gingembre, clou de girofle, poivre rouge, moutarde entre autres.

Le docteur Register et ses co-équipiers donnent la conclusion suivante: Les rats soumis au régime américain des adolescents additionné de café ou de caféine consommaient des quantités beaucoup plus importantes d'alcool que les rats qui consommaient le même régime sans épices ajoutées. Les rats soumis au régime américain enrichi de vitamines avait une moindre consommation d'alcool. Lorsque l'on donnait à de grands buveurs un régime végétarien équilibré (riche en pain et céréales complètes), leur consommation d'alcool diminuait drastiquement ou cessait complètement. Pour le docteur U. D. Register il est absolument certain que les «personnes qui boivent beaucoup de café, mangent une alimentation déficiente et utilisent beaucoup d'épices, se lancent d'elles-mêmes vers les boissons alcoolisées.» Plus récemment, le docteur Register ajoutait à cette énumération, le fromage. Cet aliment a pour effet d'élever les taux de sérotonine dans le cerveau. L'augmentation de cette substance induit le goût de boire[16].

Le docteur Nathan Brody[17] pratique dans le nord de la Nouvelle-Angleterre, aux États-Unis. Il se spécialise dans le traitement des alcooliques. Sa thérapeutique consiste dans l'utilisation judicieuse d'une vitaminothérapie et d'une alimentation équilibrée. Le docteur Brody affirme que son succès est complet aussi longtemps et tant que le patient prend les suppléments vitaminiques et soigne son alimentation. La vitaminothérapie consiste en injections intraveineuses de diverses vitamines, particulièrement la vitamine B_3 ou niacine et la thiamine, la vitamine C, la vitamine E. Il injecte aussi le calcium. Ces suppléments sont également administrés oralement. L'alimentation est omnivore mais elle exclut rigoureusement toute céréale raffinée, tout sucre et les produits contenant du sucre, tout café, (d'après le docteur Brody, la caféine est la substance la plus dangereuse dans l'alimentation actuelle), tout aliment à calories vides et certains fruits tels que les raisins frais et secs, les prunes, les figues, les dattes et les bananes à cause de leurs effets hypoglycémiants. Les patients sont catégoriques: aussi longtemps qu'ils s'en tiennent à ce programme combinant une alimentation saine et les suppléments vitaminiques, ils n'ont aucun besoin, aucune envie, aucun désir d'alcool. Vous êtes sceptique? Beaucoup de gens le sont, excepté naturellement ceux qui ont essayé ce programme et en ont récolté les résultats extraordinaires. Le docteur Brody soigne avec succès 400 patients par an.

Les États-Unis déclarent officiellement neuf millions d'alcooliques avec 100 000 nouveaux cas chaque année. Que ferez-vous pour enrayer ce fléau, pour en préserver votre mari, votre femme, vos enfants? Une alimentation végétarienne équilibrée, exempte de café et d'épices, n'est-elle pas à la portée de tous? L'alcool avant d'être un fléau social est un fléau personnel. L'alcool tue le cerveau, paralyse les sensibilités les plus fines, excite les passions les plus viles et entraîne les crimes les plus dégradants.

L'alcool est un fléau qui peut être vaincu. Cependant le pas définitif vers la victoire sur toute drogue officielle ou non, licite ou illicite, sur toute habitude pernicieuse, sur toute maladie débilitante, sur tout vice qui détruit jusqu'au respect de soi-même, est d'entendre, d'apprendre, de comprendre, de savoir, de saisir, de sentir l'amour inconditionnel et l'acceptation totale, complète et sans retour que Dieu a pour chacun, quels que soient ses vices, ses drogues ou ses handicaps physiques ou moraux. Dieu affirme encore aujourd'hui à tout être humain sur cette terre:

«Je t'aime d'un amour éternel
C'est pourquoi je te conserve ma bonté[18].»

Que penser du café, du thé et des colas?

« On considère que 50 à 90 p. 100 des femmes dans notre société souffrent de douleurs et de sensibilité des seins, si pas sur une base régulière, du moins d'une manière cyclique, chaque mois dans la semaine qui précède les menstruations. L'élimination totale du café, du thé, des colas, du chocolat et des médicaments à base de caféine est, selon Grady et Ernster, un moyen sûr et facile de réduire ces symptômes hautement désagréables pour la femme.»

Starenkyj D., *La ménopause : Une autre approche...*

La caféine est peut-être la drogue occidentale par excellence. C'est la plus populaire, la plus répandue, la plus, croit-on, inoffensive et la plus sympathique. Qu'y a-t-il de plus gai, tout en restant respectable, qu'une tasse de café pour briser la monotonie des heures de travail, qu'une tasse de thé prise entre amis ou qu'une bouteille de cola que l'on se passe de bouche en bouche entre copains?

Connaissez-vous la vérité au sujet de la caféine? La caféine est une substance sans saveur et un constituant naturel d'un certain nombre de plantes incluant le café, le thé, les noix de cola, le maté. La caféine se retrouve dans les produits faits à partir de ces plantes.

La caféine a des effets immédiats qui se font sentir dès son ingestion et qui durent environ quatre heures. Ces effets peuvent être les suivants: l'équilibre est compromis, le cœur bat vite, la voix est aiguë, il y a insomnie, fatigue et tremblement des mains et des doigts. Certaines personnes ressentent un sentiment inexprimable d'angoisse et d'anxiété ainsi qu'une nervosité inexplicable pouvant les amener à la violence. Tous ces symptômes sont directement proportionnés à la quantité de caféine utilisée. Hobart A. Reimann[19] déclare que la fièvre basse mais constante ainsi que l'insomnie de nombreux patients sont attribuables à une forte consommation de caféine. Ces symptômes disparaissent complètement dès que la drogue est supprimée. De nombreux maux de tête, souvent intolérables sont également reliés à l'usage de la caféine. Depuis quelque temps, les effets passagers de l'arrêt de la consommation de la caféine sont connus: maux de tête extrêmement sévères et même nausées et vomissements. L'étude des symptômes du sevrage de la caféine ont amené plusieurs chercheurs à la classer parmi les drogues causant une véritable assuétude.

La caféine exerce aussi des effets à long terme. Ils sont peu connus des usagers et leurs découvertes étonnent le monde scientifique. Est-il possible que la caféine prédispose au cancer? Qu'elle cause des dommages génétiques? Qu'elle accentue le stress? Qu'elle soit une des causes des maladies coronariennes? Qu'elle crée les ulcères peptiques? Qu'elle soit à l'origine de nombreuses fausses couches et de certaines malformations chez le fœtus? L'usage de la caféine étant si répandue, il semble impossible d'accepter de telles affirmations. Pourtant voici les déclarations de quelques savants.

Le professeur Henry Eyring et le docteur Betsy Stover[20] de l'Université de l'Utah aux États-Unis ont découvert que la caféine endommage les chromosomes et entraîne un vieillissement et une usure prématurée du corps. La caféine agirait de la même façon que les produits chimiques qui causent le cancer. Le cancer est produit par une altération dans les chromosomes des noyaux des cellules. Par l'interaction complexe de trois facteurs variables (un virus, un agent affaiblissant les cellules et une certaine hérédité), le noyau de la cellule se transforme et un cancer est né. Tous les êtres vivants ont un appareil génétique qui est fondamentalement le même, que ce soit chez les bactéries, les animaux inférieurs ou l'homme. Un changement dans le noyau de la cellule s'appelle une mutation. Or la caféine cause des mutations chez les bactéries et elle interfère avec la réparation des chromosomes endommagés. Les mouches à fruit connaissent de nombreuses mutations génétiques lorsqu'elles sont exposées à la caféine. Les cellules humaines et les cellules de souris cultivées dans des éprouvettes contenant de la caféine sont incapables de réparer les dommages survenus dans leurs chromosomes.

Le docteur John Mulvihill[21] de l'Institut national du cancer à Bethesda au Maryland (É.U.) rapporte que de nombreuses malformations chez l'enfant sont dues à la caféine. Ces malformations se font au niveau des yeux, de la peau, du sang et des membres.

Le docteur Wolfram Ostertag[22], un généticien allemand, est convaincu que la caféine du café, du thé, des boissons gazeuses et de certaines médications est une cause d'avortement. De plus, elle passe dans le fœtus et cause des mutations génétiques dans ses cellules. D'après ce médecin, la caféine pourrait être un des agents mutagènes les plus dangereux pour l'homme.

Le docteur Michael Jacobson affirme que des découvertes récentes fournissent une certaine évidence qui montre que la caféine peut être la cause de malformations de naissance. «Comme précaution raisonnable, dit-il, les femmes pendant les trois premiers mois de la grossesse devraient réduire ou totalement éliminer leur consommation de breuvages, aliments ou médicaments contenant de la caféine.»

Le Centre pour la science dans l'intérêt public (Center for Science in the Public Interest) dit que certains animaux à qui l'on donne la quantité de caféine se trouvant dans onze tasses de café mettent au monde des petits avec des becs-de-lièvre, des doigts manquants, des crânes malformés. Le Centre demande au Département de la Santé, de l'Éducation et du Bien-Être social américain d'avertir les médecins afin qu'ils ne prescrivent pas de médicaments contenant de la caféine aux femmes en âge de procréer. Il demande aussi aux femmes d'éliminer complètement le café, le thé et les colas de leur régime[23].

La maladie la plus répandue en Amérique du Nord est celle du cœur. Cette maladie est reliée, entre autres choses, à un haut taux de cholestérol sanguin. Une seule tasse de café prise régulièrement peut augmenter le taux de cholestérol. Si une personne boit régulièrement de une à cinq tasses de café par jour, ses risques d'avoir une crise cardiaque sont de 60 % plus élevés que si elle n'y touchait pas. Si elle boit six tasses et plus ils sont de 120 % plus élevés. La caféine augmente la pression sanguine, accélère les battements du cœur et empêche le sommeil[24].

Le docteur Samuel Bellet de l'Hôpital général de Philadelphie a étudié le stress, ses causes et ses effets sur le corps humain pendant près de trente ans. Il croit fermement qu'il faut éviter la caféine car elle est un très grand facteur de stress[25].

Le docteur J. L. A. Roth[26] de l'École des gradués de Médecine à l'Université de Pennsylvanie (É.U.) dit que la caféine est un puissant stimulant de la production d'acide chlorhydrique chez les malades du duodénum. D'après le docteur Roth, deux petites tasses de café augmente la quantité d'acide chlorhydrique dans le système d'une personne normale pendant une heure. Chez une personne souffrant du duodénum, cet effet peut continuer pendant plus de deux heures. Le docteur Roth et ses associés croient que la caféine peut encourager la formation d'un ulcère, aggraver un ulcère existant et empêcher la guérison d'un ulcère sous traitement. Alors que la popularité des boissons sucrées à base de caféine devient de plus en plus grande, la présence d'ulcères peptiques chez de jeunes enfants est de plus en plus commune.

On parle beaucoup du diabète ou de l'hypoglycémie, deux graves maladies du métabolisme. Aux États-Unis, une personne sur six a le diabète alors que selon différents auteurs, une personne sur deux souffre d'hypoglycémie. Ces maladies sont, entre autres, la conséquence de l'épuisement du pancréas après plusieurs années de mauvaise alimentation. On mange trop, trop souvent, entre les repas, des aliments riches en calories mais vides d'éléments nutritifs, particulièrement des hydrates de carbone raffinés (sucre et céréales). La caféine attaque spécifiquement le pancréas et aggrave le diabète et l'hypoglycémie[27].

Le docteur Garfield G. Duncan avertit l'usager du café qu'il risque une déficience alimentaire sérieuse car il rend inactif le fer absorbé. Le buveur de café sera fatigué sans entrain et ironie, il cherchera dans le café un stimulant[28].

Des études gériatriques ont démontrér la possibilité d'une relation entre une incapacité de penser clairement, la perte de la mémoire, les caractéristiques de la sénilité et une histoire de consommation régulière de café.

Il est bien connu que l'usage de la caféine entraîne l'usage du tabac et de l'alcool et rend difficile l'abandon de ces produits.

Après toute cette énumération, voici un tableau indiquant la quantité de caféine contenue dans certaines boissons populaires.

	Caféine mg/tasse
Café instantané	40 à 110
Café au percolateur	65 à 125
Café décaféiné	2 à 8
Thé noir	25 à 50
Thé instantané	25 à 30

Les boissons gazeuses contiennent entre 32 et 65mg de caféine par bouteille (format individuel). De nombreux médicaments contiennent de la caféine: les comprimés pour le soulagement des maux de tête, des allergies et de la grippe ont entre 15 et 30mg de caféine par comprimé, alors que les pilules pour rester éveillé contiennent entre 100 et 200mg de caféine par comprimé[29].

L'effet pharmacologique de la caféine s'obtient avec 60 à 100mg de caféine. Les effets toxiques, cependant, se font sentir dès l'ingestion des plus petites quantités. Plus l'usage sera grand et répété, plus les effets se feront graves et variés.

Cher lecteur, le jeu en vaut-il la chandelle? Ce sentiment illusoire de force, d'énergie ou d'entrain vaut-il la peine de risquer tous ces maux pour vous, vos enfants et les générations à venir? «La seule attitude qui convienne en ce qui concerne le thé, le café, le tabac et les boissons alcoolisées est de ne pas prendre, de ne pas toucher, de ne pas goûter. Ceux qui renoncent aux excitants ressentent pendant quelque temps un certain malaise, mais s'ils persévèrent, ils en perdront le goût et cesseront bientôt d'en sentir le besoin. Il faut du temps à la nature pour se remettre des abus dont elle a souffert; mais donnez-lui l'occasion de le faire et elle s'acquittera à nouveau de sa tâche noblement et avec toute la perfection désirable[30].»

Que penser du cacao, du chocolat?

Le goûter du petit Européen consiste la plupart du temps en une tranche de pain blanc beurrée et une barre de chocolat. L'Américain consomme plus volontiers du chocolat liquide et boit sa plus grande quantité de lait sous forme de lait au chocolat.

Il semble que tous les enfants et la majorité des adultes aiment follement le chocolat et en consomment de grandes quantités sous forme de boissons, de bonbons, barres, gâteaux, crèmes et biscuits. Il est donc difficile d'admettre que cette substance au goût agréable est nocive et qu'elle est la cause de nombreux malaises. Le docteur Joseph H. Fries[31] considère le cacao sous toutes ses formes comme l'allergène le plus dangereux pour trois raisons: il est totalement ignoré du grand public; il est délicieux au goût; il provoque un penchant, un esclavage semblable à celui du café ou du tabac. D'après le docteur Fries, trois enfants allergiques sur quatre réagiraient mal au chocolat. Leurs symptômes seraient aigus: des vomissements, des douleurs abdominales, de la toux, des éternuements, un nez bouché, des éruptions eczémateuses de la peau, des frissons, des douleurs de poitrine, des démangeaisons.

Cependant même si votre enfant ou vous-même n'êtes pas allergique au chocolat, ce produit est nocif et vous fait du tort. Pourquoi?

Le cacao provient de la graine du cacaoyer. Cette graine donne une matière grasse, le beurre de cacao, utilisé en usage externe pour assouplir la peau et éviter les vergetures de la grossesse sur la peau du ventre et des seins. Elle donne aussi une poudre, très amère, dont on fabrique le chocolat. Pour donner à cette poudre un goût agréable, il faut y ajouter entre 57 et 82% de sucre. Le chocolat est donc un produit très sucré et il comporte les méfaits du sucre.

Le cacao contient deux alcaloïdes, la caféine et la théobromine qui est utilisée médicalement comme un stimulant cardiaque. La théobromine peut être une cause de haute pression chez la femme enceinte. Il est reconnu que cette substance est une cause fréquente de malaises gastro-intestinaux. Elle est, pour un jeune enfant, aussi dangereuse que les alcaloïdes nicotine et caféine. Elle est irritante pour le système nerveux et transforme bien des petits enfants en hyperactifs insomniaques. Elle entraîne chez eux le goût des stimulants plus forts et elle est peut-être la cause lointaine de l'usage prochain du tabac, de l'alcool ou d'une drogue non officielle chez l'adolescent.

De plus, le cacao contient de l'acide oxalique, une substance empêchant l'absorption du calcium. Il est dommage que tant d'enfants consomment leur lait additionné de cacao. Les animaux nourris de lait au chocolat absorbent moins de calcium et de phosphore, ont une croissance retardée et ont des os plus petits et plus fragiles que les animaux nourris de lait pur.

Une fois de plus, je m'étonne de ce goût de l'homme qui le fait aimer un produit nocif alors que la nature offre si généreusement un produit sain et agréable. La caroube est le fruit d'un arbre (ceratonia siliqua) poussant au Moyen-Orient. Moulue en poudre fine et grillée, elle donne un produit qui a l'aspect et le goût du chocolat au point que la plupart des gens s'y trompent. Cependant, contrairement au chocolat, la caroube contribue à la nutrition et ne possède aucune substance excitante ou allergène. En effet, la poudre de caroube pure (elle peut être falsifiée avec du cacao) ne comporte ni théobromine ni caféine. Elle est riche en calcium, phosphore, magnésium, silice et fer. Elle possède aussi une quantité appréciable de vitamines B et 7% de protéines. Sa grande teneur en pectine en fait un régulateur des intestins, soulageant particulièrement chez les jeunes enfants et les bébés, les diarrhées occasionnelles d'origine alimentaire. D'après un rapport paru dans le journal de l'Association médicale canadienne, une cuillerée à soupe de caroube en poudre diluée dans une tasse d'eau enrayerait une diarrhée infantile en un ou deux jours.

Voici un petit tableau comparatif de la valeur nutritive de la poudre de caroube, de cacao et de lait entier[32].

100 g	Calories	Vitamine C	Calcium	Graisses	Glucides
Caroube sèche	180	20	352	1,4	46
Cacao sec	295	0	133	23,7	5,5
Lait en poudre	502	6	909	27,5	27,5

La caroube en poudre a une qualité du chocolat: elle est délicieuse; mais elle n'a aucun de ses défauts. Ne vous en privez pas.

Voici, immédiatement pour vous donner l'eau à la bouche, quelques recettes à la caroube.

Carrés à la caroube et aux noix

Bien mélanger:

1	tasse de miel	2	c. à thé de jus de citron
4	c. à s. d'huile	2	c. à s. de beurre d'arachide non hydrogéné
2	c. à thé d'extrait de vanille	¼	c. à thé de sel marin

Ajouter:

⅔	tasse de caroube en poudre	1	tasse de noix de Grenoble hachées
1⅛	tasse de farine de blé ou de seigle		

Cuire dans un plat carré à 180°C (350°F), 35 à 40 minutes. Laisser refroidir et découper en carrés.

Glaçage à la caroube

4	c. à s. de caroube en poudre	½	tasse de beurre d'arachide
¾	tasse d'eau	1½	c. à thé de vanille
½	tasse de dattes	⅛	c. à thé de sel

Mélanger tous les ingrédients jusqu'à l'obtention d'un mélange très lisse. Cuire à feu doux 5 minutes. Réfrigérer, puis étaler sur des biscuits ou un gâteau.

Croquants à la caroube

Bien mélanger:

½	tasse de caroube en poudre	½	tasse de graines de tournesol entières
½	tasse de miel	½	tasse de graines de sésame entières
½	tasse de beurre d'arachide	½	tasse de germe de blé

Façonner en boules et rouler dans de la noix de coco râpée.

Biscuits à l'avoine et à la caroube

1	tasse de farine d'avoine	3	bananes bien mûres
½	tasse de flocons d'avoine	1½	c. à thé de vanille
¼	tasse de caroube en poudre	½	tasse de dattes hachées
		½	c. à thé de sel

Obtenir la farine d'avoine en moulant des flocons d'avoine dans un moulin à café électrique. Écraser les bananes. Mélanger tous les ingrédients. Verser à la cuillère sur une plaque à biscuits. Cuire à 180°C (350°F) 25 à 30 minutes.

1. Esaïe 55 (2).

2. Proverbes 23 (12 à 35).

3. Dr Kniseley et associés, rapport publié dans la revue *Microvascular Research* et cité dans la revue *Listen*, Volume 22, Numéro 12.

4. *Listen*, Journal of Better Living, Volume 22, Numéro 12. Pour références additionnelles voir le livre du Dr C. B. Courville, *Effects of Alcohol on the Nervous System of Man*, San Lucas Press, Los Angeles, Californie, 1966.

5. E. G. White, *Conseils sur la nutrition et les aliments*, pages 146, 147.

6. Mardones, Onfrez, Diaz et Segovia, *Boletin de Education fisica*, octobre 1943, pages 10, 38, 39, 62-66.

7. Delore et Berry, *La presse médicale*, 11 novembre 1955, p. 1951.

8. R. J. Williams, *Nutrition and Alcoholism*, University of Oklahoma Press, 1951, p. 45.

9. Butler et Sarett, *Journal of Nutrition*, volume 35, 1948, p. 539.

10. H. Suomalainen, *Proceedings of the 26th International Congress on Alcohol and Alcoholism in Stockholm*, 1960, p. 160.

11. *Québec Science*, déc. 1975 Vol. 14 N° 4.

12. Dr John Kellogg «Causes and Cure of Intemperance» The Physical, Moral and Social Effects of Alcoholic Poison, pages 66-74. Battle Creek, Michigan: Office of the *Health Reformer*, 1876.

13. Hans Eppinger, *Wiener Klinishe Wochenschrift*, N° 26, 1938, pages 702-708.

14. Kh. Neytcheff, *L'alcool et l'alimentation*, Proceedings of the 22nd International Congress on Alcohol and Alcoholism in 1939, 30 juillet au 4 août, pages 287-299.

15. U. D. Register, Influence of Nutrients on Intake of Alcohol, *Journal of The American Dietetic Association*, Vol. 6, N° 2, août 1972, pages 159-162.

16. *Serotonin in Health and Disease*, Edited by Walter B. Essman, Spectrum Publications Inc, New York, 1978.

17. *Prevention*, février 1976, pages 126-133.

18. Jérémie 31 (3).

19. Hobart A. Reimann, Caffeinism, *Dental Abstracts*, juin 1968, p. 4.

20. «Does Caffeine Speed Aging?» *Today's Health*, décembre 1971, p. 7.

21. «The Truth About Caffeine», *Listen*, mai 1976, p. 6.

22. «Caffeine and Babies» *Signs of the Times*, mars 1968, p. 4.

23. *Listen*, mai 1976, p. 21.

24. Ibidem p. 6.

25. *The National Observer*, 1er décembre 1969.

26. Mervyn G. Hardinge, «Coffee — Friend or Foe?» *Review and Herald*, 2 juillet 1964, p. 2.

27. *Listen*, mai 1976, p. 6.

28. Ibidem p. 6.

29. D. M. Graham, Caffeine — Its Identity, Dietary Sources, Intake and Biological Effects, *Nutr. Rev.* 36: 97-102, 1978.

30. E. G. White, *Conseils sur la nutrition et les aliments*, p. 516.

31. Dr Joseph H. Fries, *Annals of Allergy*, septembre 1966.

32. *Organic Gardening and Farming*, p. 122-126, déc. 1978.

20

Quelques réponses...

Lors de mes cours, j'ai remarqué que certaines questions reviennent régulièrement: «Que pensez-vous du sucre, ou du vinaigre, ou de ceci ou de cela», me demande-t-on. Je n'ai pas réponse à tout, mais j'aime livrer le fruit de mes recherches dans les ouvrages de ceux qui ont étudié à fond un sujet, ou encore le fruit de mes expériences personnelles. Voici donc quelques réponses à quelques questions usuelles.

Que penser du vinaigre?

Le vinaigre, qu'il soit de vin ou de cidre, ou artificiel, est un produit de fermentation. Le vinaigre n'est pas un aliment naturel mais la modification du vin ou du cidre, eux-mêmes étant des substances frelatées et alcoolisées. Ce qui est naturel, c'est la grappe de raisin ou la pomme, ainsi que leur jus à l'état frais. Le vinaigre de vin ou de cidre s'obtient par la fermentation de l'alcool éthylique contenu dans ces boissons. L'alcool éthylique se transforme en acide acétique sous l'action de la moisissure Mycoderma-acéti. Le vinaigre artificiel est obtenu par fermentation de solutions alcooliques. Le vinaigre, après avoir fermenté, est soumis à l'ébullition afin d'en éliminer le Mycoderma-acéti. Après toutes ces opérations il ne reste pas grand-chose des propriétés du fruit, si ce ne sont des sels minéraux que l'on trouve tout aussi bien dans le fruit ou dans son jus. Le vinaigre titre normalement 7 degrés d'alcool contre 7 à 14 pour le vin, 4 à 10 pour le cidre, 2 à 10 pour la bière. Or l'alcool, on le sait, est un anti-aliment. Il tue les cellules en les déshydratant, en coagulant leurs protéines et en dissolvant certaines graisses. Il détruit également les vitamines B. Le vinaigre entraîne la fermentation de la nourriture dans l'estomac. Ainsi, elle ne se digère pas, mais se gâte et se putréfie. Il en résulte que le sang n'est pas nourri. Il devient impur. Le vinaigre affecte le foie, la muqueuse protectrice de l'estomac et les reins. D'après le docteur J. H. Kellogg, il est deux fois plus puissant que l'alcool pour produire un foie sclérosé. L'acide acétique qu'il contient empêche l'action normale de la salive. Une seule cuillerée à thé de vinaigre peut arrêter la digestion des hydrates de carbone (pain et céréales fournissant le glucose) dans un repas ordinaire. Le vinaigre est un irritant. Il réduit la réserve alcaline du sang. Certains médecins affirment qu'il aide à la destruction des globules rouges du sang et qu'il entrave la digestion des protéines[1]. Le vinaigre n'a pas les critères d'un aliment naturel et le végétarisme équilibré le rejette complètement ainsi que tous les aliments faits avec du vinaigre. Le vinaigre et les produits vinaigrés induisent le goût et le besoin de l'alcool. Laissez-le de côté et préférez-lui dans vos salades le simple et excellent jus de citron. (Réservez l'usage du vinaigre de cidre au rinçage de vos cheveux).

Que penser des épices et des condiments?

La moutarde, le poivre, le gingembre, le clou de girofle, le raifort, la cannelle, la noix de muscade (considérée comme un narcotique dangereux) sont des épices dont l'usage constant empêche de goûter la saveur naturelle des aliments sains. Les aliments hautement épicés sont souvent consommés avec excès et entraînent des troubles liés à la suralimentation. Les épices blessent les cellules des organes qu'elles touchent. Leur contact constant avec la muqueuse de l'estomac produit une irritation qui peut dégénérer en une maladie plus grave. Le foie, les reins et les autres organes vitaux sont obligés de lutter contre ces corps irritants et cela peut entraîner une dégradation de leur structure[2]. L'usage de ces substances entraîne une soif que l'eau ne peut calmer. Elles sont une cause de l'usage de l'alcool.(Tout repas bien épicé n'est-il pas accompagné de vin?) Finalement, ceux qui utilisent les épices et les condiments sont bientôt obligés d'augmenter leur dose pour satisfaire l'appétit morbide qu'ils ont créé. En notre siècle de vitesse et de stress, moins les aliments seront excitants, mieux cela vaudra... Apprenez à utiliser les herbes. Le basilic en poudre est un excellent substitut du poivre.

Que penser du sucre?

Le sucre... Comment répondre en quelques lignes à une telle question, surtout quand ce mot peut désigner tant de réalités différentes. En effet, on emploie couramment ce terme pour désigner l'élément indispensable du sang, le glucose: pour chaque millième partie du sang, il en faut une de glucose, appelé sucre du sang. Le glucose est la substance que les cellules du corps brûlent afin de produire chaleur et énergie pour toutes les parties du corps. Le glucose s'obtient principalement à partir des hydrates de carbone (pain, céréales, fruits, légumes), mais il peut aussi s'obtenir à partir des protéines et des graisses lorsque les hydrates de carbone ou les glucides font défaut.

Le sucre du sang est un sucre simple, un monosaccharide (ose), qui s'obtient par une digestion en cascade dont le but est la désintégration des grosses molécules glucidiques contenues dans les céréales, les fruits et les légumes, en sucres simples (glucose, mannose, galactose, fructose) capables de passer dans le sang.

Les aliments naturels, entiers, sont riches en fibres qui exercent un effet de ralentissement sur la transformation de leurs grosses molécules glucidiques en sucres simples. Leur consommation n'entraîne pas une élévation brusque du taux de sucre sanguin et ne perturbe pas le mécanisme délicat de sa régulation. Les aliments entiers ont donc pour effet de soutenir les forces et non, comme c'est le cas pour les sucres raffinés ou concentrés, de les stimuler et de les épuiser. Lorsque le glucose pénètre trop rapidement dans le courant sanguin et en trop grande quantité, il a pour effet d'entraîner par le biais de l'insuline du pancréas un abaissement critique du taux du sucre sanguin, ce qui est très dangereux. En effet pour vivre le corps a besoin d'un taux *constant* de 1g de glucose par 1 litre de sang[3].

Le sucre de canne, le sucre de betterave, le sirop d'érable et le miel sont des sucres raffinés ou concentrés dépourvus de fibres et pour les deux premiers, de toute valeur nutritive. Leur usage perturbe le métabolisme des sucres et est à l'origine de nombreuses misères dont une des plus pénibles est probablement l'hypoglycémie. Ses nombreux symptômes psychiques s'expliquent fort bien lorsque l'on sait que le glucose est l'unique combustible du cerveau, cet organe qui est le siège de la pensée, de l'affectivité, de la raison, de la personnalité.

En 1850, la consommation de sucre raffiné était de 5kg par an et par personne. En 1970, elle était de 58kg par an et par personne. Cette consommation galopante, d'après de nombreuses autorités scientifiques, est une cause majeure non seulement de l'hypoglycémie mais aussi du diabète. De plus on reconnaît que le sucre est une cause importante dans le développement de la carie dentaire, du cancer, notamment celui du colon, des maladies coronariennes. Les autorités qui expriment une telle opinion sont, entre autres, Denis Burkitt (M.D.), John Yudkin (M.D.), Philippe Norman (M.D.), George Mc Govern (D.D.S.).

Beaucoup de gens croient sincèrement qu'ils ne mangent pas de sucre car ils n'en ajoutent pas dans leur café ou sur leurs fruits. Pourtant, le petit tableau suivant les convaincra qu'il y a beaucoup de sucre «caché» dans de nombreux aliments provenant de l'industrie alimentaire:

	Quantité de sucre en cuillerées
«chewing-gum» (1 morceau de 3 g)	½
guimauve (une)	1½
bonbon à sucer (un de 5 g)	1
bonbon fondant (28 g)	4
gâteau d'ange (1 morceau de 45 g)	5½

gâteau au chocolat glacé (1 morceau de 85 g)	8
biscuit aux brisures de chocolat (un de 11 g)	1½
beigne glacé (un de 65 g)	6
bière (240 g)	2
lait au chocolat (240 g)	5 à 6
colas (180 g)	3½ à 4
vin (100 g)	3
tarte aux pommes (1 morceau de 160 g)	12
pudding au chocolat (½ tasse ou 144 g)	6 à 7
gélatine (½ tasse ou 120 g)	4½
crème glacée (½ tasse ou 67 g)	3
tarte meringuée au citron (1 morceau de 140 g)	10½
confiture (1 c. à s. ou 20 g)	3
cornichon mariné (un gros de 100 g)	7½

Le docteur Otto Shaefer (M.D.)[4], après avoir étudié sur place la santé des Esquimaux soumis à un style de vie occidental, affirme que notre alimentation particulièrement riche en sucre entraîne chez ces populations une dégénérescence rapide dont les signes les plus frappants sont une augmentation de la taille et une maturité sexuelle précoce. On remarque également l'apparition de l'acné, de la carie dentaire, de l'obésité, du diabète, maladies jusqu'alors inconnues chez eux. Le docteur Shaefer affirme que le sucre raffiné en surstimulant les glandes endocrines amène une accélération de la croissance et de la maturité sexuelle qui sont tout à fait indésirables si pas nuisibles. Une étude parue dans le British Medical Journal (4 août 1973) souligne que des recherches européennes et américaines ont démontré que depuis le siècle dernier les menstruations commencent à un âge de plus en plus précoce. À l'heure actuelle, l'âge moyen du début des règles est de 12 ans, alors qu'il y a cent ans il était de 14 ou 15 ans. Au milieu du XIXe siècle il était de 15 ans et demi en Angleterre, alors que dans les pays scandinaves, l'âge de la maturité sexuelle pour les filles était de 17 ans. La précocité sexuelle dans notre société pose de graves problèmes. Il est dangereux d'avoir la capacité physique de se reproduire lorsque celle-ci n'est pas accompagnée de maturité mentale et spirituelle et d'indépendance matérielle. Derrière la vie malheureuse de la majorité des adolescents de notre époque on pourrait pointer un vilain: le sucre. Protégeons l'enfance en banissant le sucre sous toutes ses formes.

Le sucre, selon de récentes recherches, entrave la phagocytose, c'est-à-dire qu'il réduit la capacité des globules blancs de digérer et de neutraliser les organismes toxiques qui entrent dans le sang. Il affaiblit l'immunité du corps et serait la cause de tant de maladies infectieuses dans tous les segments de la population et particulièrement chez les enfants[5]. Voici un petit tableau révélateur à ce sujet. L'expérience a été faite en laboratoire à l'Université Loma Linda, en Californie.

En temps normal	1 globule blanc peut vaincre 14 bactéries
5 minutes après avoir mangé 6 cuillères à thé de sucre (un beigne avec glaçage)	1 globule blanc vainc 10 bactéries
5 minutes après avoir mangé 12 cuillères à thé de sucre (une pointe de tarte)	1 globule blanc vainc 5½ bactéries
5 minutes après avoir mangé 18 cuillères à thé de sucre (1 lait glacé au chocolat + 1 biscuit)	1 globule blanc vainc 2 bactéries
5 minutes après avoir mangé 24 cuillères à thé de sucre (1 «banana split»)	1 globule blanc vainc ½ bactérie

Le sucre cause une dépendance physique et psychologique qu'il est souvent difficile de briser. Je connais personnellement des gens qui ont abandonné sans problème l'usage de la viande mais qui n'ont pu renoncer aux mets sucrés. En fait bien des végétariens bouffis, pâles, sans entrain sont des végétariens «pudding», des végétariens qui ont remplacé la viande par le sucre sous diverses formes. Croyez-moi, malgré toute ma conviction au sujet du végétarisme, je ne crains pas d'affirmer que la viande est moins nocive, plus saine, plus naturelle que le sucre. Il faut donc briser cette habitude créée et entretenue depuis la plus tendre enfance. La solution à ce problème n'est pas de remplacer 58kg de sucre par 58kg de miel par an. Le sage Salomon est précis sur ce point: «Il n'est pas bon de manger beaucoup de miel[6].» Non, la solution est de retrouver le goût du pain et d'en faire la base de son alimentation. Le corps pourra ainsi obtenir son glucose en abondance, à un rythme lent mais régulier. Le goût du sucre aura disparu parce que son effet stimulant ne sera plus nécessaire.

Peut-on avoir suffisamment de calcium dans une alimentation végétarienne, surtout si elle exclut le lait et ses dérivés?

Elle est solidement ancrée dans notre société, la conviction qu'il faille du lait pour avoir du calcium en quantité suffisante. C'est ainsi qu'un régime adéquat est toujours planifié avec de larges quantités de lait, particulièrement lorsqu'il s'agit d'enfants et de femmes enceintes ou qui allaitent. Les Américains ont une ration quotidienne assez élevée de calcium, tout au moins plus élevée que bien d'autres nations, particulièrement celles du Tiers-Monde. Malgré cela, ils ont un taux très élevé de maladies dentaires et osseuses, en particulier d'ostéoporose. Ce fait a souvent bafoué la profession médicale qui ne comprenait pas comment avec une ration quotidienne d'environ 800mg de calcium l'Américain développait une telle maladie alors que l'Africain ou l'Asiatique par exemple, avec une ration de seulement 400mg par jour, ne la développait pas. Une équipe de chercheurs de l'Université du Wisconsin a éclairé la situation et indirectement démontré le bien-fondé d'un végétarisme équilibré. Helen M. Linkswiler a rapporté dans les *Transaction of the New York Academy of Sciences* d'avril 1974 qu'une ration modérée de 47g de protéines par jour permettait aux sujets étudiés, de jeunes hommes adultes, de maintenir un équilibre calcique adéquat qu'ils reçoivent 500, 800 ou 1,400mg de calcium par jour. En d'autres termes, ces sujets n'évacuaient pas dans leurs urines plus de calcium qu'ils n'en avaient consommé. Cela prouvait qu'il n'y avait pas de calcium prélevé sur le squelette. Mais lorsque la ration protidique était de 95g, la moyenne américaine, aucun sujet ne maintenait d'équilibre calcique avec 500mg de calcium. Afin de les empêcher de perdre du calcium, il fallait qu'ils en consomment 800mg par jour. Lorsque la ration protidique montait à 142g par jour, aucun des 15 sujets ne maintenait d'équilibre calcique à 500mg ou 800mg de calcium par jour et seul 3 sujets étaient en équilibre avec 1,400mg de calcium par jour. Or, le mangeur de viande, en Amérique, d'après un article du *FDA Consumer* (novembre 1973), peut manger de 130 à 140g de protéines par jour. Ainsi boire du lait, manger du fromage, même en grandes quantités ne fournira pas au corps le calcium dont il a besoin si la ration protidique excède 50 à 70g par jour. D'autre part, les produits laitiers, s'ils sont riches en calcium sont également riches en protéines. Ceci pose un problème pour l'assimilation du calcium, comme nous l'avons vu. Le docteur S. Morgen (M.D.)[7] et ses collègues de l'Université de la Californie ont démontré que l'ajout de viande ou de toute autre protéine à un régime adéquat augmentait l'excrétion du calcium dans les urines. Indirectement, ils démontrent que l'excès de protéines, qu'il soit animal ou végétal, est toujours préjudiciable. Ainsi, le soi-disant bas taux de protéines du végétarien est pour lui la garantie d'un taux suffisant de calcium[8,9,10].

Voici encore quelques considérations qui pourront vous convaincre ou vous rassurer.

— Le lait que produit une espèce pour ses petits est une bonne indication des besoins alimentaires de cette espèce. Le lait maternel contient environ trois fois et demie moins de calcium que le lait de vache. Ceci se comprend fort bien lorsque l'on observe que le petit de l'homme a environ vingt ans pour construire son squelette, alors que le veau est adulte en deux ans et manifestement il atteint une taille beaucoup plus grande qu'un homme. Un homme a donc besoin de moins de calcium qu'un bœuf. Le lait de soja a environ le même taux de calcium que le lait de femme. Le veau, une fois sevré, entretient la santé de son squelette et de sa denture, avec de l'herbe, et non avec du lait...

— Les nutritionnistes qui conseillent la consommation d'au moins un litre de lait par jour, le font dans le cadre d'une alimentation qui emploie les céréales raffinées. Or, le raffinage du blé le prive des ⅔ de son calcium. Un végétarisme équilibré, en consommant les céréales complètes, a accès à cette source de calcium et n'a pas besoin de le rechercher avec autant d'insistance dans le lait ou ses dérivés.

— Les légumes-feuilles vert foncé sont une riche source de calcium. Le végétarisme fait un usage important de ces aliments.

— L'habitude généralisée de cuire les légumes dans une grande quantité d'eau puis de la jeter, entraîne une perte importante des minéraux, notamment du calcium. Le végétarien mange une partie de ses aliments crus et soigne particulièrement leur cuisson. Il est ainsi assuré d'une consommation d'aliments plus minéralisés.

— Plus une alimentation est alcalinisante, plus grande est la rétention de calcium dans le corps. Plus elle est acidifiante, plus il y a excrétion de calcium dans les fèces. Une alimentation végétarienne est alcalinisante alors que la viande, le sucre et les céréales raffinées sont très acidifiants.

— Il est prouvé que les fruits frais (particulièrement les petits fruits et les agrumes), à cause de leur haute teneur en vitamine C, augmente la rétention du calcium dans le corps. Le végétarien consomme avec libéralité ces aliments.

— L'utilisation du bicarbonate de soude (soda) tend à restreindre l'absorption du calcium au niveau des intestins. L'usage de ce produit n'est pas conseillé dans le régime végétarien.

— Finalement l'observation de la très grande majorité des peuples de la terre qui n'emploient pas de lait de vache ou le font en très petite quantité, prouve amplement que lorsque l'alimentation est *suffisante*, composée exclusivement *d'aliments entiers* et en grande partie de *végétaux*, elle contient suffisamment de calcium pour produire des êtres au corps fort et harmonieux et à la denture saine. John Ruskin disait: «A single grain of solid fact is worth ten tons of theory.». Qu'en pensez-vous?

Faut-il manger cru ou cuit?

Alors qu'au début du siècle, les nutritionnistes recommandaient la cuisson prolongée de tout aliment, depuis une dizaine d'années, on entend un autre son de cloche: il faut manger cru. On voit ainsi, ici et là, jaillir des systèmes de nutrition qui recommandent la consommation exclusive d'aliments crus. J'ai pu donc voir des gens manger leur blé, leurs pommes de terre, leurs légumineuses crus. C'était fort peu appétissant et les résultats n'étaient pas heureux. Cela se comprend lorsque l'on sait que la ptyaline, une enzyme indispensable à la digestion de ces aliments (elle les transforme en sucres simples), n'agit pas sur eux s'ils sont crus. En effet, la ptyaline n'agit que sur l'amidon *cuit*, le rendant assimilable et utile à l'organisme. Manger ces aliments crus ou insuffisamment cuits équivaut à ne pas manger et donc à souffrir de malnutrition. D'autres recommandent d'énormes quantités de fruits à l'exclusion de tout autre aliment. Qu'en est-il? En fait, il faut manger *et cru et cuit*.

Une étude devenue classique démontre les effets d'une alimentation exclusivement cuite sur des chats. Le docteur Francis F. Pottenger (M.D.)[11], il y a trente ans, divisait 900 chats en deux groupes. Pendant dix ans, il put observer les effets d'une alimentation cuite sur leurs générations successives. Le premier groupe nourri de lait cru et de viande crue se reproduisit sans problème et conserva une santé florissante. Le deuxième groupe nourri de lait *cuit* et de viande *cuite* manifesta rapidement des signes de dégénérescence évidents: gingivite, perte des dents, perte de la fertilité, accouchements pénibles, irritabilité, intérêt sexuel diminué ou perverti, allergies, infections, diarrhées, pneumonie, troubles cardiaques, maladie des reins, maladie de la thyroïde, paralysie, etc... Le docteur Pottenger filma ces chats. La première génération, lorsqu'elle était jetée de haut, retombait sur ses pattes. Ce qui est normal pour un chat. La deuxième génération était moins saine. Jetée de haut, elle roulait sur elle-même, mais se raplombait. Elle avait les «pieds plats» et le dos creux. La troisième génération, jetée de haut ne pouvait se relever. Quand la troisième génération était mise à nouveau à une alimentation crue, si sa dégénérescence n'était pas trop avancée, la santé revenait. Il fallait cependant quatre nouvelles générations pour que les chats connaissent un rétablissement complet... Cette étude a eu sur certains adeptes d'un régime sain, l'effet d'une bombe. Excluant sans remords tous les aliments qui ne peuvent se consommer crus (pain, céréales, légumineuses), le crudivorisme était né. Il est cependant toujours dangereux d'appliquer à l'homme sans nuance aucune, les résultats d'expérimentations animales.

Comme nous le disions plus haut, certains de nos aliments pour être digestibles doivent être cuits. Les céréales et les légumineuses en particulier, ne doivent pas se manger crues. Les céréales ont un amidon indigeste à l'état cru, mais qui sous l'effet de la chaleur se transforme en sucres assimilables. La cuisson attendrit également leur cellulose et permet une meilleure assimilation de leurs éléments nutritifs, des minéraux en particulier. Les légumineuses contiennent en général des substances toxiques qui sont neutralisées par la cuisson mais selon des études récentes, pas par la germination. La fève de soja consommée crue empêche la croissance normale des rats. Elle contient également un facteur favorisant le goître. Le lait cru est particulièrement dangereux. Il peut véhiculer, entre autres, les virus du lymphosarcome et de la leucémie qui survivent jusqu'à trois jours et restent infectieux tant que le lait n'est pas parfaitement *stérilisé*. La viande crue pose les mêmes problèmes. On suspecte à l'heure actuelle dans le monde médical une relation entre les cancers du bétail et les cancers humains. Le lait et la viande seraient les véhicules des virus responsables de ces cancers[12][13]. Ainsi la cuisson pour certains aliments est indispensable. D'autre part, la cuisson permet la fabrication de plats qui, psychologiquement, nous font du bien, particulièrement dans un pays froid. Faisons donc la part des choses. Consommons les fruits, les légumes tendres, les noix, les graines chaque fois que possible et la majorité du temps, crus. Cuisons soigneusement les céréales, les légumineuses et les légumes-racines. Commençons chaque repas par du cru. Nous atteindrons ainsi un équilibre souhaitable entre les aliments cuits et crus. Le docteur John M. Douglass[14] de la Californie du Sud, préconise un tel régime (abondance d'aliments crus et de céréales et de légumineuses soigneusement cuites) et obtient dans des cas de diabète la réduction de la ration quotidienne d'insuline et même son élimination[15]. Manger cru, avec discernement, est donc une mesure saine et proprement naturelle. C'est également un excellent moyen de réduire la quantité d'aliments consommés et donc de contrôler son poids. Une alimentation crue exerce les mandibules et les dents et contribue ainsi à leur santé. Tout le monde gagnerait à augmenter sa quantité d'aliments crus et de bénéficier ainsi de leurs bienfaits incontestables.

La question du sel

Le sel est indispensable. Les peuples anciens l'ont toujours su. Jésus a déclaré: «Le sel est une bonne chose[16].» En effet, il est indispensable pour le sang et ceux qui s'en abstiennent totalement risquent de perdre leurs forces. Le problème du sel se situe au niveau de l'usage excessif qu'en fait notre société. L'excès de cet excellent produit entraîne de graves troubles qui se corrigent dès que la ration quotidienne de sel est abaissée. Une consommation moyenne de 20 à 30g de sel par jour est chose commune, mais cela constitue une dose toxique. La ration normale, utile, bénéfique est de 4g par jour de sel complet, contenant en équilibre divers oligo-éléments qui déconcentrent son taux de chlorure de sodium. La théorie affirmant que le sel est un poison ne résiste pas lorsque l'on voit avec quel soin les hommes de tous les temps l'ont recherché. Le mot «salaire» désignait à l'origine l'indemnité accordée aux soldats romains pour l'achat du sel. Alfred Métraux nous rapporte au sujet des Polynésiens qu'ils «absorbent le sel nécessaire à leur organisme dans l'air marin et dans les algues qu'ils mangent[17]». Ils n'éprouvent pas alors le besoin d'assaisonner leurs aliments. Pour la majorité d'entre nous qui ne respirons pas un air salé et ne mangeons pas des algues marines toute imbibées d'eau de mer salée, il est indispensable d'ajouter cet élément à nos plats. Le sel de mer, seul valable parce que complet, à la dose maximale de 4g par jour, contribue à la santé. Le végétarisme exclut naturellement toute la gamme des produits salés qu'offre l'industrie alimentaire: chips, pretzels, biscuits soda, etc... Il ne peut ainsi faire excès de sel. Il est important de comprendre qu'une abstinence totale de sel, telle que préconisée par certains est préjudiciable pour la santé. La substitution d'un sel de laboratoire pour un sel de mer, tout en gardant une consommation de 20 à 30g par jour ne sera pas meilleure et entraînera les mêmes troubles. Ce qu'il faut c'est passer d'une dose excessive (20 à 30g) de chlorure de sodium pur à une dose nécessaire (4g) de sel marin.

Qu'est-ce que la levure?

Les levures (*Candida utilis*) sont des organismes unicellulaires, de taille microscopique et elles sont classées parmi les micro-champignons. Leur caractéristique la plus intéressante est leur capacité de transformer des sources peu coûteuses de carbone et d'azote en protéines de haute qualité. Classiquement, depuis le début du siècle, on élève des levures-aliments sur des sous-produits sucrés et cellulosiques liés à des productions existantes. Ces levures produisent des protéines de grande qualité, très riches en vitamines B, 1000 fois plus vite que le ferait un bœuf. La levure, selon son milieu de culture, est appelée de bière, Torula, etc... Son goût est plus ou moins amer mais sa valeur nutritive toujours très élevée. La levure alimentaire a un goût agréable et constitue un bon *assaisonnement*. Il faut veiller à ne pas en faire un usage exagéré. Il existe une allergie à la levure qui peut se manifester par des gaz et chez le bébé allaité, par de l'eczéma.

Les méthodes de cuisson

Afin de retenir la plus grande valeur nutritive des légumes, voici quelques conseils:

— Cuire les légumes avec leur peau chaque fois que possible. Cela s'applique particulièrement aux légumes-racines, à la pomme de terre, entre autres.

— Cuire le plus rapidement possible. Apprenez à aimer vos légumes croquants.

— Cuire les légumes en entier et ne les couper qu'après la cuisson, chaque fois que possible.

— L'ajout de jus de citron à l'eau de cuisson diminue la perte en vitamine C des aliments.

— Si vous désirez cuire vos légumes à l'eau, jetez-les dans le liquide déjà bouillant et utilisez le moins d'eau possible.

— Ne jamais ajouter de bicarbonate de soude aux aliments qui cuisent. Ce produit est destructeur des vitamines et tend à affaiblir les sécrétions du pancréas[18].

— La meilleure cuisson est la cuisson à la vapeur, sans eau, dans des batteries conçues spécialement pour cet usage.

— Consommer rapidement les aliments cuits. Il est préférable de réchauffer un plat que de le maintenir longtemps à la chaleur.

— Utiliser toujours les eaux de cuisson pour les soupes, les sauces, les crêpes.

Les instruments de la cuisine végétarienne

La cuisine végétarienne demande quelques appareils afin de la faciliter:

— Une bonne batterie de cuisine en acier inoxydable (3 à 5 plis), permettant une cuisson dite «sans eau». (Les casseroles en aluminium n'ont pas bonne réputation dans la littérature scientifique et il vaut mieux les éviter.)

— Un mélangeur qui vous sera utile, entre autres, pour la préparation du lait de soja, du beurre de soja et autres spécialités.

— Un moulin à café électrique pour moudre les graines de soja, de tournesol, de sésame, etc...

— Une râpe à légumes avec cônes permettant de couper les légumes finement ou plus grossièrement. Les appareils en acier, avec ventouse, sont excellents et permettent la préparation rapide de salades de chou et de légumes-racines.

— De bons couteaux, une planche à découper.

— Une marguerite, petit instrument à trous, se plaçant dans les casseroles et permettant une cuisson à la vapeur. Elle rend service en l'absence d'une batterie permettant une véritable cuisson à la vapeur.

— Un moulin à farine électrique sur meules de pierre, est un investissement-santé qui vous rapportera de l'or, sous forme de satisfaction profonde et d'énergie débordante. Une farine de blé entier, fraîchement moulue est une farine qui permet la fabrication d'un pain unique.

Songez à bien choisir vos moules à pain. Après plusieurs essais, je me suis fixée sur des moules en pyrex blanc opaque. Ils permettent une cuisson lente dans un four électrique. Le pain complet doit cuire longtemps mais sans brûler.

1. *Health*, octobre 1935, page 29.

2. Risley et Walton, *Foods, Nutrition and Clinical Dietetics*, pages 90, 91.

3. Voir *Le mal du sucre*, Danièle Starenkyj, ORION.

4. *Nutrition Today*, novembre-décembre 1971.

5. Sanchez, A., Reeser, J. L., Lau, H., Yahiku, P. Y., Willard, R. E., Mc Millan, P. J., Cho, S. Y., Magie, A. R. et Register, U.D., «Role of Sugars in Human Neutrophilic Phagocytosis», *Amer, J., Clin Nutrition*, 26: 3, 1180-84, 1973.

6. Proverbes 25 (27).

7. *American Journal of Clinical Nutrition*, juin 1974.

8. Linkswiler, H.M., M.B. Zemel, M. Hegsted, et al. *Fec. Proc.* 40: 2429-33, 1981.

9. Hegsted, M. and H.M. Linkswiler, *J. Nutr.* 11: 244-51, 1981.

10. Lutz, J., H.M. Linkswiler, *Am. J. Clin. Nutr.* 34: 2178-86, 1981.

11. *American Journal of Orthodontics and Oral Surgery*, août 1946.

12. Beware of the Cow, *Lancet* 2: 30, 1974.

13. Donham, K.J., J.J. Van Der Maaten, J.M. Miller, et al. Seroepidemiologic Studies on the Possible Relationships of Human and Bovine Leukemia. *J. Nat. Canc. Inst.* 59: 851-853, 1977.

14. *Annals of Internal Medecine*, janvier 1975.

15. *Lancet*, décembre 11, 1976.

16. Marc, 9,50.

17. Métraux, Alfred, *L'Île de Pâques*, page 110.

18. Dr I. P. Pavlov, professeur à l'Académie impériale de médecine à Leningrad, Work of the Digestive Glands, cité dans *Abundant Health*, Julius Herbert White.

Il n'y a de bonheur...

La souffrance a labouré mon cœur ces derniers temps. Je pensais qu'il avait été déjà suffisamment remué et je n'attendais que la joie. Comment, après tant de larmes, d'angoisses, de déchirements, parler encore de bonheur?

Alors que je choisissais le titre de ce livre, j'étais enceinte et mon cœur se gonflait d'un espoir doux et grand. L'enfant est venue après quelques heures d'un labeur merveilleusement satisfaisant. Son cri a fait chavirer mon cœur et l'a tourné vers un horizon d'heureuse tendresse. Je l'ai prise dans mes bras encore toute gluante, et je l'ai mise au sein. Je l'ai aimée avec la substance même de mon être, profondément, intensément. Je n'ai pu la garder à distance, et nuit et jour, je l'ai serrée dans mes bras, la couvrant de baisers. Oh! qu'il est bon d'être mère, qu'il est grand le privilège de nourrir d'amour et de lait le fruit de ses entrailles.

Mais soudain, Olga, ma petite fille si douce, a transpercé mon corps, mon cœur et mon esprit d'une douleur qui a noyé mes yeux de larmes brûlantes, qui m'a laissée muette, saisie d'une stupeur glacée, tremblante au seuil d'une supplication qui devait rester sans réponse positive.

Je l'ai compris quelques semaines plus tard, après avoir prié. Alors m'accrochant de toutes mes forces à la conviction que Dieu est amour et qu'Il n'est pas l'auteur du mal, de la maladie et de la mort, ma douleur de folle devint sage, d'aiguë, profondément diffuse. Ma chérie fut hospitalisée. Je cessai de l'allaiter. Elle avait cinq mois.

L'agonie fut longue. Elle pressa sur mon âme tout le poids de l'impuissance humaine, la mienne et celle des autres. Elle assombrit ma vie que je voulais lumineuse. Olga décharnée et meurtrie, s'est endormie dans mes bras, une nuit. Elle avait sept mois. La vie et la mort de son enfant dans un laps de temps si court et si long, que c'est lourd à porter... Mais Olga ne pouvait pas vivre. Elle avait une maladie génétique, une erreur innée du métabolisme.

Comment relier tout cela au végétarisme? Lorsque certains amis, connaissances et médecins apprirent que notre fillette ne grandissait plus, à travers leurs mots de sympathie, je sentais leurs reproches à peine retenus: tout cela devait être causé par mon lait, mon régime, notre genre de vie. «Allons me disait-on, il y a tant de femmes qui fument, qui boivent et mangent n'importe quoi et n'ont-elles pas des enfants sains?» Je ne pouvais répondre à tant de logique apparente et je pleurais en silence. Bientôt, cependant il devint évident que ce qu'avait Olga, n'était pas commun et que cela n'avait rien à voir avec ce que j'aurais pu faire ou ne pas faire. Il semblait même que la résistance étonnante de notre petite était due au fait que nous étions sains, que nous lui avions légué une bonne vitalité et qu'elle avait été allaitée...

À ce moment, les regards se tournèrent vers nous. Craquerions-nous? Les questions étaient habiles. Prenais-je des pilules pour dormir, pour me remonter, pour me calmer? Étais-je fatiguée de faire chaque jour 160km pour voir mon bébé, de rester à l'hôpital quatre, cinq, six, huit, dix et dix-sept heures par jour? Comment pouvais-je encore trouver le temps de m'occuper de mes jardins, de ma grande fille Élisabeth, de faire mon pain et d'écrire ce livre? Je souriais à ces mêmes personnes qui avaient suspecté que mon régime était la cause de la maladie d'Olga et je leur disais: «Non, je ne prends rien. Je souffre mais je ne suis pas épuisée.» Certes le végétarisme qui est tout simplement une option alimentaire, n'élimine pas les problèmes ni les tragédies de la vie, mais parce qu'il est un régime sain, équilibré et adapté aux besoins réels du corps humain, il produit une résistance particulière qui nous permet de ne pas perdre confiance en Dieu dans les moments de grands stress.

Il faut oser le dire, le végétarisme n'est pas une panacée, une amulette magique qui protège automatiquement l'individu qui le vit de tous les ennuis, soucis, maladies ou accidents. Allons! peut-on honnêtement promettre ou enseigner de telles choses? Peut-on raisonnablement y croire?

En respectant l'écologie de l'homme, en favorisant le développement harmonieux de son corps et de son cerveau, le végétarisme est un facteur de santé indéniable. Celui pour qui le végétarisme devient un art de vivre peut espérer ce bien précieux, la santé.

Cher ami lecteur, le bonheur de *bien* manger et de *bien* boire est dans l'acte et dans le résultat. Osez partir à l'aventure avec enthousiasme mais aussi avec réalisme. Puisse ce livre être pour vous une source d'inspiration, une école de bon sens, une porte ouverte sur une vie meilleure. Alors toutes ces années de travail, à travers la joie, à travers la peine, n'auront pas été vaines.

À Dieu soit toute la gloire.

Index des recettes

Index général

Table des matières

MARQUIS
Montmagny, Qc
février 1994